Les Éditions du Boréal
4447, rue Saint-Denis
Montréal (Québec) H2J 2L2
www.editionsboreal.qc.ca

SOIFS

ŒUVRES DE MARIE-CLAIRE BLAIS

ROMANS

La Belle Bête, Boréal, coll. « Boréal compact », 1991.

Tête blanche, Boréal, coll. « Boréal compact », 1991.

Le jour est noir suivi de *L'Insoumise,* Boréal, coll. « Boréal compact », 1990.

Une saison dans la vie d'Emmanuel, Boréal, coll. « Boréal compact », 1991.

David Sterne, Boréal, coll. « Boréal compact », 1999.

Manuscrits de Pauline Archange, Boréal, coll. « Boréal compact », 1991.

Vivre! Vivre!, tome II des *Manuscrits de Pauline Archange,* Boréal, coll. « Boréal compact », 1991.

Les Apparences, tome III des *Manuscrits de Pauline Archange,* Éditions du Jour, 1970 ; Boréal, coll. « Boréal compact », 1991.

Le Loup, Boréal, coll. « Boréal compact », 1990.

Un Joualonais sa Joualonie, Boréal, coll. « Boréal compact », 1999.

Une liaison parisienne, Boréal, coll. « Boréal compact », 1991.

Les Nuits de l'Underground, Boréal, coll. « Boréal compact », 1990.

Le Sourd dans la ville, Boréal, coll. « Boréal compact », 1996.

Visions d'Anna, Boréal, coll. « Boréal compact », 1990.

Pierre – La Guerre du printemps 81, Boréal, coll. « Boréal compact », 1991.

L'Ange de la solitude, VLB éditeur, 1989.

Soifs, Boréal, 1995 ; coll. « Boréal compact », 1996.

Dans la foudre et la lumière, Boréal, 2001.

TEXTES RADIOPHONIQUES

Textes radiophoniques, Boréal, coll. « Boréal compact », 1999.

THÉÂTRE

Théâtre, Boréal, coll. « Boréal compact », 1998.

RÉCITS

Parcours d'un écrivain, notes américaines, VLB éditeur, 1993.

L'Exilé, nouvelles, suivi de *Les Voyageurs sacrés,* BQ, 1992.

POÉSIE

Œuvre poétique, 1957-1996, Boréal, coll. « Boréal compact », 1997.

Marie-Claire Blais

SOIFS

roman

Boréal

Les Éditions du Boréal remercient le Conseil des Arts du Canada ainsi que le ministère du Patrimoine canadien et la SODEC pour leur soutien financier.

Illustration de la couverture : Annouchka Gravel Galouchko

Dépôt légal : 1er trimestre 1997
Bibliothèque nationale du Québec

Diffusion au Canada : Dimedia

Données de catalogage avant publication (Canada)
Blais, Marie-Claire, 1939-

    Soifs

    2e éd.

    (Boréal compact ; 81)

    Éd. originale : 1995.

    ISBN 2-89052-829-4

    I. Titre.

PS8503.L33S63	1997	C843'.54	C97-940095-3
PS9503.L33S63	1997		
PQ3919.2.B52S63	1997		

Je remercie chaleureusement le Conseil des Arts du Canada qui m'a permis d'écrire ce livre, de même que mes angéliques amis qui n'ont cessé de me donner leur appui, Claude et Erik Eriksen, Stell Adams, Mary Meigs, je remercie de leur accueil et de leur générosité à Paris, à l'hôtel Saint-André-des-Arts, Odile, Henri et le regretté Philippe Le Goubin, ainsi que Patricia Lamerdin à Key West, Dorothea Tanning à Key West qui me fit redécouvrir Max Ernst dans sa présentation du livre de Max Ernst *A Little Girl Dreams of Taking the Veil,* je remercie aussi la regrettée Gwendolyn MacEwen pour son œuvre admirable, et Bonnie qui me permit d'écrire pendant des heures à son bar Sloppy Joe's à Key West.

M.-C. B.

à Pauline Michel, artiste et écrivain,
incomparable amie et lectrice
depuis la naissance de ce livre.

Let me now raise my song of glory. Heaven be praised for solitude. Let me be alone. Let me cast and throw away this veil of being, this cloud that changes with the least breath, night and day, and all night and all day. While I sat there I have been changing. I have watched the sky change. I have seen clouds cover the stars, then free the stars, then cover the stars again. Now I look at their changing no more. Now no one sees me and I change no more. Heaven be praised for solitude that has removed the pressure of the eye, the solicitation of the body, and all need of lies and phrases.

Virginia Woolf, *The Waves.*

Ils étaient ici pour se reposer, se détendre, l'un près de l'autre, loin de tout, la fenêtre de leur chambre s'ouvrait sur la mer des Caraïbes, une mer bleue, tranquille, presque sans ciel dans les reflets du soleil puissant, le juge avait dû maintenir son verdict de culpabilité avant son départ, mais ce n'était pas cette juste sentence qui inquiétait sa femme, pensait-il, c'était un homme jeune qui avait peu l'habitude des tribunaux, déjà cette affaire de délinquants et de proxénètes mis en prison l'avait accablé, cette redoutable profession de magistrat, jadis celle de son père, ne serait peut-être pas longtemps la sienne, pensait-il, Renata avait subitement cessé de plaider et elle n'aimait pas être au repos pour quelques mois, mais il n'y avait pas que cette inquiétude de la santé soudain fragile, menacée, il y avait cela, qui était toujours au milieu de leur étreinte ou de leur colère, cela, cet événement qui, en apparence, s'était déroulé loin d'eux, de leur vie, dans une chambre, une cellule où régneraient longtemps les vapeurs froides de l'enfer, l'exécution d'un Noir inconnu dans une prison du Texas, la mort par injection létale, une mort voilée, discrète car elle ne faisait aucun bruit, une mort liquide intraveineuse, d'une efficacité exemplaire puisque le condamné pouvait se l'infliger à lui-même dans les premiers

rayons de l'aube, il savait qu'elle avait pensé à cet
homme, à son corps chaud, ou à peine refroidi après
les chocs imperceptibles qui l'avaient secoué, d'où
émanait encore, quelques heures plus tard, une odeur
aigre, pestilentielle, celle de la peur, de la stérile
angoisse qu'il avait eu le temps d'éprouver, une
seconde, peut-être, avant son effroyable fin, tous les
deux, ils avaient pensé la nuit entière au condamné du
Texas, ils avaient longuement parlé de lui puis l'avaient
oublié en se jetant dans les bras l'un de l'autre dans
une frénésie joyeuse qu'ils s'expliquaient mal maintenant, car à peine sortis de leurs tendres liens, ils
avaient ressenti la même impuissance, cet homme
n'aurait pas dû mourir, répétait Renata avec entête-
ment, cet homme était peut-être innocent, disait-elle,
un pli soucieux ombrageant son front, ce front de pen-
seur chez une femme, se disait le juge en regardant sa
femme droit dans les yeux, l'homme en lui qui revêtait
cet autre sexe, elle n'était pas seulement opposée à lui,
mais farouche, pourquoi ne la retenait-il pas par la
main, elle allait lui échapper, sortir, elle s'habillait déjà
pour aller au casino, le casino, elle qui n'était pas
frivole, une désarmante frivolité semblait la posséder
soudain, et voyant qu'elle s'éloignait déjà de lui, sous
le pli sévère du front, avec cet air de vigilance inquiète
dans le regard qui ne l'enveloppait plus, lui, d'où il
était banni pour des préoccupations plus hautes,
comme la mort d'un condamné dans une prison du
Texas, il avait pensé que ce front têtu de Renata le
poussait constamment à l'âpreté de la résistance, car
ne voulait-elle pas faire de lui un homme meilleur,
différent ou meilleur, c'était là l'espoir qu'elle avait
toujours mis dans ces hommes jeunes qu'elle aimait,
qu'ils seraient capables de se dépasser, comme Franz,
dans la musique, mais Franz ne lui avait-il pas dit
qu'on ne peut attendre d'une nature veule, sensuelle

et paresseuse des actions honorables, et cette nature
veule des hommes, pensait le juge, Renata n'avait-elle
pas remarqué qu'un seul parmi tous les juges avait
élevé la voix contre la peine de mort, aux États-Unis,
et nul ne l'avait écouté, la nature veule des hommes, il
n'était pas si lointain ce temps où le père de Claude,
un père, un grand-père, ce temps n'était pas si lointain
où ces juges acceptaient dans leur pays que des
femmes, des hommes, fussent exécutés par pendaison,
pensait Claude, se dépasser, on ne rachetait jamais les
fautes de ses pères, y aurait-il enfin une génération
d'hommes équitables, pensait-il accablé, et les boucles
d'oreille, qu'elle n'oublie pas de porter des boucles
d'oreille pour aller au casino, en recommandant à
Renata de penser aux boucles d'oreille, il dissimulait
son accablement, cet embarras qu'il avait soudain de
lui-même, dans cette chambre, ne lui semblait-il pas
aussi que tous les hommes regardaient Renata
lorsqu'ils sortaient ensemble dans la rue, ou était-ce
parfum de vie, de mort, d'une convalescence qui
flottait autour d'eux, sa femme lui paraissait vulnérable, avec son vaste front, ses oreilles nues, le lobe
troué d'une lumière rose, la chair des enfants
lorsqu'elle est blessée, ces oreilles nues, il fallait les
orner, les couvrir, avec les boucles d'oreille, c'est plus
joli, dit-il, mais pourquoi fréquentes-tu ce casino, on
y fume beaucoup, c'est malsain, puis en marchant vers
la fenêtre, il avait senti le frôlement de Renata, de sa
tête majestueuse contre son épaule, elle avait disparu
vers l'ascenseur, le hall de l'hôtel, elle était déjà dans
la foule, s'allumant vite une cigarette puis une autre,
elle avait attendu si longtemps ce moment, aucune
tendresse, aucune prévenance n'avaient pu la retenir,
pensait-il, cette tremblante soif était la sienne, la soif
de Renata, que cela semblait obscur, ingouvernable,
quand elle savait qu'elle pouvait en mourir, il l'avait

vue tant de fois dans cette même attitude de distraction lointaine, où, immobile, sans le regarder, elle
s'animait soudain pour répéter un geste d'automate,
celui de fixer avidement la cigarette dont elle rejetait
vite la fumée, déposant le briquet aux reflets étin-
celants sur un meuble, près du lit, l'objet maléfique ne
les poursuivait-il pas dans les replis de leur destin
secret, maintenant, pensait-il, il fallait effacer ces traces
sinistres dans la chambre, ce qui restait encore de leur
conversation de la nuit, un journal qu'ils avaient lu
ensemble, la veille, le nom du condamné, sa photographie, à quoi bon, il était trop tard, la nature veule
des hommes, l'âme humaine est chargée d'une éternité
de peines mais n'en continue pas moins de vivre dans
l'oubli, le plaisir, l'insouciance, il entendait ce murmure des rires frivoles, sur la plage, dans les chambres,
Claude était comme ces vacanciers, il se rassasiait
comme eux d'eau et de crème solaire, chacun était
vivant, triomphant, satisfait de sa précaire perma-
nence sur la terre, mais si Renata le fuyait pour apaiser
sa soif, pensait-il, c'est qu'il avait sans doute été trop
sévère en imposant cette sentence aux délinquants et
aux proxénètes, il revoyait cette expression de commi-
sération figée sur son visage, songeant à ces choses
troublantes qu'ils avaient dites pendant la nuit, il lui
avait encore interdit de fumer au lit et elle s'était révol-
tée, et soudain, ils avaient parlé de Dostoïevski, à la
dernière seconde, un tsar rêveur avait gracié Dostoïevski, autrement il eût été assassiné comme son
père l'avait été avant lui, n'était-ce pas surprenant, ce
souverain dévoyé qui avait sauvé un homme, mais la
pensée de l'ultime seconde n'avait jamais quitté
Dostoïevski, longtemps il avait entendu le claquement
de la salve, et Renata marchait seule vers le casino,
seule, pesait toujours, pour une femme, le sentiment
de sa liberté, de sa dignité, n'était-elle pas toujours

observée, surveillée, le regard des autres n'était-il pas
intimement lié à sa démarche, au mouvement de ses
hanches, de son cou, à la rutilance des bijoux dont elle
masquait sa fragilité, là, si près des tempes où Renata
lissait de ses doigts ses fins cheveux argentés, plus
haut, vers le front, était-ce de là que descendait
l'illumination, l'éclair de cette pâle vérité qui pénétrait
parfois l'âme avec incertitude, il lui semblait entendre
ces mots bien distincts, le destin d'une femme, mon
destin est un destin incompréhensible et informe, je
n'étais pas prévue dans les plans de Dieu, quelle
sensation de douloureuse oisiveté l'avait poussée à
dire à son médecin, enlevez cette tumeur maligne, le
plus pénible, c'était la pensée du briquet oublié dans
la chambre de l'hôtel, ses sens ne seraient-ils pas
toujours trop pauvres pour savourer ce monde qui
était le sien, pas celui de Claude et de Franz, ce monde,
un magnifique jardin, fragmenté, brisé, mais c'était le
sien, pensait Renata, avoir trente ans comme ses
neveux Daniel et Mélanie qu'elle reverrait bientôt, ses
seuls parents, avoir trente ans comme eux, connaître
ce nonchalant bonheur d'élever ici sa famille, elle
visiterait un musée demain, elle marchait d'un pas
ample, enthousiaste, elle n'avait pas réfléchi à l'audace
de son geste, mais n'était-il pas essentiel de secouer le
joug d'une liberté défendue, lorsqu'elle avait ramené
près d'elle un homme en costume blanc à qui elle
demandait qu'il allumât sa cigarette, l'homme était un
Noir américain, effilé, il se penchait vers elle qui était
grande, formant avec sa main un abri pour la flamme,
cette flamme qui montait entre leurs regards pendant
qu'elle le remerciait d'une voix humble, l'homme avait
relevé la tête, observant avec hauteur celle qui l'avait
ainsi abordé quand il était accompagné d'une femme,
puis il l'avait vue s'enfuir en courant, dans ce geste de
demander du feu, dominant son désarroi, Renata avait

acquis un peu plus d'espace dans ce territoire où se débattait sa pensée, c'était la singularité de son destin, pensait-elle, d'oser ces gestes qui lui donnaient la certitude d'exister librement, autonome et rebelle, ce nom, imprimé à sa porte, en lettres noires sur une plaque dorée, Renata Nymans, avocate, ne servait qu'à abriter, qu'à défendre la condition féminine sans cesse violentée, n'était-ce pas aussi un nom lié à sa captivité, captivité bourgeoise auprès d'un mari, ou profession-nelle, avec les privilèges de sa classe sociale, ce n'était que le début de sa convalescence et déjà elle renaissait autrement, pensait-elle, elle avait senti passer le souffle de l'homme sur la petite flamme, au-dessus de la cigarette, il venait de Los Angeles, une flamme les avait unis, un instant, dans une île étrangère, Claude ne serait jamais parmi ces vieux juges croupissant d'indifférence et d'ennui sur le sort des hommes, elle reconnaissait ses qualités morales, mais n'était-il pas trop dur pour ces délinquants, jeunes trafiquants de drogue arrêtés dans de misérables appartements, gisant dans des ordures, il eût fallu d'abord les réhabiliter en leur prodiguant des soins médicaux, la sollicitude de Claude était exacerbée par ces cons-tantes disputes, son mari n'eût pas approuvé non plus ces défis si peu substantiels dont elle rehaussait sa vie pendant ces jours de repos qui lui semblaient si longs, le regard du Noir américain qu'elle avait recherché lui eût déplu, était-ce un regard rieur, froid, elle sentait encore l'attrayante force des yeux sombres pendant qu'elle marchait, n'était-ce pas comme lorsqu'elle vivait avec Franz, n'éveillait-elle pas toujours sur son passage le phénomène d'une inexplicable pitié, pour plaire à Franz que n'eût-elle pas fait, livrée aux soins d'une manucure à Paris, elle avait vu tourner autour d'elle la modeste servante de ces lieux dans ses gros souliers d'infirmière, sa boîte d'ouate à la main dans

l'amoncellement des cheveux coupés qui jonchaient le
parquet ciré noir, elle revoyait ses ongles polis, scin-
tillant dans la faible clarté d'un après-midi hivernal,
elle feuilletait un magazine, elle avait eu honte soudain, pourquoi assisterait-elle à cette soirée de bien-
faisance avec Franz quand il ne l'aimait plus, la manucure introduisait l'ouate humide entre ses doigts,
Renata voyait son visage dans la glace, cette tête
austère dont le coiffeur avait mouillé les cheveux, qu'il
avait peignés vers l'arrière, elle avait pensé, je serai
ainsi désormais, c'étaient cette tête, ce crâne qui surgissaient victorieux de l'abîme de l'humiliation de
Franz, de ses infidélités, mais pourquoi cet obscur
épanchement qu'elle semblait soudain provoquer chez
la manucure, Renata évoquait-elle pour celle-ci l'une
de ces figures stigmatisées comme on en voit souvent
dans la foule, nos visages ne sont pas complètement à
nous, ne remontent-ils pas des ravages de temps qui
nous ont précédés, des cruautés de l'histoire, un visage
fermé et silencieux devient celui d'une mère, d'une
tante, d'une cousine disparue dans des circonstances
mystérieuses, la tête que voyait Renata dans la glace
n'était-elle pas privée soudain de ces ornements qui
lui donnaient un air joyeux, évaporé, car sans les
boucles les oreilles semblaient menues, légèrement
collées au crâne rigide, on voyait ce point rose aux
lobes délicats que l'aiguille avait transpercés, et dans
les rues chaudes, bruyantes d'une ville étrangère,
Renata se demandait si ce n'était pas ce visage, celui
que la manucure avait vu dans la glace, que le Noir
américain avait aperçu, côtoyé, puis balayé de son
hautain sourire, et le juge arpentait le hall de l'hôtel,
éprouvant le froid contact du briquet, de l'étui d'or
dans lequel Renata rangeait ses cigarettes, il s'était
rafraîchi de leurs disputes en jouant au tennis, il avait
nagé dans la piscine, il leur avait fallu, pensait-il, ce

pénible incident dans leurs vies, l'opération chirurgicale de Renata à New York, pour qu'il prît le temps
de se reposer auprès de sa femme, longtemps il s'était
promené nu dans la chambre, toutes ces heures, dans
un bureau, consumées pour des dossiers, travaillant
tous les deux parfois tard dans la nuit, il avait pensé
en enfilant sa chemise, quel déguisement cette robe
des juges, se sentir investi du pouvoir de la loi et régner
par la force, la terreur comme le fit mon père, Renata
ne lui reprochait-elle pas d'avoir gardé les serviteurs
de son père, un cuisinier, un chauffeur, d'anciens
détenus dont Claude ne parvenait pas à se séparer, les
logeant dans un cottage près de leur résidence,
dommage de ne pas sentir plus longtemps la caresse
du soleil sur son dos, ses hanches, pendant qu'il était
debout à la fenêtre, se réjouissant de son inaltérable
vitalité, n'était-ce pas toujours ainsi quand on
acceptait enfin de se détendre, l'inaltérable vitalité de
la jeunesse revenait, il sortirait sans attendre Renata,
ne serait-il pas agacé de marcher soudain à ses côtés
sans qu'elle tournât la tête vers lui, car lorsqu'elle
s'enfuyait ainsi de son pas alerte, elle ne le voyait plus,
irrésistible pour elle ce claquement sec de l'étui d'or
qu'elle ouvrait d'un air orgueilleux, craignant de
rencontrer son mari dans la rue, Renata cédait seule
et isolément à ses rites, savourant longuement une
cigarette après l'autre, en exhalait la fumée, tout en
s'appuyant contre un mur, car elle marchait sans
doute depuis longtemps déjà, bien qu'elle ne sût
jamais exactement où elle allait, n'eût même aucun
sens de l'orientation, elle avait ainsi traversé à pied
bien des villes d'Europe, et qu'écrivait-elle dans ses
carnets qu'elle préservait farouchement de ses regards, comment concilier l'amour et l'errance, et l'art
de la magistrature ne semblait-il pas à Renata d'une
hostile inhumanité, les hommes, pensait le juge, con-

damnaient sans doute au-delà de leurs forces, ne devenaient-ils pas sataniquement faibles lorsqu'on leur confiait un pouvoir, une tâche d'un ordre monstrueux, oui, au-delà de leurs forces, il marchait dans l'air chaud, humide de la rue, il ne dirait rien lorsqu'il verrait Renata porter encore une cigarette à ses lèvres avant de les lui rendre, il pétrirait longtemps entre ses doigts l'étui d'or, le briquet, tout en hésitant à la rejoindre. Et tout le long de l'océan, des bâtiments militaires alignés dans la périphérie de la plage, les enfants du pasteur Jérémy jouaient, poursuivaient les coqs qui s'égosillaient toute la journée sur la pelouse rêche, devant la maison qui avait été peinte du même vert sombre, un peu sinistre, que celui des bâtiments militaires, c'est une vraie maison, pensait le pasteur Jérémy, même si elle ressemblait encore trop à une case aplatie sous le soleil blanc qui la frappait, on y entendait gronder les vagues de l'Atlantique tout près, il était temps de réunir les enfants pour la prière, le pasteur Jérémy parla de sa voix forte, tonitruante, venez vous préparer pour aller au temple, et que faisiez-vous chez les voisins, vous voliez des fruits encore, le professeur arriverait d'un instant à l'autre, ses amis l'attendaient déjà à l'aéroport, que dirait le professeur en voyant ces voleurs dans les arbres de son jardin, hein, que dirait-il, cela grimpe partout sur mes citronniers, mes orangers, il est vrai que depuis longtemps personne n'avait été là pour récolter les fruits, le professeur était un homme étrange, mais on ne sait jamais comment vivent ces Blancs, et ces coqs bavards qui n'arrêtaient pas de chanter, le pasteur Jérémy dirait à tous ces enfants de relire l'Évangile selon saint Matthieu, le Seigneur est mon berger, vous a-t-Il abandonnés une seule fois et vous n'êtes que des vauriens qui volez dans les arbres, et ils répondraient en chœur, le Seigneur est mon berger, amen, amen, les filles seraient en avant, dans leurs robes blanches empesées, leurs lourds cheveux nattés, frisés, retenus par des rubans, la célébration de l'office divin serait à peine terminée que le pasteur les verrait dévaler partout dans la poussière, mais en attendant, qu'ils se tiennent tranquilles, le pasteur aurait bien assez vite sous les yeux cette rangée de tête crépues agitées de tics, de mouvements malicieux, oui, le remous de toutes ces têtes pendant ses sermons, quand le grand coq rouge ne rentrait pas dans le temple lui aussi, qu'ils viennent tous, piaillant et riant dans une nuée de plumes, bienvenue à tous, leur dirait le pasteur, venez, ici c'est l'église des élus et des prophètes, nous aurons comme tous les dimanches à midi notre festin de viandes grillées sur les trottoirs et dans les cours du village rue Esmeralda, que dira votre mère si vous salissez vos robes dans la boue, et eux n'écoutaient pas et voletaient partout parmi les poules et les coqs, une tape sur la joue, c'est ainsi que vous serez punies par votre mère, vous serez tout ébranlées et on vous entendra encore pleurnicher à l'église, et peu à peu le troupeau du pasteur Jérémy se réunissait, dans ses habits du dimanche, et lui pensait, non, que l'avion ne se pose pas tout de suite, il ferait si bon descendre au fond de cette eau cristalline déjà, sans attendre, se transformer en cette rosée du matin sur l'herbe fraîche, près des plages, ondoyer dans cet air, cette eau, être déjà dissous dans les nuages, finie la lutte contre la matière qui ne peut que vous vaincre par le bas, par la dégénérescence de vos cellules, et n'était-ce pas émouvant, tous ces cratères bleus qui apparaissaient sous les vagues, ces îlots de végétation sous-marine qu'il n'avait jamais remarqués avant ce jour, mais encerclé par l'océan, l'avion du professeur se poserait trop vite sur la terre, toutes les maisons de la rue Ba-hama en trembleraient, le pasteur Jérémy voyait dans le ciel bleu l'avion du professeur qui descendait lentement vers la piste, le professeur serait bientôt chez lui, il y avait si longtemps que son jardin était à l'abandon, que son chat était seul, effrayant toute la volaille en liberté, répétez avec moi, le Seigneur est mon berger, disait le pasteur, de sa voix puissante, en guidant sa famille vers le temple, sous le soleil qui pâlissait la peau de l'oncle Cornélius et de ses musiciens lorsqu'ils marchaient, en cortège, dégingandés dans leurs raides vêtements du dimanche, tout en dansant, sautant, le long du cimetière jusqu'à l'église, tournant parfois vers le ciel leurs yeux révulsés, et cette bulle de champagne, ou d'air bienheureux dans lequel Jacques avait été enfermé, pendant la durée du vol, éclatait soudain, se distillait, l'avion atterrissait, bondissant encore dans l'air de quelques coups saccadés, désormais Jacques ne serait plus seul avec les soubresauts de sa chair nerveuse, impatiente et meurtrie, pensa-t-il, Luc et Paul et une femme qui était déjà au volant de leur voiture lorsqu'il était arrivé l'avaient pris en charge, quelle triste mission leur avait été confiée à tous, pensa Jacques, dans ce labeur de l'agonie où il deviendrait soudain plus aisé de mourir, car tout se déroulait déjà comme il l'avait prévu, il était dans sa maison, on lui avait donné un bain, on l'avait revêtu de son pyjama, allongé dans son lit près de la fenêtre ouverte, il contemplait son jardin, toute cette massive végétation désordonnée qu'il aimait, ne leur avait-il pas interdit de nettoyer toute la broussaille, on eût dit que les citronniers, les orangers, avaient été tordus par la tempête, les bougainvillées, les roses, avaient tout envahi, croulant sous l'abondance de leurs fleurs, sur un tapis de feuilles de palmiers coupantes comme des lames, c'était là le jardin touffu et écrasant que Jacques avait tant voulu revoir, était-ce vrai, l'heure était donc venue pour ses amis d'accomplir le rituel invincible, et une semaine plus tôt, il avait dîné avec ses étudiants, ce soir, si on lui demandait ce qu'il voulait pour dîner, il dirait, des mets orientaux car leur bouquet cuisant chatouillait encore sa gorge, debout près de lui, leurs mains sur ses épaules, Luc et Paul disaient, ce fut un long voyage, mais qui était cette femme, pensait Jacques, venue avec Luc et Paul l'accueillir à l'aéroport, cet être énigmatique le hantait, une amie qui séjournait dans l'île, Jacques avait souvent pensé que l'on aperçoit plusieurs fois dans une vie le visage annonciateur de sa mort, l'ambiguïté de notre mémoire ne permet pas à ce visage de s'imprégner en nous, pourquoi cette femme digne et bienveillante qui lui avait demandé s'il était à l'aise parmi les coussins à l'arrière de la voiture, de même que la pression des doigts de Paul, de Luc couvrant ses épaules, à la fenêtre, avec tous ces bienfaits réunis, la mer, l'air, le profil classique de l'inconnue entrait avec Luc et Paul dans le cérémonial des dernières caresses, des derniers regards, pensa-t-il, on les avait furtivement enlacés pour la même danse, n'était-ce pas la privation des mets orientaux qui le poussait à une sentimentalité aussi larmoyante, il en eut aussitôt des regrets, parla de sortir, d'être lascif, incontinent de luxure, de violer du regard, de posséder, il prononçait ces mots pendant qu'une lueur de doute traversait ses yeux bleus, se disant que de telles pensées viennent à tous les moribonds, mais ils ne peuvent les avouer à personne, qu'avait-il vu ce jour-là qu'il avait souhaité ne jamais oublier, une adolescente qui nageait avec son chien qu'elle tenait par le collier, ils allaient à la dérive, portés par les vagues, l'innocence d'une image qu'il ne voulait pas oublier, et si cette femme, au volant de la voiture, lui avait causé cette indicible émotion, c'est aussi parce qu'elle était vivante, qu'elle continuerait de vivre pendant qu'il ne serait plus là, même si elle avait l'âge d'être sa mère, tandis qu'il s'enfonçait dans les coussins de la voiture, une peur glaciale s'était emparée de lui, le lever et le coucher du soleil sur la mer, la jeune fille rattrapant son chien par le collier dans les vagues, il eût fallu que cessât ce mouvement vital, imperturbable et joyeux qui se poursuivrait sans lui, il eût fallu que l'avion s'émiettât parmi les grains de sable dans ses vrombissements métalliques, qu'il n'eût jamais à répondre d'une voix désolée s'il était à l'aise parmi les coussins, dans une voiture qui le conduisait au terme de son existence, dans un lieu paradisiaque, n'avait-il pas toujours méprisé la délectation des chrétiens dans la souffrance, le châtiment, n'était-ce pas là ce qu'il avait enseigné à ses étudiants dans ses cours sur Kafka, *La Lettre au père* était l'un de ces exemples éloquents, dans la littérature, d'une volupté dans l'humiliation puisque l'appel de détresse de Kafka au père accusé et dénoncé n'avait jamais été entendu, oui, mais ses étudiants avaient-ils compris le sens de ses propos ennuyeux, ces étudiants qu'il ne reverrait plus, et ces lézards qui ondulaient paresseusement sur les pierres, toute la journée, Jacques ne les enviait-il pas, avec leurs gorges rouges qui se gonflaient dans un bonheur paisible, l'amour, ce souvenir du mouvement joyeux, imperturbable qu'était la vie, bientôt on proclamerait l'évolution de la science, régresserait la maladie, ah, que naisse l'espérance qui le délivrerait de ses maux, mais ses travaux l'attendaient ici, l'essai sur Kafka qu'il terminerait enfin, il le soumettrait en automne à ses collègues de l'université, il soulignerait la relation haineuse qui unissait Kafka à son père, l'assemblage biologique de ces deux monstres, l'un sensible et raffiné, l'autre pervers, dont *La Métamorphose* avait été la seule issue, par la malédiction, celle de l'écriture, car n'était-ce pas à travers le symbole de l'insecte prisonnier dans une chambre que Kafka avait puni le père autant que le fils, il traiterait ce thème du châtiment gratuit, de la malédiction, sur le ton de l'insolence amère, désabusée, puisqu'il n'avait jamais cru, avant ce jour, que le sujet de son étude sur Kafka, c'étaient lui-même et cette faune malsaine qui germait sous sa carapace ; soudain enclin au sommeil, à la somnolence, il fixait de ses yeux entrouverts l'un de ces reptiles qui avait sauté au bord de la fenêtre, le minuscule lézard semblait le lorgner lui aussi sous sa paupière clignotante, il n'était que paresse et langueur, pensa Jacques, et si infirme, mutilée dans sa forme, que fût sa présence au soleil, tels l'adolescente et son chien au collier dans les vagues, ou la femme qui l'avait ramené de l'aéroport, ce lézard ne devenait-il pas lui aussi l'une de ces inoubliables figures qui avançaient avec Jacques vers les rivages de l'éternité, il s'assit dans son lit, cherchant la mer du regard, mais il ne vit qu'une brève zone bleue entre les pins que l'on avait récemment plantés sur la vaste plage des militaires, peut-être s'endormirait-il ainsi, la tête contre la poitrine en se laissant choir dans les oreillers de son lit, puis il sursauta, content de surprendre une ombre familière, dans la broussaille, sous les citronniers, l'ombre se faufila par un trou dans le grillage de fer, c'était le Toqué ou Carlos, était-ce le voleur ou son frère aîné qui crevait de son canif les pneus des bicyclettes, les fils du pasteur s'étaient encore une fois esquivés avec leurs larcins, de l'autre côté de la rue, et s'égrenait dans l'air le ricanement de leurs dents blanches, saines et vengeresses, et qui eût osé s'en plaindre quand les fruits risquaient de pourrir bientôt, dans les arbres, quand Jacques ressentait, malgré sa lassitude, une sorte de contentement acide, comme ce goût des citrons verts qu'avaient emportés les voleurs, pensait-il, celui d'avoir été témoin d'illicites scènes comme il l'avait été si souvent dans sa vie, voler un Blanc quand on était un garçon noir n'était-il pas un acte de désobéissance suprême, ce contentement, c'était aussi celui d'avoir été visité quand il se sentait si seul; en même temps survenait en lui un malaise, Carlos et son frère ne riraient-ils pas lorsqu'ils le verraient marcher jusqu'à la mer avec une canne? Et quelle était la foi du pasteur Jérémy, qui vénérait-il ainsi dans son temple, le brave homme lui dirait sans doute comme d'habitude, monsieur le professeur, il y a ceux qui entrent dans la vallée des Orchidées et ceux qui n'y entrent pas, mais on ne vous voit pas souvent dans nos temples, nos églises, vous écrivez donc du matin au soir, il faut aussi prier Dieu, il croiserait ses mains potelées sur son ventre d'un air pensif, ah, oui, ceux qui entrent dans la vallée des Orchidées et ceux qui n'y entrent pas, maintenant je vais arroser ma pelouse car il n'a pas plu depuis plusieurs jours, du matin au soir, dans les livres, hein, professeur, il faut aussi que je taille mes fleurs et que je prépare mon sermon, Jacques serait vite fatigué par la confiance débonnaire du pasteur Jérémy en ces forces divines qu'il niait, il repousserait du pied les coqs et les poules sur la pelouse rêche, froisserait une herbe dans son poing en disant, mais non, la vallée des Orchidées, c'est ici-bas, pasteur, je peux vous assurer de cela, je l'ai vue, ou bien il dirait que les Blancs ne méritent pas d'y entrer et le pasteur Jérémy approuverait d'un hochement de la tête pendant que le silence du soir tomberait sur eux. De son lit crépusculaire Jacques repartait vers les routes d'Asie, il gravissait en courant le marchepied d'un train, entendait le sifflement des locomotives, la vallée des Orchidées, c'est ici-bas, pasteur, dommage qu'il ne lui fût pas permis désormais de manger des mets épicés, qu'il y eût dans sa gorge une brûlure lancinante, même quand il ne buvait que de l'eau, l'ennui, le fétide ennui était sans doute d'origine chrétienne, voilà ce qu'il avait oublié de dire au pasteur pendant leurs entretiens, sur cette pelouse rêche, au milieu des enfants et des coqs, devant la maison peinte d'un vert si sombre, affligé, comme si la couleur verte eût été teintée de noir, et c'est ce fétide ennui qu'il déjouait en partant si loin, l'insidieux ennui de ces villes où l'on se couche tôt le soir, où l'on vit entre le campus universitaire et le clocher de l'église, oui, mais à quoi bon s'enfuir si loin si c'est pour se trouver brusquement incapable de sortir seul dans la rue sans l'aide d'une canne? Abandonné à la lourde griserie que lui procuraient les médicaments qu'il absorbait chaque jour, il pensait, est-ce l'huile ou le feu ou la lumière qui baisse dans la lampe, les paroles du pasteur Jérémy habitaient soudain sa pensée, pendant qu'il somnolait, quand il n'y a plus d'huile dans la lampe, elle s'éteint, professeur, et les oiseaux de paradis referment leurs corolles lustrées par la pluie, mais il y avait encore de l'huile dans la lampe, le feu de ses sens n'avait-il pas été attisé par ce parfum obsédant qui le projetait de nouveau sur les routes sablonneuses, ce parfum du haschisch que fumaient ses amis à l'écart, dans la cuisine étroite, il dit, en se soulevant dans son lit, comment pouvez-vous m'oublier, et ce fut le premier rire qu'ils échangèrent, pensa-t-il, profitant de ce moment de sincère allégresse, il demanda du papier, un crayon, car il voulait écrire ses rêves, c'était si insensé, dit-il, l'inco-hérence de tous ces rêves qu'il faisait à demi éveillé, dans une sorte de transe, mais le miracle, ce n'était pas tant l'étrange fébrilité de ses rêves que cette involon-taire cascade de rires qu'il partagea avec ses amis, pendant qu'ils fumaient ensemble dans le jardin et que se dissipaient dans l'air odorant les cercles d'une fumée âcre dont l'odeur se mêlait peu à peu à cette

odeur de maïs brûlé qui était l'arôme persistant que
l'on respirait dans toutes les cours de la rue Bahama,
pensa-t-il, cette odeur voyageuse qui le transportait
jusqu'en Orient, pendant que d'une main soudain
assurée il écrivait ses rêves dans son cahier, ainsi la
femme qui était au volant de la voiture, du convoi
funèbre, pensait-il, ne l'avait-il pas invitée dans cette
même voiture, parmi les coussins, à une course effré-
née dans une ville qui eût pu être Paris, pendant des
bombardements, ne lui avait-il pas fait remarquer
qu'elle conduisait trop vite, elle lui avait répondu,
offrant le sourire courtois de son beau profil, je vous
avais promis de venir prendre de vos nouvelles, la
voiture avait été garée à l'orée d'un bois et, ouvrant la
portière, la femme avait ordonné à Jacques de descendre, ce commandement était calme et dépourvu de
toute violence, la femme dit, venez, venez dans mes
bras, j'ai la force de vous soutenir, car vous voici frêle
comme un coquillage, venez, nous irons jusqu'à la
clairière où le temps est plus frais, puis Jacques avait
constaté qu'il s'était sans doute rendormi en écrivant
ce rêve, la maison, le jardin étaient vides, Luc et Paul,
retournés à la bibliothèque où ils travaillaient, tous les
deux, il pensa que ce serait bientôt la fin du semestre,
pour ses étudiants, qu'ils viendraient peut-être le voir
pendant les vacances du printemps, cet arrêt fulgurant
dans la monotonie des jours des salles d'études, et
était-ce vrai qu'on avait envoyé Carlos en maison correctionnelle cet hiver, Jacques en parlerait au pasteur
Jérémy, Carlos, c'était cette masse cotonneuse s'effon-
drant sur le trottoir, pendant que se déversait dans un
ruisseau d'eau sale la lessive de la famille, c'était ce
garçon qui ressemblait à un clown avec son pantalon
à carreaux, étalé sur le trottoir dans son hagarde
soûlerie, et lui apporteraient-ils cette étude d'un
érudit allemand sur Kafka, de la bibliothèque, il prit

le crayon, s'appliqua à décrire ce qui était encore flou, dans son esprit, dans ce rêve, il avait participé à un concours de natation, l'anomalie de ce concours exigeait de lui qu'il plongeât d'une hauteur extrême tout en survolant des madriers de chêne dans une piscine, le saut était dangereux, mais comme s'il eût des ailes, il le réussissait parfois avec une vélocité prodigieuse, là où d'autres athlètes se fracassaient le crâne sur les planches, il surmontait l'épreuve par une nage aérienne qui le précipiterait dans les vagues de l'océan, il était sauvé, pensait-il, posant son regard avec gratitude sur le papier à écrire, le cahier, les crayons qu'on avait disposés devant lui, avec le verre d'eau minérale parmi les glaçons qui scintillaient au soleil ; aucun de ces objets, lorsqu'on sortait d'un rêve aussi suffocant, ne paraissait avoir été effleuré, touché, le halo d'une pureté absolue dans la lumière les entourait. La terre était craquelée et rugueuse autour des cactus, pensait le pasteur, c'était le signe d'une proche sécheresse, et qu'avait-il vu dans le temple pendant l'office, ces filles fardées de rouge, les siennes, les lèvres boursouflées, c'était l'enflure du désir, de l'appétit sexuel, pourquoi Dieu avait-Il décidé dans sa sagesse qu'il y eût des filles, il avait déjà bien assez de soucis avec Carlos et ses autres fils, Dieu avait créé la sécheresse et les filles, ces démons qui insultaient le Seigneur, deux étaient encore au sein de leur mère, les jumelles Deandra et Tiffany, et que feraient-elles plus tard, il valait mieux ne pas y penser, qui sait si les décisions du ciel sont rusées, on ne pouvait rien y comprendre, bénéficiant du pot d'eau que lui permettait la ville, le pasteur Jérémy avait arrosé ses cactus et il s'apprêtait à trancher le cou d'un poulet pour le repas du dimanche quand il se souvint que le péché était dans sa maison, sous le toit de sa maison basse parmi ses chaises et ses parasols corrodés par les mollesses de l'humidité qui pénétrait tout, avec ses moisissures, il n'avait pas rêvé, il avait bien vu des chaînes et des cadenas de bicyclettes dans sa remise en allant quérir ses outils, le péché et ses vilénies étaient dans sa maison et ça ne pouvait être que Carlos dont il avait été si fier lors du combat de boxe de l'école, Jérémy secoua le sable qui collait à ses sandales, car Mama se fâchait lorsqu'on entrait avec du sable dans ses chaussures, ces filles provocantes, Vénus, ses sœurs, les lèvres fardées, maquillées, dans leurs robes empesées du dimanche, et ce gonflement hardi sous leurs t-shirts les jours de semaine où il était écrit Méchants jusqu'à l'os, l'enflure du désir, de l'appétit sexuel, et pour les chaînes de bicyclettes, aucune erreur de jugement, il avait dû remettre ses lunettes pour bien les voir, c'était exact, le butin volé était dans la remise, dans ce coin de grisaille membraneuse où logeaient les tentacules, on ne pouvait plus leur cuire les fesses de coups de ceinture à leur âge quand ils remportaient des combats de boxe et un Blanc s'écroulait dans le ring et un deuxième, Carlos, c'était lui encore qui avait un jour lancé ses bottines trouées sur le fil et toute la rue avait été privée d'électricité, un voyou, un chenapan, les bottines étaient toujours là se balançant à la cadence du vent, quand cela coûtait si cher l'éducation des enfants, le Toqué qui avait dix ans ne savait toujours pas lire, allait-il vraiment à l'école, sa jambe droite traînait derrière l'autre, que faire, c'était de naissance, un second regard dans la remise et le pasteur Jérémy découvrirait un portefeuille, une ceinture de cuir, le Toqué ou Carlos, n'était-il pas connu des touristes pour sa main leste, ce n'est pas à la maison correctionnelle qu'il deviendrait champion de boxe, il faudrait l'expédier chez ces fermiers blancs à Atlanta, il en reviendrait plus modéré, on le rouerait de coups s'il n'écoutait pas, les bottines lancées là-haut d'une main experte, ce Carlos il était musclé et fort, le pasteur Jérémy bombait le torse de fierté, Carlos, ce n'était pas n'importe qui, le pasteur avait rattrapé son poulet dont le cou tailladé répandait son sang dans sa main, parmi quelques plumes rousses, le pasteur Jérémy ne parlerait pas des chaînes de bicyclettes à sa femme, un dimanche, on se décontractait, on jouait au ballon dans la cour, on se baignait dans l'océan et les plus petits apprenaient à marcher près de leur mère sur le sable des plages, et soudain le pasteur Jérémy se souvint que longtemps l'accès aux plages publiques lui avait été interdit, il se revoyait transportant de la terre dans des camions, les jours de congé, le camion circulait dans la ville presque sans bruit, pendant le repas dominical des Blancs cachés sous le tulle des vérandas, contre les moustiques, le camion où se tenaient debout, on eût dit, les pieds attachés par des chaînes dans une charrette, cinq garçons noirs aux cheveux hérissés, aux lèvres charnues, dont les yeux, au fond des orbites, semblaient sans rêves. Et Jacques pensait à cette femme qui l'avait amené dans sa voiture, pourquoi le visage annonciateur de sa mort eût-il été séduisant, réconfortant, maternel, peut-être, ce visage se rattachait-il à celui de l'infirmière qui viendrait bientôt, pour les soins palliatifs, lorsqu'il serait trop faible pour s'alimenter seul ; de son sang endeuillé qui semait partout la panique, la mort, jaillirait avec les transfusions multiples l'extase du sang clair, purifié, c'était comme lorsque Paul avait rafraîchi son visage avec l'eau de la fontaine, cette tiédeur de l'eau sur ses tempes, pourquoi le visage annonciateur de son agonie eût-il été doux, apaisant, et pourtant, comme cette femme qui lui avait demandé s'il était à l'aise parmi les coussins, à l'arrière de la voiture, elle semblait lui dire, je suis la mort aimable, apprivoisée, je m'enivre avec toi des parfums de ton jardin, du flamboiement de ses couleurs, le vert des plantes, des feuilles, n'est-il pas plus éclatant qu'hier, que d'abondances autour de toi, et Jacques avait pensé à tous ces matins où il s'était réveillé le corps tendu vers des curiosités haletantes, son sexe dressé, triomphant, en attente des baisers de Tanjou, du corps langoureux qui allait se blottir contre lui, mais s'il s'était épris de Tanjou au Pakistan, soudain il n'avait plus su que faire de lui, sur le campus de l'université, comme dans ses travaux, affublé de la rigueur professionnelle qui était la sienne, lorsqu'il s'adressait aux professeurs de son département, celui de littérature et de langues étrangères, n'avait-il pas pensé à tout lorsqu'il avait choisi une profession qui le ferait voyager ? Il avait dit à Tanjou de sa voix autoritaire de repartir vers son pays, quelle menace, quel tourment de sentir soudain Dieu qui planait autour de soi, car la domination de l'amour, c'était cela, pensait-il, la féroce domination de quelqu'un qui vous était étranger, les lettres de l'étudiant pakistanais n'avaient-elles pas été déchirées en morceaux par cette main traître qui avait tant chéri, caressé, aimé, en répudiant Tanjou, en ne répondant jamais à ses lettres passionnées, il avait connu cette lâche délectation qu'il jugeait si sévèrement chez Kafka, toutefois, c'était comme si un ongle se fût accroché dans les fibres de sa carapace, l'eût empêché de bouger, couché sur le sol, tel le gros insecte vagissant de Kafka, son dos subissait l'insulte des pommes pourries, soulagé et guéri de l'amour avec le départ de Tanjou, furieux que l'ongle divin eût parcouru son échine, dans sa guérison subite, il mourait maintenant du même amour, et quelle menace de sentir Dieu planer autour de soi quand on était sans défense, tel un alpiniste dont le dos eût été brisé dans sa chute, et Tanjou répétait dans ses larmes innocentes, je n'étais donc qu'un objet pour vous, qu'un instrument pour

votre plaisir? Vous ne m'aimez donc pas? Et Jacques
répondait avec froideur, c'est ainsi, je ne peux pas aller
plus loin, c'est ainsi que je suis fait, qu'on me laisse
tranquille, la lâche délectation intervenait, pensait-il,
lorsque Tanjou versait ses larmes intarissables, qu'elles
coulent, ruissellent, pensait-il, frissonnant encore à la
pensée de cette cruelle jouissance qu'il avait ressentie
à voir quelqu'un, et surtout un être adorable, lui
procurer cette victoire, souffrir d'amour pour lui. Puis
Jacques pencha la tête sur le côté, s'assoupit, en se
demandant s'il aurait le courage de noter tous ses
rêves puisque sa main tremblait un peu; et il la revit,
elle était soudain près de lui, c'était une fin d'après-
midi orageuse et les vagues étaient très hautes, celle
qui avait le visage annonciateur de sa mort avait
changé, l'élégance de cette personne, au volant de sa
voiture, s'était alourdie, relâchée, c'était une femme
ordinaire qui peignait, assise sur un rocher, près de
l'eau, elle portait encore ses souliers de plage, blancs
aux talons plats, le pantalon jaune bien découpé, mais
on ne voyait plus la finesse de ses traits sous le chapeau
grotesque qui l'abritait du soleil, elle dessinait ou peignait, sans regarder Jacques qui avait commencé ses
exercices quotidiens sur la plage, d'ailleurs ne s'agitait-
il pas en vaines contorsions sur les cailloux de cette
plage où ne venaient que les chiens, ses gigotements
sur cette plage infestée d'écailles malodorantes allaient
sans doute les attirer, et son odeur, sa trouble odeur,
la femme dessinait sur un cartable bleu et rouge où il
était écrit Venez Urgent, elle dessinait et peignait de
façon chaotique en ne regardant nulle part, Jacques se
mit à craindre qu'elle ne tournât vers lui son visage et
ne l'aperçût dans sa posture humiliante, puis il se
réveilla, Mac avait rebondi d'un arbre sur ses genoux,
Jacques plongea sa main dans les poils orange de Mac,
ses flancs maigres, et lui demanda si cette portée de

chatons sous les lauriers-roses étaient les siens, et
qu'avait-il encore fait, lui, la terreur des coqs de la rue
Bahama, pendant son absence, la grappe de chatons,
tachetés de roux, comme Mac, s'étirait longuement au
soleil, protège-les, père volage, dit Jacques, on pourrait
marcher dessus sous le feuillage, toutes les femelles te
craignaient cet hiver, et ces chatons idiots quand pas-
sera bientôt l'exterminateur de vermine avec son jet
de gaz, sous les fondations des maisons, à quoi pensez-
vous donc tous, et pendant qu'il jouait avec Mac, le
harcelait jusqu'à la morsure sachant que Mac ne le
mordrait pas, car il était trop heureux de le revoir, il
se sentit plein de dégoût pour ses bras, ses mains
squelettiques, la sympathique admiration qu'il avait si
souvent éprouvée pour lui-même ne reviendrait donc
plus; alors pourquoi ne se levait-il pas, l'air salé de
l'océan lui eût fait du bien, ces nonchalantes promenades qui l'avaient tant de fois vivifié, restauré, non,
elles ne reviendraient plus en ce monde ces heures de
relaxation épanouie, un peu rêveuse, sur les rives
d'une mer, d'un océan, l'an dernier, était-ce une
prémonition, il avait vu un voilier noir au milieu de
l'océan, un voilier et son équipage, est-ce que nous
avons déjà vu cela, un voilier noir? avait-il dit à ses
amis, l'impitoyable prémonition était soudain une
réalité saisissante, c'était le lit d'hôpital véhiculé
jusqu'à la maison, sur le seuil du jardin, même cette
raie qui séparait ses cheveux allait en s'éclaircissant,
pensait-il, et le juge descendait vers le hall qui le
menait au casino de l'hôtel, en pensant, pour les
proxénètes, un an aurait peut-être suffi, mais les
autres, ces trafiquants, il fallait démembrer leur réseau,
un télégramme l'attendait à la réception, il le lirait plus
tard, Renata, il ne pensait qu'à Renata, dans un
mouvement impulsif elle était revenue sur ses pas,
l'avait embrassé, que lui disait-on, qu'au déjeuner les

employés de l'hôtel avaient refusé de servir leurs
clients, on les avait vus se servir eux-mêmes à la table
du banquet dans la salle du fond, sous le courroux
d'une hostile méfiance, Renata approuvait cette insurrection, ces jours de grève, Claude lui avait recom-
mandé d'être prudente dans ses paroles, toujours du
côté des humiliés, il dit à sa femme qu'elle était comme
le gibier à l'affût du chasseur, la tourterelle qui entend
le crépitement des plombs dans le bruissement de ses
ailes, Claude qui avait beaucoup chassé avec son père,
autrefois, disait, le chasseur l'abat d'un coup de feu,
mais souvent il ne la tue pas, longtemps elle palpite
dans l'herbe, et sa conscience qui n'a pas été altérée
encore reflète le ciel dans un voile de sang, elle entend
les rires des chasseurs au loin, et les battements de son
cœur qui ralentit, mais Renata n'était déjà plus auprès
de son mari, il la vit dans l'établissement de jeux parmi
d'autres joueurs, un groupe d'Asiatiques fumant des
cigares dans une épaisse fumée, et Renata lui parut
déplacée dans ce milieu qu'elle fréquentait la nuit, avec
son vaste front qu'éclairait une lumière pâle, son
raffinement secret proche de la froideur, cette con-
quérante timidité qui, chez elle, irritait tout en attirant
les hommes, pensa Claude, pourtant ses yeux étaient
fixes, elle semblait jouer d'un air implacable comme si
sa concentration eût été profonde, il douta que cela fût
vrai, la conscience de Renata, pensa-t-il, errait toujours ailleurs, vers d'insondables replis, ce condamné
du Texas, elle ne cesserait de lui en parler, lorsqu'il fut
près d'elle, elle se tourna vers lui et lui sourit, il sentit
son souffle tiède, son haleine parfumée de whisky,
pendant que les jetons roulaient vers Renata sur le
tapis vert, il pensa, ces heures de la nuit parmi les
hommes lui appartiennent, de même que ses passions
obscures pour le jeu, l'alcool, mais combien je redoute
la fumée de ces lieux, avec le 17, elle avait doublé la

mise, les jetons continuaient de s'amasser devant elle, mais elle ne manifestait aucune hâte de les prendre, gênée par la fumée des cigares de ses compagnons, elle se dirigea vers le bar, et soudain le juge vit qu'il n'y avait plus rien là où Renata avait joué, les jetons avaient disparu, et un homme dont la chemise était ouverte sur son torse nu avait pris la place de Renata, c'était un Antillais pauvre et débraillé qui venait droit de la rue, dans quelques instants, il recevrait une énorme somme d'argent qui ne lui était pas destinée et qu'il perdrait aussitôt, dans ce désespoir qui le poussait chaque nuit à jouer ici son salaire de famine et sa vie, et dans son hautain détachement, ou était-ce par lassitude, ennui, ou était-ce encore quelque motif de sa passion souvent trop charitable, pensa Claude, Renata ne serait-elle pas responsable de la chute de cet homme? Immobile, subjugué, il savait que Renata avait vu le vol effronté des jetons sur le tapis vert, n'avait-elle pas su aussi que le misérable Antillais devenait soudain victime d'un hasard terrible, par sa faute, ce même hasard qui aurait pu l'alléger de sa pauvreté, le rendre riche, ces obscures passions des femmes, pensait Claude, que recherchait-elle dans ce qui lui semblait une ambiance infernale, le repos ou la connaissance, ne lui avait-elle pas dit, l'empreinte de sa propre mortalité, depuis sa maladie, et l'attitude de Renata, faite d'éloignement, d'un recul à la fois brusque et éthéré, n'éveillait-elle pas en lui des sentiments d'échec, presque d'abandon, ne lui montrait-elle pas combien chacun de nous était toujours en présence de pulsions dangereuses, qu'elles fussent bonnes ou mauvaises, l'enfer privé des criminels en était envahi. Il voyait Renata qui fumait dans la pénombre du bar, de dos, assise sur un tabouret, les jambes croisées, était-ce vrai ce qu'ils avaient lu dans le journal du matin que ces mêmes employés en grève avaient massacré les chiens des Blancs dans leurs villas, on les avait empoisonnés, le juge sentit le contact froid du briquet entre ses doigts, que lirait-il en ouvrant son télégramme, lui apprendrait-on que sa résidence avait été dévastée, pulvérisée, la serre avec sa vue panoramique, altière, sur la ville, le monde était gouverné par des pulsions dangereuses, il partirait demain, comme le lui dictait sa secrétaire, son billet l'attendait à l'aéroport, il était impérieux qu'il revînt, Renata continuerait sans lui sa convalescence auprès de ses neveux Daniel et Mélanie, la chaleur de ce pays tropical lui ferait du bien, le juge éprouvait le froid contact du briquet et de l'étui d'or entre ses doigts, elle était guérie mais ne devait plus fumer, ne le savait-elle pas, il voyait sa silhouette solitaire, son large front, dans la lumière des lampes, contre ce fond de velours noir dont les murs étaient tapissés, il lui annoncerait bientôt son départ, ne lui avait-elle pas reproché la sentence trop sévère, le risque qu'on cherchât à se venger, Renata semblait hésiter à se joindre à des couples bruyants dans l'espace illuminé du bar où des musiciens jouaient du jazz près de la mer, le juge songea que pendant que ces fêtards, ces couples décadents, venus de stations balnéaires, thermales, soignaient leur santé resplendissante, des cadavres pourrissaient dans le désert, interminable était cette guerre de janvier, et comment les trafiquants armés avaient-ils pénétré dans la maison, les serviteurs de son père, dans leur cottage, ne les protégeaient donc pas, Renata fit quelques pas, s'arrêtant près d'un homme ivre qui renversait sa femme sur le piano pour l'embrasser, l'homme riait d'une façon grossière, la femme portait une robe décolletée dont son mari avait dénoué la boucle, d'autres couples se rassemblaient autour du piano, de la femme, riant et plaisantant, Renata marchait seule jusqu'à la terrasse, sous les étoiles, on voyait un bassin, près de la mer, où par quelque barbare magie apparaissaient des oiseaux rapaces à qui manquait une aile, une tortue se soulevant avec peine sur ses pattes de devant et qui nageait à contre-courant, était-ce là, pensa Renata, l'incarnation de la douleur animale impuissante, elle entendait des mots claironnés jusqu'à elle, à travers le vacarme, il lui semblait entendre des paroles légères mais contaminées, que disait-on, qu'elle était belle, à la dérive, en riant, plaisantant, she looks like a wandering Jew, cette tourterelle dont lui avait parlé son mari n'était pas morte tout de suite sous le coup de feu du chasseur, que disait-on, en riant, plaisantant, elle n'avait rien entendu, elle porta la main à son front, étourdie par cet élan de conscience aiguë qui l'avait touchée, ils disaient que le condamné du Texas était mort sur la chaise électrique, tant mieux, ils en étaient contents, disaient-ils, ils riaient, plaisantaient, pendant les longs jours de la convalescence de Renata, cette pensée la traversa soudain, on reprenait jusqu'à l'usure ces procès en Europe, aux États-Unis, pour dénoncer quelques vieillards, peut-être semblables à ceux-ci, dont le vil passé avait été enfoui dans un nouveau pays, sous une nouvelle citoyenneté, un métier aussi anodin que celui de charpentier, plombier, résidents de la ville de Milwaukee comme tant d'autres, ailleurs, ils seraient déportés grâce à un procès, que faire de ces bourreaux affaissés, de ces tortionnaires toujours parmi nous, fallait-il les enfermer seuls dans des tribunaux déserts, seuls avec l'insoutenable plainte de leurs cerveaux maudits, Renata songea que, malgré la stabilité de sa vie professionnelle depuis des années, elle était une vagabonde fuyant le destin, cette condition féminine qui lui semblait parfois si pesante, il y avait une malédiction inscrite dans la chair des femmes depuis des siècles, chacune atteindrait-elle un

jour l'ultime délivrance de tant d'injustices? Il lui
sembla, à cet instant où elle était si troublée, rencontrer le regard de son mari, il posait sur elle ses yeux
sombres et doux, ne lui apportait-il pas d'un air
détendu le briquet, l'étui d'or, la rumeur s'était tue autour du piano, les musiciens rangeaient leurs instruments dans la pénombre du bar, c'est à peine si on
entendait le bruit des vagues dans la nuit. Et tout le
jour, ils avaient chanté, dansé en chœur sur les
planchers du temple, chanté à la gloire de Dieu, à Son
heure de gloire qui approchait, avait crié le pasteur
d'une voix tonnante qui avait longtemps vibré dans
l'air tiède du matin, les filles toujours en avant avec
leurs cheveux frisés, leurs lèvres dures, à la fin de
l'office on avait ouvert les portes du temple, tous
avaient chanté, dansé dans la rue, on entendait dans
toutes les églises les trompettes du Seigneur, à la
Nouvelle Vie du Tabernacle, on avait prié pour les
malades et, à la sainte Trinité, les écoliers avaient récité
de terrifiants passages de la Bible qu'ils avaient appris
aux études bibliques, en ces temps de pénitence, quant
aux luthériens, n'était-ce pas choquant, pensait le
pasteur, cette nursery pendant le service, trop de
confort aussi à l'église presbytérienne, quoi penser de
cela quand le Seigneur était mort sur la croix pour les
péchés des hommes, pour leur salut, et les épisco-
paliens avec leur église construite en pierre, c'était
trop vaste, on priait mal à l'intérieur de ces murailles,
n'étaient-ils pas sévères avec leurs cantiques que
chantaient de vieilles demoiselles, quant à l'église
bahaïe, ces gens-là priaient-ils le vrai Dieu, nous
t'aimons, ô Dieu, dans la peur des flammes et l'espoir
du paradis, venez, venez, vous qui passez, chacun est
un invité d'honneur, avait dit le pasteur devant son
humble église où l'on entendait caqueter les poules,
tout le jour, ils avaient dansé, chanté, au temple et dans

la rue, et partout dans toutes les églises on avait écouté les trompettes du Seigneur, dans les craintes et les tremblements, et maintenant le soleil se couchait sur la mer, Mama ramassait les assiettes maculées de sauce et de fèves brunes, dans les broussailles du jardin, sa voix perçante sifflait aux oreilles de Carlos qui tentait de fuir vers la rue et que Mama ramenait sur sa poitrine, contre ses seins lourds qui haletaient de colère sous la robe de coton mauve, sa robe du dimanche, laquelle descendait si bas sur ses jambes, les plantureuses jambes noires, les souliers blancs foulant l'herbe jaunie, c'était tout ce débordement de fureur qui gravitait autour de Carlos, qui le pourchassait pendant qu'il étreignait son ballon de football, les cadenas, les chaînes de bicyclettes, se lamentait sa mère, que le Seigneur ait pitié de nous, et les claques pleuvaient sur les joues de Carlos, sur sa forte nuque courbée, finirait-il comme les frères Escobez de la rue Havana, hein, finirait-il comme eux, et dans le bourdonnement des coups qui martelaient ses tempes, il entendit soudain, comme si ces quelques sons cristallins, séparés de tout, eussent jailli de la terre pour lui seul, le chant des cigales et le clapotis des vagues, tout autour, il vit le Saint Révérend debout sur un nuage au milieu du ciel, il semblait avoir des soucis puisqu'il s'épongeait le front avec son mouchoir, il disait de sa voix grave, Carlos, un jour j'ai eu un rêve, et c'était pour toi, mon fils, qu'est-il arrivé, mais le message télévisé s'estompait vite devant un autre, celui de la glace à la vanille que devait manger Carlos, il y avait longtemps que le Saint Révérend s'adressait à Carlos, debout sur un nuage dans sa toge éclaboussée de taches écarlates, près du cœur, parfois il pleurait, tout ce que j'ai fait pour toi, mon fils, et tu passes ton temps à renifler de la cocaïne avec les Mauvais Nègres, te souviens-tu de ces trente-quatre Panthères noires

tuées dans les rues de New York, non, car c'est elle que
tu aimes, la glace à la vanille que fabriquent les Blancs,
car la lumière, mon fils, c'est aussi la foudre, et avec la
voix grave du Saint Révérend dans le ciel, avec le chant
des cigales et le clapotis des vagues se confondait le
tap tap d'un orchestre noir annonçant à Carlos la
marque de commerce de cette glace à la vanille qu'il
avait le devoir de manger, tap tap, et sur les notes
scandées du tap tap, il dansait sur un pied et sur
l'autre, dodelinant de la tête sous les coups de sa mère,
dans un mouvement lent, d'une extrême indolence, et
puis, peu à peu, les bourdonnements cessèrent aux
tempes de Carlos, la main forte qui l'avait secoué, giflé,
dans une convulsion si impérieuse, retombait avec
fatigue, le long de la robe mauve, Carlos reprit son
ballon qui avait roulé dans l'herbe, la main de sa mère
se posait forte et tranquille sur l'épaule du pasteur
Jérémy, c'était l'heure de coucher Deandra et Tiffany,
dit le pasteur à sa femme, et quand se débarrasse-
raient-ils de cette vieille glacière dans la cour, et de
l'arbre de Noël aux guirlandes trempées de moisissures, ah, cela pouvait bien attendre encore quelques
mois, ce que l'on n'avait pas eu le temps de faire hier,
pourquoi le faire aujourd'hui si on pouvait le faire
demain, et Carlos courait en pressant son ballon
contre sa large poitrine, car il ne fallait pas être en
retard pour la partie, et sur son passage se déployaient
des drapeaux, s'élevaient des voix dans des chants
patriotiques d'une religieuse ferveur qui excitaient
Carlos, car n'entendait-il pas ces mots qui ne s'adressaient qu'à lui, vive Carlos, vive la glace à la vanille,
vive le champion de son équipe, car Carlos aussi avait
un rêve, il serait le plus grand, le plus fort. Et pourquoi Luc et Paul se querellaient-ils dans la cuisine,
c'est le mol pétillement des glaçons dans l'eau minérale qui avait averti Jacques de leur retour, ne se dis-

putaient-ils pas au sujet du régime qu'il devait suivre, ce soir, riz, filet de rouget, il observait dans son cahier cette écriture fine, resserrée, qui devenait de plus en plus illisible, riz, filet de poisson, Luc et Paul se sont disputés à cause de moi, un ami m'a téléphoné de la Californie, cette époque d'inertie mentale chez Kafka, était-ce autour du 5 mars 1911? Ma vue est toujours excellente, en général, je me porte bien, et docilement Jacques s'était soumis à cette servitude des repas que son foie, son estomac n'absorbaient plus, devant le bol de riz fumant que lui avait servi Luc, n'avait-il pas frémi d'une honteuse émotion, celle de la reconnaissance peut-être, car on s'occupait de lui, on le lavait le matin, lui donnait son bain le soir, et ces soins de propreté, d'hygiène s'accentuaient jusqu'à la dérision, pensait-il, lorsque pour changer les draps, on le livrait soudain à la fraîcheur déconcertante de son corps nu avant de lui imposer pour la nuit la contrainte du linge absorbant, sous son pyjama, et montaient en lui, comme ce soir, ces sentiments d'aigre gratitude, de rage saine, aussi, car il était temps que Dieu eût pitié de lui, que s'achevât l'ignoble comédie, car allait-il entrer avec son caractère maussade, ce caractère que lui avait tant reproché Tanjou, avec toute sa raison, sa lucidité malfaisante dans l'agonie? Mais eux recueillaient de ses mains l'assiette qu'il n'avait pas touchée, introduisaient pour lui dans la vidéo la bande magnétique du film qu'il avait manifesté le désir de voir, et c'est pour eux qu'il exhibait ce fier sourire, l'éclat de ses dents blanches sous la fine moustache, laquelle avait été taillée par le coiffeur, avant son départ de l'université, c'est pour eux, pensait-il, qu'il vivait encore, car il ne pouvait s'arracher de la mystérieuse adoration de tous leurs gestes, rien ne lui semblait plus mystérieux que cette mâle jeunesse qui allait lui survivre avec ses désirs capricieux, maladroits, l'élévation de ces désirs, la beauté de leur sexualité quand il se sentait si abaissé ; il prit les mains de Luc entre les siennes et lui dit dans un soupir, il faut sortir, aller à la discothèque, vous amuser tous les deux, et il se sentit libéré quand il les vit dans leurs shorts blancs, chaussant leurs patins aux courroies phosphores-centes pour sortir, cette nuit aux réverbérations soyeuses, permissives, dans les bars, sur les plages, était bien à eux, pensa-t-il, à la fermeté de leurs corps bruns dans leurs shorts blancs, ces corps qui frisson-naient encore sous les gouttelettes d'eau froide de la douche, dehors, cette nuit appartenait à la solitude ou à la complicité de leurs plaisirs, ces désirs qu'ils sem-blaient si bien contenir sous leur apparence chaste, réservée, avec leurs cuisses, leurs fesses enchâssées dans le short blanc, leurs sexes durcis et enflammés sous la fermeture éclair du short, mais à peine évolueraient-ils sur la chaussée des rues que leurs pa-rures iridescentes comme celle des oiseaux rares atti-reraient tous les regards, éveilleraient la curiosité de l'homme seul, comme l'avait fait autrefois Tanjou, avec le mouvement ondulant de ses hanches, venant vers Jacques en patinant sur une piste de danse, un ruban aux reflets verts, irisés, dans ses cheveux courts et drus, et c'est en pensant à Tanjou, à l'ineffable douceur de ses abandons, que Jacques échangea la cassette du film *Amadeus* contre un film érotique qu'il gardait dans le tiroir de sa table de chevet. Et s'ils s'étaient brusquement retrouvés l'un près de l'autre, attirés par les parfums d'une nuit odorante, près de la mer, ne ressemblaient-ils pas, pensait Renata, elle et Claude, à un couple de fugitifs faisant vite l'amour dans la pro-miscuité d'une chambre d'hôtel, avant un départ, une séparation, dans cette fébrile clandestinité, un miroir, au plafond de la chambre, avait reflété leurs auda-cieuses demandes pendant qu'ils s'embrassaient, s'enlaçaient, et soudain, dans la nuit silencieuse, le miroir leur renvoyait l'image de ces corps désemparés, ne bougeant plus, engourdis dans le même bien-être, Renata rappela à son mari les dangers qui le menaçaient, c'était un homme d'une incompréhensible témérité, lui disait-elle, Claude se défendit en disant que les trafiquants n'avaient détruit, avec leurs mélanges explosifs, que les murs translucides de la serre abritant des plantes tropicales en hiver, elle n'avait jamais aimé le luxe de cette serre, lui répéta-t-il, et pendant qu'ils parlaient tout en se caressant le visage, de l'un, de l'autre, Renata revit le couple vulgaire s'enrouant de cris, près du piano dans le bar, sa conscience soudain reflétait toutes ces désolantes apparitions de la nuit, il y avait eu aussi le vieillard édenté somnolant derrière les comptoirs poussiéreux d'une librairie de la ville qui lui disait d'un air résigné, prenez le livre qui vous plaît, madame, moi, je ne sais pas lire, je ne fais que vendre des livres à des écoliers, c'était quand elle avait éprouvé une creuse sensation de soif, une sensation si irrépressible qu'elle s'était retournée vers une touriste qui buvait une limonade dans une timbale de carton, la touriste semblait lire effrontément par-dessus son épaule, tout en aspirant goulûment la boisson avec une paille, et désormais la soif, l'indiscrète présence fleurant son épaule, imprégnaient ces vers d'Emily Dickinson qu'elle avait lus dans l'air surchauffé de la librairie, Because I could not stop for Death, He kindly stopped for me, The carriage held out just ourselves and Immortality... car il y avait dans ces mots écrits dans une autre langue un dense ruissellement de souvenirs, d'émotions vives, que Renata ressentait dans le présent, comme si, pendant que la bousculaient des écoliers noirs, qu'une étrangère, collée à son épaule, dégustait une limonade au citron, lui en donnait le goût, l'envie, elle eût senti passer en elle, sous la sueur à son front, la révélation qu'elle attendait depuis sa convalescence ici, en un lieu où, avait-elle dit à son mari, elle avait l'impression de séjourner dans les limbes, cette révélation de l'état de désarroi qui l'habitait depuis ce jour où elle avait pensé qu'elle fumait pour la dernière fois, dans le corridor d'un sinistre hôpital de New York, à cet instant où, comme dans le poème d'Emily Dickinson, la mort ne s'était pas arrêtée, la laissant seule avec la blancheur de son passage et ce goût mémorable de la dernière cigarette, sa suprême succulence interdite qui appartenait désormais à l'immortalité matérielle des choses, car, pensait-elle, ce «just ourselves and Immortality», ce n'était peut-être rien d'autre que la compagnie de ces objets qu'elle aurait tant de mal à quitter, les cigarettes, l'étui, le briquet en or, ces creuses sensations de soif qui évoquaient les langueurs de l'amour, autour de ces objets, objets auxquels elle se rattachait avec toute la ténacité de ses sens, car rien au monde n'avait eu autant de saveur que la dernière cigarette, au point qu'elle n'avait cessé de répéter d'innombrables fois le geste de porter la cigarette à ses lèvres, d'en extraire la saveur, dans un frémissement à la fois effrayé et délicieux de tout son corps, car elle était soudain livrée à un désarroi qui l'inclinait irrésistiblement à s'emparer de ce qui lui paraissait sa seule immortalité sur la terre, celle de tous ses plaisirs marqués par une même régénération exquise et affolante, bien qu'elle sût que le sentiment d'une immortalité dans ses plaisirs fût une chose périssable, elle se demandait si elle se souviendrait longtemps avec la même exactitude de la sensation de la mort évanescente un instant suspendue à ses lèvres, son courage en sortirait-il grandi ou amoindri lorsqu'elle représenterait ses clientes au tribunal à son retour ou oublierait-elle cette hantise de la dernière cigarette qui

vraiment eût pu être la dernière, l'infiniment délectable, dans son souvenir, celle qu'elle avait fumée dans
le corridor d'un hôpital de New York, ou cette autre
qu'elle respirait maintenant avec jouissance, profitant
du sommeil de son mari pour vite aller fumer à la
fenêtre, jetant à la dérobée sur ses épaules la veste de
tweed qu'il porterait pour son départ, se souviendrait-
elle de sa craintive apparition dans le miroir de la
chambre, lorsqu'elle avait vu, dans les reflets de la
lampe, la longue et pâle cicatrice autour du poumon
prélevé, sur la peau cuivrée par le soleil, sous l'insidieux parcours de la cicatrice si parfaite, magistrale,
avait-elle dit au chirurgien, passait aussi le dernier
souffle, puis elle avait chassé le doute qu'elle pouvait
lire dans ses yeux interrogateurs, dans le miroir, d'un
geste brusque, elle avait saisi l'étui d'or, le briquet, et,
apaisée, avait senti monter à ses lèvres, à ses narines,
l'odeur de fumée humide que relançait la mer sur son
visage, cette odeur de fumée chaude, humide et pourtant vivifiante, qui venait de l'océan. Et Jacques avait
enlevé son pyjama, il détachait de sa taille amaigrie,
de son ventre, de ses cuisses vouées au même silencieux dépérissement, la culotte absorbante sous le
pyjama, ces langes dont Luc et Paul l'avaient enveloppé avec une application dévouée mais soucieuse,
avant de sortir pour la nuit, des frissons le parcou-
rurent pendant que l'air du soir gonflait sa poitrine,
car enfin il respirait mieux et se souvint qu'en se
soulevant dans son lit il avait vu le ciel rose entre les
pins, les reflets du soleil couchant sur la mer calme, la
plage des militaires déserte à cette heure-là, la partie
de football était sans doute finie puisqu'il avait
entendu les cris de la Folle du sentier poursuivant les
enfants du pasteur avec une pierre, et les pas de Carlos
se frayant un passage dans la végétation piquante,
derrière les barbelés où hurlaient les chiens captifs, les

voitures des policiers sillonnaient la ville dans l'appel lancinant des sirènes, et Jacques palpait ce ventre, ces cuisses, il auscultait avec des doigts de clinicien le sexe encore dressé, ne devait-il pas savoir, même si pesait sur lui l'ironie d'une telle curiosité, combien encore il pourrait jouir, se satisfaire à l'ombre d'un si grand deuil, accomplir jusqu'au bout ces miracles que lui rendait son excitable fureur sensuelle, friande, cela, il y avait si peu de temps encore, lorsqu'il cajolait Tanjou sous les draps bleus, dans ces pénombres des fins d'après-midi où ils se réfugiaient tous les deux, en ce temps où il s'offensait des pudeurs de Tanjou, le réprimandait d'un air boudeur, en venant étudier ici, n'avait-il pas hérité de ce répugnant puritanisme de l'Amérique du Nord, et pourquoi cette mendicité de l'enquêteur, dans les yeux de Tanjou, Jacques n'était-il pas un homme libre, ce qu'il faisait de ses nuits ne concernait que lui, il lui semblait sentir à ses côtés le garçon luttant contre lui avec ses protestations et ses larmes, entendre la voix à l'accent mélodieux lui dire, vous ne m'aimez donc pas, vous ne m'aimez donc pas, Jacques le calmerait d'une caresse lasse sur le front, les yeux, la bouche, et pourquoi cette lassitude, c'était là une illégitime offrande à la jeunesse, les relents de ce détestable puritanisme chez Tanjou les avaient peut-être séparés, le garçon ne confondait-il pas sexe et nobles sentiments, comment était donc la forme de son visage, les doigts de Jacques glissaient sur les joues proéminentes de Tanjou, sur ses lèvres pulpeuses qu'il faisait taire, Jacques était un homme libre, il ne fallait jamais lui poser de questions, dans le silence de ces après-midi enfermés dans la chambre, on entendait le vol des mouches contre les stores, le ronronnement d'un ventilateur, et soudain la voix sentencieuse du professeur qui énonçait que l'instinct sexuel fonction- nait chez lui comme une machine, un engin pour ses

rêves où le risque augmentait le plaisir, Jacques se
rappelait la morosité de ses propos, il se levait en
disant à Tanjou, et si on regardait l'un de mes films,
qu'en penses-tu, il jouait avec le bouton du téléviseur,
réglait le contraste d'une image, et farouche, pudique,
Tanjou détournait les yeux de ces couples de garçons,
de leur hardiesse lascive partout, comme on le voyait
dans le film que regardait Jacques, aujourd'hui, maintenant, encore pendant qu'il était seul ; dans les parcs,
les bosquets, les saunas dans toutes les villes d'Europe,
d'Amérique, sortaient de leurs cavernes les animaux
affamés, assoiffés, le lion léthargique assoupi en
Tanjou se réveillerait-il dans un bond de féroce jalousie, qu'était-ce que ce latent puritanisme hérité de
notre culture, disait Jacques, moi, je vous aime, disait
Tanjou, il faudrait encore venir vers lui, le prendre
dans ses bras, le rassurer d'une caresse un peu dis-
tante, se mettre à craindre par-dessus tout que ce fût
vrai, que lui, Jacques, l'un de ces spécialistes de Kafka
dont on ne savait que faire dans les universités, oui,
que cela fût vrai, qu'il était, lui, Jacques, l'inaliénable,
aimé. Vite, il fuyait, pendant que se déroulaient les
images du film, vers les parcs, les bosquets, les saunas,
ceux qu'il avait fréquentés à Paris, New York, Hambourg, Berlin, il fuyait le confort nuptial de ces après-
midi, allongé près de Tanjou, dans la chambre close,
car l'attendait partout au grand air, comme dans l'air
vicié des souterrains des gares, des métros, la complicité de l'amour sauvage qui ne se donne pas, une
armée de corps inconnus se levaient soudain dans les
parcs, les bosquets, les bains de vapeur, les bars, il ne
reverrait donc jamais ce prostitué coquet qui portait
un anneau à l'oreille gauche, cet autre qui surgissait
des buissons vêtu de cuir, qui l'encerclait d'un
mouvement souple avant de l'emprisonner dans ses
bras, debout contre un arbre, se promenant noncha-

lamment dans un bois, la nuit, n'avait-il pas senti autour de lui la précieuse garde de tous ces corps qui l'avaient désormais oublié, comment vivre sans le parfum acide de leurs lèvres rôdeuses, complaisantes, sans l'insistance de leurs regards dans les parcs, les bosquets, les saunas, les secrets jardins foulés jusqu'à l'aube, dans l'odeur des feuilles comme dans la neige, rentrer légèrement ivre de ces brutes passions, venaient jusqu'à lui ces gémissements sourds qu'il avait entendus, souvent provoqués, dans les parcs, les bosquets, les saunas, à Paris, New York, Hambourg, Berlin, un téléviseur transmettait jusqu'à ses sens encore aiguisés la plainte rieuse, enragée, de ces garçons qui aimaient la fête, l'orgie, et qui, pensait Jacques, eussent dû, dans leurs joies orgastiques, se calfeutrer les uns les autres du halo protecteur de leur sperme, lequel se répandait autour d'eux comme un brouillard blanc, bleuté, la couleur de leurs veines, car voici que ce sperme innocent, jovial, était teinté de sang, la couche protectrice de ce brouillard ne les défendait plus, ne les protégeait plus, et ils ne s'attiraient du monde où ils étaient nés que haines et douleurs, crainte et mépris, les parcs, les bosquets, les saunas, de Paris, New York, Hambourg, Berlin, étaient vides, les buissons, déserts, et lui, Jacques, n'était-il pas aussi solitaire, son sexe à la main, que ces fragiles embarcations sur l'eau, dont on disait à la radio, à la télévision, par des messages codés venus des satellites, qu'ils étaient en péril, bien qu'il reçût comme une faveur, un hommage à sa force, la faible secousse qui le délivra, la tiède rosée qui coulait entre ses doigts, sur ses cuisses, le ramenait à la vie, pensa-t-il, et il lui sembla que, dans ce film qu'il venait de voir, comme dans la vie, en ces années où, pour un baiser, une étreinte, chacun pouvait naufrager, périr, reconduire au port l'embarcation déchue ou un fantôme de soi-même, qu'en ces fatidiques années le prostitué qui portait un anneau à l'oreille gauche, dont il venait d'évoquer le souvenir, de même que l'athlète bardé de cuir qui l'avait embrassé contre un arbre, sous la pluie, qu'eux et tant d'autres silhouettes s'étaient déjà évanouies dans la transparence de leur brouillard, dans les bosquets, les saunas, les parcs de Paris, New York, Hambourg, Berlin, que l'armée du désir avait lentement succombé à ses blessures, continuait de le faire, que la guerre n'en était qu'à ses débuts, avec des pertes de vies qu'on ne comptait plus, et il pensa à ces roses dont l'intérieur se noircit, avant l'apparition de l'hiver, sous les pétales satinés, veloutés, ces purulentes lésions qu'il voyait sur ses bras, que le soleil depuis son arrivée avait eu le temps de brunir, et il lui sembla entendre la voix du pasteur Jérémy qui lui répétait, on n'y peut rien, professeur, on n'y peut rien, quand l'huile diminue dans la lampe, c'est la nuit, on n'y peut rien, professeur, je prierai pour vous, dimanche, au temple, et nous verrons un jour la vallée heureuse, la vallée des Orchidées. La longue rue silencieuse qui menait à l'océan dans les reflets de la lune apparut à Luc qui bavardait avec ses amis de la fenêtre ouverte d'un bar où il balançait ses jambes, on lui demandait pourquoi il ne sortait pas toutes les nuits, comme autrefois, et que devenait son ami, cet homme cultivé, un peu emprunté, parfois arrogant, on ne le voyait plus fumer son haschisch, solitaire, au bar, Jacques, oui, où était-il, caustique, drôle aussi, amusant, séduisant, on se souvenait encore de son anniversaire l'an dernier à Pâques, la ville en parlait encore, entouré de ce tapage de voix, de la musique assourdissante, enveloppé d'une sollicitude à laquelle, cette nuit, il préférait ne pas répondre, Luc éprouva le besoin de partir, en un bond, il pivota sur ses patins dans la rue, reprenant son souffle avant de rouler presque sans bruit le long

de la rue Bahama, sur l'asphalte de la rue qui brillait,
grimpant sur les trottoirs fendillés où il sentit, pendant qu'il glissait à une vitesse presque fluide, passer
sur sa tête une pluie de fleurs sèches et épineuses ; grisé
par l'odeur des bougainvillées, des magnolias, des
acacias, tous en fleurs en cette saison, il saisit au vol
une branche de ces fleurs au rouge carmin, l'arracha
avec ses dents dans un bruissement agité qui précipita
une femme en robe de nuit sur son balcon, qui est là,
demanda-t-elle, encore l'un de ces Noirs drogués, les
chiens, appelez les chiens, Luc fila vite sur ses patins,
crachant des fleurs sur son passage, il vit enfin la mer
qui étincelait sous la lune et se laissa emporter
jusqu'au quai, dans ce sillon vert, phosphorescent, qui
émanait de ses patins, de leurs lacets, de leurs courroies, écouta le roulis des vagues sous les planches du
quai où avaient abordé les bateaux jusqu'au lendemain, s'immobilisa soudain dans une attitude renfro-
gnée, car ne souhaitait-il pas partir plus loin, jusqu'en
Australie, où, avec Paul, il apprendrait à être fermier,
marchand de bœufs, éleveur de chevaux, cultivateur
débordant de santé, chef de famille, peut-être, tout,
pour oublier la précarité de l'existence, désormais, il
fallait dérober de la vue de Jacques ces taches sur les
draps, l'écoulement de ce jus brunâtre, son odeur qui
maculaient tout, mais ces élégants paquebots que Luc
avait vus accoster au port le matin naviguaient déjà
vers d'autres îles, les bateaux des pêcheurs, comme les
légers bateaux à voiles rangés le long du quai, invitant
le touriste aux safaris qui défloraient la dentelle de la
faune sous-marine adhérant au corail dont elle avait
emprunté les couleurs, chacun de ces bateaux, de ces
voiliers, pensait Luc, avec l'ombre de ses mâts oscillant
sur l'eau, sous la lune, ne serait-il pas bientôt une habitation propulsée vers le large, une habitation, une demeure, la sienne, peut-être, un jour, où, derrière le

rideau de sa cabine, il vivrait à l'abri parmi ses livres, un chien à ses pieds, en compagnie d'un amour fidèle, pêchant le requin, le dauphin, chaque jour avec Paul, il échapperait au trait de feu dont ils entendaient les grondements dans le ciel, était-ce le bruit de la foudre lorsqu'elle tombait sur les arbres, près de la maison, l'explosion d'une bombe au fond de l'océan, l'approche de ces flammes les alertait, ils n'en dormaient plus, qui était là de plus en plus près dans le tumulte des eaux, comme dans le silence de la chambre où le malade était confiné, étendant au soleil, à la fenêtre, ses faibles bras, ce jour-là, quand ils avaient appris la nouvelle, il faisait beau, n'étaient-ils pas chez un écrivain qui célébrait la tardive magnificence de son succès en se faisant creuser une piscine, bien qu'il n'eût pas encore de maison, c'était là, autour d'un bassin de marbre, penchés sur une eau qui n'avait pas été nettoyée des feuillages et débris d'une tempête, qu'ils avaient bu leurs martinis en riant, quand ils le virent, l'entendirent, et bien que ce fût une journée superbe, Luc avait entendu l'éclair qui déchire le ciel, que disait Jacques, debout à leurs côtés, à mots bas, couverts, que disait-il, dans son assurance tranquille mais feinte, pendant que de ses yeux bleus il les scrutait avec une amère résignation, une sale affaire, mes amis, il faut que cela finisse vite, très vite, ils avaient vu la crispation de son sourire lorsque Jacques avait subitement quitté ses hôtes pour rentrer chez lui, l'air, le ciel étaient brûlants, ce jour-là, d'un geste brutal qui semblait le séparer soudain du reste du monde, Jacques avait jeté dans la piscine sa cigarette encore allumée et peu de temps après, Luc l'avait vu disparaître à l'angle de la rue près du cimetière des Roses, Jacques ne portait-il pas une chemisette bleue, d'un bleu clair comme ses yeux, dont le col était échancré sur son dos puissant; déterminé, hostile et seul, il ne se retournerait pas en marchant, ce jour-là, Luc avait entendu le grondement de l'orage qui couvait dans le ciel, la funèbre musique semblait sourdre de lui-même, ne l'entendait-il pas dans le bruit des vagues sous ses pieds, dans le ciel dont un nuage voilait la lune, c'était la brise du soir qui agitait son âme, pensa-t-il, Luc et Paul vivraient longtemps, on les verrait un jour saluer leurs amis de ces élégants paquebots qui partaient chaque jour vers les mers lointaines, il était tard, porté par ses patins, la lumière iridescente de leurs courroies et de leurs lacets, Luc redescendait la rue, il ouvrait la porte du jardin que Jacques ne fermait jamais contre les voleurs, dans cet envol céleste le long des rues, des trottoirs, abandonné à la griserie nocturne, Luc, en étirant ses bras de chaque côté de lui, avait eu l'impression de courir vers Jacques, de déployer autour de lui des ailes, et en poussant devant lui la porte de bois, il avait senti dans ses cheveux le tintement des clochettes orientales, ces clochettes achetées après une visite dans un temple, quand Jacques avait marché pieds nus dans Bangkok parce qu'on lui avait volé ses sandales, longtemps, pensait Luc, le tintement des clochettes sur le seuil du jardin, le son de ces grelots, parmi les fleurs, avait annoncé le retour du pèlerin insouciant, on entendait encore le timbre engageant de sa voix lorsqu'il criait à ses amis, sautez par-dessus le mur et venez boire un verre, et soudain cette voix était à peine audible, si ce n'était qu'un soupir, cette voix, qui montait du grand lit d'hôpital transporté dans la chambre, bientôt, on ne l'entendrait plus; pendant qu'il enlevait ses patins dans l'allée qui menait à la chambre de Jacques, Luc voyait le malade assoupi, près de la fenêtre, Jacques semblait plus reposé, son sommeil était calme, la lampe de chevet qui éclairait son visage brillait avec l'éclat de la lune jusqu'au fond de la chambre, sur des

livres épars sur une table, embrasant d'une lumière
crue le corps dénudé de Jacques parmi les draps qu'il
défaisait toujours la nuit, autour de lui, comme s'il eût
craint d'être étouffé par eux, c'était vrai, pensa Luc,
qu'il entendait soudain des arpèges venus du ciel, car
continuait de se dérouler la cassette du film *Amadeus*,
dans le téléviseur, que Jacques avait réclamée pour la
nuit, s'asseyant au pied du lit aux odeurs fétides, Luc
compara les ébats amoureux du juvénile Mozart à ce
goût, cette passion de l'aventure amoureuse qui était
la sienne, même ce soir, il y avait encore cédé vite, sur
une plage, demain, il serait plus prudent, comme s'ils
eussent été sur un radeau par une nuit sans vent sur
la mer, Luc et Jacques voguaient loin de la chambre
où ils étaient tous les deux prisonniers, pensa Luc,
environnés par la céleste musique qu'ils entendaient,
l'un endormi, l'autre éveillé et l'esprit égayé par
l'alcool, où naviguaient-ils ainsi si Dieu ne les voulait
pas dans sa demeure, qu'ils voguent et chantent
comme ils le faisaient jadis lorsqu'ils partaient en
voilier avec Paul, pour s'adonner à la pêche sous-
marine, que le soleil répande sur eux sa chaleur, qu'ils
rient, chantent et ne connaissent jamais la peine, la
rancœur, la colère et l'humiliation, qu'ils déferlent
dans les vagues sur leurs planches à voile, courent à
l'aube sur les grèves, les rives sablonneuses, au bord
des océans, ou bien qu'ils naviguent si loin, dans la
paix des eaux qu'ils se perdent, avec les stigmates sur
leurs corps jadis si beaux, qu'ils disparaissent dans les
vagues, s'éteignent, sans voix, sans cris, pendant que
vacillent au-dessus d'eux ces signaux verts lumineux
qui guidaient les bateaux dans la nuit, dans son es-
soufflement sensuel, Luc n'avait-il pas été traversé
souvent par le sentiment d'une intimité radieuse
auprès d'un autre, ce qu'il éprouvait maintenant
en écoutant la musique de Mozart, la brièveté de ces

secondes d'amour pur, concret, dans les bras des hommes, ces épaules, ces dos scellant une autorité cachée, se cabrant de délices sous les caresses de ses lèvres, l'odeur de ces peaux voluptueuses et rudes dont il dénouait les peurs, dans des cris de délivrance, qu'avait-il connu de plus durable sur la terre, la briè-veté de ces secondes, de ces instants n'avait-elle pas comblé son âme simple qui ne demandait rien de plus, et il serait bientôt seul, peut-être, car il avait vu les feux de la dernière heure s'allumer sur la mer, tous, ils partiraient sans lui, chacun de ces bateaux, de ces voiliers, dans le scintillement, la nuit, des boules na-crées au sommet de leurs mâts, le jeune capitaine qui l'avait abordé, il y a une heure, sur la plage, rappelait d'un sifflement son chien sur la passerelle, il avait refermé la porte de sa cabine studieuse, il ouvrirait ce soir ce livre de Conrad qu'il n'avait pas eu le temps de lire, lorsqu'il avait été cerné par la tempête dans les Bahamas, il écouterait Vivaldi en voguant vers l'océan Indien, se dirigeant vers Madagascar qui serait sa destination cette fois, le capitaine naviguait depuis l'âge de dix-sept ans, il avait vu Panama, Tahiti, il avait été emprisonné en Australie, au Costa Rica, il s'était blessé à un genou, son chien courait vers lui sur la passerelle, tous, ils repartaient sans Luc, sans Paul, chacun de ces voiliers, de ces embarcations dans la nuit, et ces odeurs fétides s'élevaient du lit où Jacques se lamentait, je viens, je suis là, dit Luc, en se rappro-chant de lui, avec la fermeté, l'assurance de ces gestes qu'il avait acquis avec les hommes, Luc dégageait Jacques de ses draps souillés, il le lavait, le nettoyait, tout en souriant et en bavardant, effaçait avec une ser-viette trempée dans de l'eau de Cologne les traces de jus brunâtre sur les cuisses, le ventre de Jacques, c'est l'heure, dit Jacques, oui, l'heure est venue d'appeler le médecin pour les piqûres, j'en ai assez de ces saletés,

quand cela finira-t-il? Et Luc dit en prenant le malade
dans ses bras, il faut dormir maintenant, je ne te quit-
terai plus, et Paul sera bientôt de retour, c'est l'heure
de fermer les yeux, de dormir, dit Luc, qui se mit à
rire nerveusement, car il lui semblait que la cascade de
ce rire chaud qui l'ébranlait soudain les sauverait tous
les deux, rallumerait les signaux verts lumineux que
suivait le navigateur en mer lorsqu'il était en péril, et
ces boules nacrées au sommet des grands mâts, et
Jacques qui avait tant aimé autrefois rire, s'amuser,
avec ses amis, rit à son tour d'un rire énorme, comme
s'il eût été encore cette fois surpris par ces menus
plaisirs que lui procurait la vie, un orgasme hésitant
mais serein, un éclat de rire dans la nuit, pendant
qu'un garçon vigoureux tentait de l'apaiser en mas-
sant ce dos, ces épaules squelettiques, rafraîchissant
d'une onctueuse eau de Cologne cette chair mal-
propre, pensait Jacques, quand, tout était perdu, tout
était perdu, en se levant pour remettre la cassette du
film *Amadeus*, il avait senti cette douleur fulgurante
dans les entrailles, le desserrement du répugnant flot
brunâtre se répandre autour de lui, tout était donc
perdu, et pourtant émanait encore du téléviseur, au
fond de la chambre, une céleste musique, était-ce le
chant du basson, du hautbois qu'il entendait soudain
dans l'enfoncement, l'obscurité de sa souffrance, car il
le savait maintenant, tout était perdu, Luc appellerait
demain l'infirmière pour les piqûres, on téléphonerait
à sa sœur, on préviendrait Tanjou, et pendant ce
temps, quelle ironie, pensa-t-il, Mozart demandait à
Salieri une petite pause, suspendant sa plume, il
demandait une petite pause avant de terminer l'écriture de son requiem, sans doute le traître Salieri
représentait-il la banalité du destin, le bourreau de la
médiocrité s'acharnant sur l'enfant chéri de Dieu, en
entendant ces mots, la petite pause, avec le chant du

hautbois, du basson, que Mozart pressentait voir tomber autour de lui, comme les éclairs d'un foudroiement, Jacques avait pensé en tournant la tête qu'il entendait le prélude à cette éternité dont il ne saurait quoi faire, quand l'éternité de Mozart, comme sa vie, semblait avoir été tracée d'avance; Dieu n'avait-il pas pensé à tout dans le parcours chaotique de son enfant, la surabondance des notes solennelles comme le sarcasme des archevêques et des princes, jusqu'au bâillement d'un empereur qui avait anéanti des chefs-d'œuvre, tout cet assemblage avait été conçu par Dieu seul, et qui sait, pour sa propre gloire, celui qu'on appelait Herr Mozart n'avait jamais eu à chercher son certificat de naissance, pas plus que la fosse publique où il serait enterré, le spectre du père souverain le suivrait partout, et ce n'est qu'au moment de la petite pause soudain si longue que le divin bouffon du ciel se reposerait enfin, non pour dormir, mais pour entendre l'indicible chant qui était né de lui, sur la terre; Luc et Jacques avaient ri ensemble, car si dément que fût ce rire, il avait la spontanéité du malheur et du bonheur réunis, car Luc était toujours là et Paul serait de retour dans une heure, ne fallait-il pas s'incliner devant la volonté divine quand, comme Salieri, on incarnait ce destin banal qui s'égare, cette lumière qui va seule, sans port, sans attaches, sans rivage, quand tout est perdu, tout est perdu. Luc avait refait le lit de Jacques, il avait aplati de ses mains la raideur des draps après la lessive, et appuyant avec soin la tête de Jacques contre les oreillers, il l'avait distrait en lui racontant son aventure de la nuit avec le marin au long cours naviguant seul dans l'océan Indien, et en écoutant ce récit de Luc, qui lui était familier, Jacques s'était assoupi, n'était-il plus soudain, dans sa faiblesse, qu'un coquillage balancé par les vagues, une planche, un débris, d'où s'écoulait encore un peu de matière

visqueuse, et soudain, il la revit, c'était toujours elle,
la femme au noble profil qui l'avait accueilli à l'aéroport, le premier jour, comme au jour de son arrivée,
elle l'aidait à s'installer à l'arrière de la voiture en lui
demandant s'il était à l'aise parmi les coussins, elle
s'excusait, avec cette bienveillance détachée qu'il reconnaissait aussi, de venir prendre de ses nouvelles si
tard, et après avoir longé l'océan dans la clarté de midi,
le golfe couleur d'émeraude, la voiture allait vers des
rues sombres, sous un ciel gris et lourd, c'est ici, dit la
femme, le lieu de toutes les séparations, ici, tout est
inhabité, et Jacques reconnut les rues de Prague où
Kafka avait vécu, il se perdait avec l'étrangère dans ce
dédale de rues où s'étaient déroulées la brève existence
de Kafka et celle de ses sœurs, il avait inscrit autrefois
dans un carnet de notes, pendant qu'il voyageait, le
nom de ces rues, il avait dessiné ce plan de la ville où
étaient situés le Geburtshaus comme l'indiquait le
guide allemand qu'il avait lu, le Gymnasium à Kingsky
Palais et même le Geschaft des Vaters, le bureau de
commerce du père où Kafka avait peut-être écrit *La
Métamorphose* dans l'ombre redoutée de son géniteur,
et lorsque la femme lui demanda encore s'il était à
l'aise parmi les coussins, Jacques revit ces panneaux
qui le rapprochaient du martyre de Kafka, dans ces
bâtiments sévères, le Gymnasium à Kingsky Palais, le
Geschaft des Vaters, il entendit, effondré, la résonance
métallique de ces mots dans leur langue, et replié parmi les coussins, il sentit qu'il devenait peu à peu cette
Métamorphose de Kafka, son apparence humaine
l'avait quitté, il était cet insecte recroquevillé sur qui
pleuvaient des pommes pourries et des insultes, ses
mains chétives tremblotaient comme les pattes de
l'animal exécré, et croissaient sur son dos des lésions
purulentes, peut-être son visage était-il encore intact,
mais en touchant ce visage avec peine, il parut à

Jacques souillé de crachats comme la figure du Christ, le lieu de toutes les séparations, c'est ici, et soudain Jacques se réveilla, entrouvrant les paupières, il vit Luc et Paul qui attendaient l'aube, debout à la fenêtre du jardin, le soleil se levait sur la mer, entre les pins, la main de Luc reposait avec confiance sur l'épaule de Paul, ils étaient vivants, pensait Jacques, on entendit chanter le coq tout près, dans quelques heures, tous les coqs s'égosilleraient ensemble, parmi les enfants, sur la pelouse rêche, devant la maison du pasteur, une odeur de jasmin pénétrait l'air, vivants, ils étaient vivants. Et était-ce la molle chaleur de l'air, ou le départ de son mari, bien qu'elle eût l'habitude d'être souvent seule, que sa condition de femme fût la solitude, pensait Renata, ou n'était-ce pas plutôt ce doute, en elle-même, qui l'incitait au retrait, elle n'eût jamais suivi Claude à ces conférences, où les femmes, associées à leurs maris dans une même profession, les accompagnaient partout, ce doute d'elle-même ou son orgueil l'en eût empêchée, était-ce ce départ ou la chaleur, Renata avait souvent éprouvé cette creuse sensation de soif qui lui serrait la poitrine, l'étreignant de cette poignante révélation que la vie n'était qu'un passage, lorsqu'elle avait lu ce poème d'Emily Dickinson, dans une librairie de l'île, soudain il n'y avait plus de révélation, mais la sensation de soif était toujours là, avec le désir de fumer auquel elle ne devait pas céder, le monde semblait peuplé d'une lumière blanche au bout d'un chemin désert, tel ce corridor d'un hôpital de New York, après une anesthésie, une perte de conscience, cette impassible éternité s'emparait d'elle dans ce chemin de coquillages blancs écrasés menant à la mer sous un ciel bleu qui l'aveuglait tout en attisant sa soif, c'est, pensait-elle, que sa solitude était aussi abrupte que cette chute dans le néant de l'organisme, lorsque Claude n'était plus là pour la rassurer, dommage que cette sensation de soif si secrète, qui était liée aux désirs de son corps, fût en même temps l'attente d'une manifestation surnaturelle qui eût éclairé les actes de sa vie, que cette soif fût aussi le désir qu'elle avait d'un homme, dans la séparation, ne pouvait-elle donc rien ressentir sans lui, car inscrivait-elle ses observations journalières, pendant sa convalescence, que sa pensée que nul n'épiait dans un tel isolement l'accablait de la certitude qu'elle et son mari seraient toujours irréconciliables, tels l'homme et la femme, n'était-ce pas maintenant qu'elle découvrait que ces deux êtres inséparables, indivisibles, dans leur lutte pour la survie, comme dans leur convoitise, et dans leur curiosité de l'un et de l'autre, ne s'avouaient jamais de quelle méfiance profonde était fait leur lien, n'avaient-ils pas toujours vécu dans des mondes si distincts, souvent ennemis, la femme n'était-elle pas là toujours pour entraver la marche altière de l'homme vers son destin, celui de la domination ou de la direction des puissances terrestres, dont il était le maître, quand la femme était vite rejetée dans l'oubli, toutes les défectuosités de son abandon lorsque l'homme préférait à elle et à ses enfants ses appétits guerriers ; quelle femme ignorait le malheur de son destin, toutes connaissaient la petitesse du rejet, la calamité de cette condition, toutes savaient combien elles seraient toujours incomprises par l'homme, discréditées, fussent-elles les auteurs de ces vers sublimes que Renata avait lus l'après-midi, dans une librairie pleine d'enfants, pendant qu'elle éprouvait cette creuse sensation de soif, comme si la tare de l'abandon, du rejet, à travers les siècles, l'eût soudain terrassée, lui rappelant la douleur de son infinie défaillance, mais comme sous ce ciel qui brûlait ses yeux, pendant qu'elle entendait, en marchant, dans le silence, l'émiettement à peine perceptible des coquillages du chemin sous ses talons, cette même soif qui la consumait l'eût guidée vers la chambre, elle eût senti, en s'étendant sur le lit qu'ils venaient de quitter, aux draps froissés encore moites de sueur, l'étanchement de sa soif, en buvant avec ivresse de cette rutilante carafe d'eau posée sur un meuble, cette soif lui eût donné le regard bas, un peu obscène, pensait-elle, qu'elle voyait sur son visage lorsqu'elle cherchait les cigarettes, le briquet, l'étui en or, ou jouait au casino, sous l'impulsion de tout perdre, car il eût fallu détruire, anéantir ces objets que, pour sa protection, Claude dérobait sans cesse de sa vue, cette fois, il ne les avait pas cachés, n'étaient-ils pas avec elle, dans la chambre, elle n'avait pu le convaincre de la sévérité de la sentence imposée aux trafiquants, pendant qu'il s'habillait, se rasait à la hâte, car la grève des employés se poursuivait, mais un chauffeur attendait Claude, en bas, n'était-il pas sans cesse entouré de ces gens pour le servir dans son imposante mission, ce chauffeur, il l'avait réservé la veille, avait-il dit, d'un ton pratique, n'avait-il pas ajouté qu'il était de son devoir de punir des méfaits qui devenaient des crimes, sa voix était prévenante, tu as tellement besoin de repos, dit-il tendrement, plus proches soudain, ils eussent retrouvé la même délicieuse torpeur de la nuit si le taxi n'eût klaxonné pour la seconde fois, réconciliés, oui, aimants, ne l'étaient-ils pas aussi, mais il eût fallu, pensait Renata, tout détruire, anéantir ce souvenir de leurs lèvres gourmandes, de leurs mains unies, n'avait-elle pas pris les siennes pour les embrasser en lui disant au revoir, car il était bon pour elle et elle le savait, il descendait enfin vers le hall de l'hôtel, elle se plaignait d'avoir froid en attrapant une écharpe quand la chaleur était dense et humide, son geste lui avait semblé rude, en tirant l'écharpe d'un placard, mais ainsi, elle détruisait l'exaltation de vivre aux côtés de cet homme, il serait toujours un ami protecteur, il serait conscient de sa force, quand la hanteraient encore cette méfiance à l'intérieur de leur lien, le doute devant son destin individuel dès qu'elle se retrouverait seule, la réussite de sa vie, c'était Franz ou Claude, quand lui, lui répétait que c'était elle, il fallait que tout fût anéanti, détruit, car la peine avait été trop sévère, le briquet, les cigarettes, l'étui en or, soigneusement, elle qui était une femme mondaine, pensait-elle, qui n'avait rien d'une ascète, comment éviterait-elle la rutilance de ces objets qu'elle aimait tant tenir à la main dans l'ombre chaude, capiteuse, des bars, des casinos, la nuit, il fallait que tout fût anéanti pourtant, détruit, ces vanités inoffensives, ces frivolités qui lui étaient chères, et voici que montaient de la terre, du sentier, ce silence et la sonorité de ces chocs, dans l'âme, qui changeraient sa vie, était-ce vrai qu'au-delà de ce sentier qui limitait le terrain appartenant aux élégantes propriétés de l'hôtel commençait l'abrupte solitude d'une femme, soudain au bord d'une falaise, d'un précipice, et commençait aussi la creuse sensation de soif, car au-delà du sentier, de la route sous les arbres, on ne voyait déjà plus la voiture de Claude à l'horizon, ce taxi dans lequel il s'était retourné vers elle pour lui sourire avec une tendre complicité; seule clignait sur l'eau et dans le ciel l'ardente lumière qui brûlait les yeux de Renata. Et qu'était-ce que cette diminution subite de tous ses sens, quel effroi entrait en lui s'il ne les voyait plus, ne les entendait plus, car Luc et Paul les avaient appelés, et ils étaient là, l'infirmière qui, en posant sa main sur la sienne, lui recommandait d'augmenter la dose de morphine, à l'aide de sa montre, sa sœur qui avait dû interrompre ses cours pour venir le voir, quand Jacques eût préféré ne jamais revoir sa famille, Tanjou dont il entendait confusément les sanglots, tels des murmures spasmodiques, hoquetés, ces larmes de

Tanjou qui l'avaient déconcerté autrefois, la rondeur de ces larmes, leurs flots, sur les joues proéminentes de Tanjou, quand il demandait, vous ne m'aimez donc pas, et que Jacques le repoussait pour d'autres plaisirs, une nuit dans un parc, un bain au sauna, mais surtout que Tanjou cessât de le suivre partout, et soudain le son de ces larmes, le murmure de ces sanglots entre-coupés de hoquets, perçus à travers la ramification de tubes, d'appareils avec lesquels on avait ligoté le corps de Jacques, pendant la nuit, ces larmes d'un homme libre quand lui était en prison agaçaient le malade comme si on l'eût torturé, quelle crainte le trans-perçait s'il n'entendait plus les pas de Carlos, sautant du toit de la maison jusqu'aux citronniers, orangers, du jardin, s'il ne voyait plus la tête du Toqué, le garçon claudiquant vers le limettier géant dont il mangeait les fruits verts, dans la cour envahie de chats, quelle crainte si l'air qu'il respirait avec effort, en soulevant la poitrine, décroissait, n'était qu'un souffle forcené tambourinant sur son cœur, ce tambourinement qu'il entendait, cloué à son lit, quand tout s'était tu, il ne sentait plus la caresse du soleil sur ses bras, n'entendait plus les pas de Carlos ni le froissement d'acier de ces objets qu'il volait, dans les rues, une pédale de bicy-clette, un pneu, une chaîne, des cadenas, c'est qu'on n'y pouvait rien, disait le pasteur Jérémy, on n'y pouvait rien quand la lueur s'éteignait dans la lampe, et qu'avait-il fait de sa vie, demandait la femme au noble profil, celle qui avait eu tant de fois le visage annonciateur de son agonie, de sa mort, ne mur-murait-elle pas d'une voix rancunière, tous ces voyages en Orient, ces langues que tu as apprises, ces livres que tu as lus, ces essais que tu as écrits, aucune de tes actions ne nous a jamais fait oublier qui tu étais, toi, qui tu es, et ce poste à l'université, ne l'ai-je pas obtenu dans l'âpreté, pendant que tu voyageais, que nous entendions parler de toi, dans notre famille, de ta conduite, quand es-tu venu t'informer de ma santé, de mes dépressions successives, ce frère, cette malédiction, ton charme aussi, tes conquêtes, mon mari, mes enfants sains ne t'ont jamais rencontré, ton bonheur égoïste, ta rage de vivre, ce Tanjou qui n'est pas même de ta race et que tu as tant aimé, tu aurais pu ne pas nous nuire, malédiction, ce frère ; plantées dans ce corridor d'où s'en allait la vie dans un brouillard diffus, l'infirmière, la sœur aînée, l'amie, la mère, celle qui avait eu un profil classique, qui lui avait demandé s'il était à l'aise parmi les coussins, dans la voiture qui le ramenait de l'aéroport, celle qui l'avait soigné, qui venait encore prendre de ses nouvelles, qui s'était ennuyée de lui, comment se passait donc le voyage, la traversée, demandait-elle, celle qui disait en posant son doigt sur le bouton de la montre afin de redoubler la dose de morphine, tu peux dormir paisiblement, celle dont le profil était amer, distant, car debout près de Tanjou, elle ne le regardait pas, ne le voyait pas, celle qui était jalouse ou furieuse d'envie, car Jacques n'avait-il pas lu tous les livres, on connaissait ses essais dans les universités américaines, celle-ci serait-elle jusqu'à sa fin à ses côtés, cette sœur, cette amie si patiente qui ne le quitterait pas, quand Jacques pensait qu'il était attendu ailleurs, sur la plage, c'était l'heure de ses exercices quotidiens, des viles contorsions sur une plage malodorante, quand, il en était sûr, il entendrait bientôt les pas de Carlos, dans les feuilles du jardin, il apercevrait la tête du Toqué par la brèche de la clôture car il y avait toujours de l'huile dans la lampe, et Jacques entendait cette musique céleste, n'était-ce pas la cantate *Davidde Penitente* qu'il souhaitait entendre, demandait Luc ou cette grande *Messe en do mineur* que Mozart avait écrite, pieuse offrande à Salzbourg, sa ville natale où il serait si

souvent humilié, cette messe écrite dans la joie, l'effervescence du cœur pour la voix soprano d'une
femme, d'un ange qui écarterait tant de fois cette peur
de la mort, cette invraisemblable crainte de la damnation, des flammes éternelles qui habitaient Mozart,
car, pensait Jacques, il y avait encore de l'huile, du feu,
de la lumière dans la lampe, et il en était sûr, c'est cette
aria d'allégresse, de félicité, écrite pour Constanze qui
transportait la mélancolie du *Kyrie,* du *Sanctus,* les
ténèbres du *Dies Iræ,* car de nouveau, avec le chant du
basson, du hautbois, Jacques entendait ces bruits
aimables autour de la maison, le froissement d'acier
d'une bicyclette sur l'asphalte de la rue, les râles des
chats se battant sur le toit, des pas feutrés parmi les
fleurs d'hibiscus flétries sur les trottoirs, en aug-
mentant la dose, en pressant du doigt le bouton de sa
montre, il s'évadait de cette chambre où l'on pleurait
sur lui, car il était attendu plus loin, au milieu de
l'océan, où, tiré par un bateau, il chevauchait les hautes
vagues sur ses skis nautiques, la course était hal-
lucinante, il s'agissait de bien respirer, de ne pas avaler
l'eau des vagues véhémentes qui le dépassaient, mais
l'air était léger, le ciel, une soie fine qu'un ongle eût
échancrée, ouverte, sur la plaie blanche du soleil, ce
soleil de la cécité qu'il éviterait désormais, celui dont
il avait connu la douceur, la caresse, sur ses bras, son
torse nu quand il écrivait dehors, à sa table, le matin,
n'avait-il pas fui pour toujours, et quand donc passerait dans le ciel le parachute flotteur qui l'aiderait
dans sa course, sa fuite, pendant qu'ils pleuraient tous
dans la chambre et que les secouristes agitaient sur la
plage leurs drapeaux noirs, car en cas de péril, de
danger, la mer, soudain, ne serait plus navigable. Et
Carlos roulait à bicyclette le long du boulevard de
l'Atlantique, là où de nonchalants baigneurs flânaient
sur les plages, trempaient leurs pieds dans les vagues,

à marée basse, il écoutait l'appel lancinant des sirènes en se disant que ce n'était pas lui que l'on recherchait, car il y avait bien une heure, tôt ce matin, qu'il avait enfourché la bicyclette neuve, devant la façade du supermarché, c'était le modèle le plus récent parmi l'étalage de bicyclettes, le guidon, les câbles de frein étaient du même jaune voyant, éclatant, que le maillot jaune de Carlos, Mama avait dit que ce maillot était sali, et que faisait Carlos couché sur la table de la cuisine, à regarder niaisement Deandra et Tiffany boire leur lait quand il eût dû être à l'école, pensait-il à son avenir, que dirait le Saint Révérend qui était au ciel, n'était-il pas mort pour lui, Carlos, il dirait, mon fils, cela finira comme pour les frères Escobez de la rue Esmeralda, as-tu pensé à ton avenir, mon fils, et à moi, Martin Luther King, qui ai versé mon sang pour toi, Mama l'avait repoussé dehors où il avait traîné en grognant autour des nombreuses bouteilles vides dont le fond était taché d'une gluante écume, ces bouteilles, comme les assiettes en carton qui avaient servi au pique-nique du dimanche, que Carlos devait enfouir dans le sac de recyclage, avait dit le pasteur, mais quand écouterait-il ses parents, dit Mama, hein, quand, que faisait-il, couché de tout son long sur la table de la cuisine, il rêvassait, pensait à ses mauvais coups, des cadenas, des chaînes de bicyclettes, ravis d'un coup de pince devenu routinier, a-t-on déjà vu cela, fréquenter les Mauvais Nègres de la rue Bahama, des voyous, des dégénérés, vous guettant le soir, l'œil vitreux, de leur antre de planches pourries, la bave au coin des lèvres, Carlos entendait-il les sirènes des patrouilleurs fouillant nuit et jour parmi ces déchets de la rue Bahama, ces hommes qui n'en étaient plus, rue Bahama, rue Esmeralda, la rue des frères Escobez, la prochaine fois, on l'enverrait se refroidir le cerveau chez ces fermiers d'Atlanta, mais le Seigneur, dans sa bonté, est meilleur que nous, disait le pasteur Jérémy à sa femme, de sa voix tonitruante, comme s'il eût prêché au temple, et la mère de Carlos répondait, maussade, des cadenas, des chaînes de bicyclettes, il ira en enfer, et Carlos n'entendait-il pas encore les imprécations de sa mère à travers l'appel lancinant des sirènes, lorsque Deandra et Tiffany seraient dans leur lit, la maison serait plus calme, pensait Carlos, les papillons, les mouches s'agglutinaient sur les lames des persiennes surchauffées par le soleil, Mama sortait toujours de la maison pour saluer le facteur qui était un Blanc, elle redressait alors la boîte à lettres qui penchait sur le côté, c'était ce jeune homme excité et rieur qui lui apportait des nouvelles des autres églises, dans ses culottes courtes, les temps avaient bien changé, disait Mama, ils bavardaient tous les deux de la température, de la chorale où chantait Vénus à l'église baptiste, parfois Mama marmonnait que Carlos ne valait rien, encore ce matin, il paressait, on pouvait le prendre en été sur une plantation à Atlanta, ceux qui n'avaient pas de charité disaient que le Toqué se tortillait en marchant, Mama l'avait pourtant aimé comme les autres, une jambe boiteuse, que faire, le pasteur le portait vers l'autobus scolaire dans ses bras, qu'ils osent se moquer de son fils, le Seigneur les punirait, mais le Toqué était un voleur comme Carlos, si elle pensait aux garçons noirs que l'on fusillait tous les jours à Chicago, Mama avait de la chance, oui, c'est le pasteur Jérémy qui avait raison, le temps était venu de se débarrasser de la vieille glacière dans la cour, des fourmis rouges pourraient s'y loger, auprès de Deandra et Tiffany, Mama ne pensait plus à Carlos, à sa déception, et s'évanouissait aussi la voix criarde des sirènes de patrouilleurs dans la ville, et les cris de Mama qu'il avait entendus le matin, en se levant, Carlos pirouettait sur le siège de la bicyclette joyeusement, car les Mauvais Nègres de la bande lui semblaient plus loin maintenant, dans les ombres sinistres de la rue Bahama, encore assis sur leurs porches, dans un état comateux, ils attendaient pourtant que Carlos vînt leur livrer sa marchandise avant midi, vicieux, sournois, leurs crocs luisaient sous des lèvres dédaigneuses, la bicyclette avec l'éclair d'argent de ses roues neuves serait démantelée puis revendue par morceaux, mais Carlos garderait le chiot qui s'appelait Polly, Polly qu'il avait surprise enroulée dans une serviette de bain, au fond du panier, dans le porte-bagages, sans laisse, sans collier coulissant, un chien aux oreilles hautes, une boule de poils roux qui haletait de soif sous les larges mains sportives de Carlos, tant pis pour le propriétaire qui, pendant qu'il faisait ses provisions, oubliait sa bicyclette au bord d'un trottoir, Polly appartenait désormais à Carlos, ils iraient bientôt courir tous les deux à la plage, la plage du héron blanc courbant son bec dans ses plumes, tous, ils lui semblaient loin maintenant les Mauvais Nègres, ces pouilleux, disait sa mère, et ce vieillard blanc qui l'avait injurié hier en parlant à Carlos de ses cheveux indéfrisables, pendant que, comme chaque semaine, il lavait sa voiture à sa résidence, près de la mer, eux, tous, Carlos ne les voyait plus, car il avait Polly, et Mama qui avait déplié son journal sous l'un des parasols du jardin disait, qu'est-ce que nous allons devenir s'ils tombent tous sous les balles, rue du Vent doux, rue des Paisibles Astronautes, rue de la Brise-Tiède, à Chicago, dis, papa, qu'est-ce que nous allons devenir, et le pasteur Jérémy qui contemplait ses fleurs, son arrosoir à la main, dit qu'il serait temps de se débarrasser de la vieille glacière dans la cour, et de rendre visite au professeur, de l'autre côté de la rue, pour une prière, quand l'heure sera venue. Cette messe écrite dans la joie, l'effervescence du cœur, pensait Jacques en écoutant le chant de ces notes si pures et si graves que Luc lui permettait d'entendre, lorsqu'il posait les écouteurs sur ses oreilles, par quel acte d'étrange pitié Jacques les entendait-il encore avec ravissement en ce jour radieux où, branché, attaché à son lit humiliant, des visages grimaçant de douleur autour de lui, il s'enfonçait dans la nuit, cette nuit seule qui comptât pour lui, celle dont il ne savait rien, n'avait jamais rien su, bien qu'il fût un homme intelligent, loin de lui, de ses sens tenaces, cette nuit pénitente dans laquelle se dissiperait son esprit dans ce corps bafoué, meurtri, qu'il comparait aux corps de ces prisonniers dans les gravures de Piranese, avec leurs membres tordus, enchaînés au poteau ou à la roue, dans un clair-obscur de plus en plus violent, dans le silence des bagnes, des prisons de pierre, ces corps dessinés, saisis par l'artiste dans la posture stylisée, sublimée de leur supplice, quand il était si avilissant pour les corps de souffrir, quand dehors il faisait si beau que Jacques tournait instinctivement son visage vers le soleil, n'avait-il pas écrit, dans ses essais, comme d'autres essayistes, que ces gravures évoquaient les œuvres de Kafka, *La Métamorphose, La Colonie pénitentiaire*, n'avait-il pas ennuyé ses étudiants avec ses interprétations qu'il puisait dans la peinture, la gravure, la littérature, mais pas plus que Piranese, imaginant ses prisonniers attachés par les pieds, scellés par la bouche aux pierres ornées de prisons antiques, il n'eût été capable de concevoir qu'un jour ce prisonnier, ce serait lui, que quelque dieu tortionnaire l'attendrait dans ce lit d'où il ne pourrait plus se relever pour courir comme chaque matin, près de l'océan, se baigner, aimer vivre, car il était inconcevable que cela fût vrai, qu'il cessât bientôt de respirer, longtemps, il leur dirait à tous qu'il était toujours vivant et lorsqu'il vit le visage baigné de larmes de Tanjou qui se penchait vers le sien, il eut brusquement conscience de ces mots qui venaient à ses lèvres, je vis, tu sais, dit-il, dans un souffle, avec insolence, ne m'entends-tu pas, je vis, et dans la fulgurante procession de souvenirs qui avaient secoué sa mémoire, sa courte vie lui sembla la source d'un émerveillement sans fin, on ne pouvait rien ajouter ou enlever, pensa-t-il, à l'inflexible perfection de ce destin qui allait bientôt atteindre son terme, même celle qui était hier l'annonciatrice de sa mort, l'infirmière, l'amie, la sœur, celle qui avait pour lui de si cruelles sollicitudes en l'accompagnant là où il serait le plus délaissé des hommes, cette amie, cette sœur, Jacques ne la combattait plus, peut-être avait-elle relâché la pression de ses ongles acérés autour de son cœur, car elle posait une main indulgente sur ses tempes, en disant que Jacques avait sans doute très soif, désirait-il davantage de morphine, à cet instant, la main de Tanjou qui s'accrochait à la main de Jacques le conduisit au lieu de leur première rencontre qu'il croyait avoir oublié, comme si Jacques fût doué d'une vue perçante, soudain, lui qui ne voyait plus ceux qui l'entouraient, il revit la scène du théâtre où Tanjou avait dansé parmi d'autres étudiants, Tanjou ne s'était-il pas attardé plus longtemps que les autres afin de marquer à la craie blanche sur la scène les pas de sa chorégraphie, et le laissant ignorer sa présence dans les coulisses, Jacques avait été consterné par cette différence en Tanjou qui était sa grâce, Tanjou s'élançant seul dans l'air, avec ses bonds silencieux, Jacques se souvint d'avoir aimé Tanjou pour ce silence intemporel qui émanait de lui, de sa peau foncée sous le pâle éclairage, ce souvenir était si physiquement agréable que Jacques avait l'impression de sortir des coulisses, comme ce jour-là, entourant de son bras la taille de Tanjou, et tout à coup, Jacques se retrouvait dans son jardin, Tanjou était assis à ses pieds, c'était le jour de son anniversaire, Tanjou peignait une aquarelle dans laquelle on voyait, suspendue aux branches d'un bougainvillée près de la mer, une cage ouverte, avec, sur ses barreaux, un perroquet au plumage rouge et bleu, Jacques revoyait l'aquarelle comme si son exécution par Tanjou eût été fraîche, des teintes subtiles, sous le pinceau, jaillissaient le ciel, la mer, délayées dans l'eau, sur le papier transparent, et comme si ce jour de sérénité eût été éternel, le regard de Jacques se dilatait avec bonheur dans ce ciel bleu, dans l'abondance des fleurs s'égrenant de l'arbre sur la terrasse, il était le perroquet ivre de chaleur, de soleil et de liberté, hésitant à s'enfuir de la cage ouverte, et il pouvait sentir contre ses jambes le dos droit de Tanjou, son équilibre, son harmonieuse présence pendant qu'il peignait le ciel et la mer, le perroquet ; toujours enveloppé du silence des statues dans les musées, compact et muet sous ses paupières bridées, il était cette indéfinissable sagesse absorbée dans ses réflexions de beauté, et Jacques avait été indifférent à la perfection de ce jour, d'humeur bilieuse car il avait un an de plus, n'avait-il pas trop fait la fête la veille, et désormais ce jour ne reviendrait plus, ni celui-là ni les autres dont l'éternité des heures s'était écoulée loin de son cœur morose à qui longtemps rien n'avait semblé plaire, quand tout était perdu, tout était perdu. Et les lapins, les poussins que Samuel et Augustino avaient reçus à Noël remuaient dans l'herbe, au soleil, ils tremblaient encore du frisson de leur naissance, chacun ouvrait les yeux dans la lumière du matin, criant, piaillant, quand Vincent dormait en haut dans la chambre près de sa mère qui avait baissé les stores sur le soleil cuisant, car Vincent n'était-il pas le plus beau, le plus attachant des trois fils de Mélanie, tous les trois de merveilleux enfants dont elle était fière, pensait-elle, la naissance de Vincent dans de tels

gémissements de douleur, quand soudain il dormait
près d'elle dans le grand lit, car elle l'avait enlevé de
son berceau pour le prendre dans ses bras et elle
écoutait sa respiration, dans le sommeil, qu'était-ce
que ce souffle à peine hâtif, oppressé, qui avait été
diagnostiqué à la naissance, Vincent était le plus
vigoureux de ses fils, Samuel et Augustino étaient nés
à Paris, New York, Vincent, dans une île aux parfums
enivrants, près de la mer, c'était un bébé joufflu, quand
donc se réveillerait-il dans un débordement de gazouillis ou de pleurs, appuyant sur elle son regard
chaud sous les longs cils, n'avait-il pas le teint brun de
ses grands-parents italiens, et que criait Augustino qui
courait en bas sous sa cape de surhomme, maman a
fini son bébé et il est arrivé, vive ma maman, si
bruyant, Augustino, quand donc se tairait-il, Jenny et
Sylvie ne pouvaient-elles pas l'emmener dehors ou
Daniel ne pouvait-il le promener sur la selle de sa
bicyclette, ce n'était pas un jour de semaine, Daniel
écrirait jusqu'à midi, le deuxième acte de sa pièce
n'avait pas encore été écrit à cause des enfants, il
s'énervait de ce retard, Jenny, Sylvie préparaient la fête
en l'honneur de Vincent qui aurait dix jours aujourd'hui, il fallait penser à tout, les hors-d'œuvre,
quand Augustino était si bruyant, et Mélanie s'attardait au lit près de son fils, négligeant ses devoirs,
pensait-elle, Jenny et Sylvie, et cette conférence qu'elle
n'avait pas eu le temps de rédiger quand aurait lieu
jeudi la réunion des femmes militantes, et que se
passait-il donc pour qu'elle s'écroulât de fatigue au
milieu des enfants, elle qui était vaillante, c'était peu
de temps après avoir amené Samuel à l'école dans sa
camionnette, après avoir rangé les balles de tennis et
la collation de midi dans son sac à dos, les provisions
pour Jenny et Sylvie, les bras chargés de sacs, elle avait
pensé avec un incontrôlable dégoût, n'était-ce pas la

première fois qu'elle éprouvait cela après la naissance
de l'un de ses enfants, ce dégoût, au regard chaud sous
les longs cils, l'aimait-elle trop ou pas assez, Vincent,
oh, qu'ils ne fussent qu'un seul et même être dans la
pénombre brûlante, disait Mélanie à son fils, allongée
près de lui, écoutant son souffle, posant parfois un
doigt sur le petit front humide sous les cheveux noirs,
elle était encore vêtue du short beige, du maillot fripé
dans lesquels elle avait fait sa gymnastique du matin
sur la plage, et ses invités arriveraient dès sept heures,
elle les accueillerait avec cette élégance que lui avait
inculquée Mère avec sa culture, et tant de velléités
rattachées à son rang social, pensait Mélanie, Mère,
Père, irréductibles, n'attendaient-ils pas de vous un
respect farouche de leurs traditions, que disait Mère à
ses amies dans les salons de thé, dans les cocktails du
soir, ma fille est un leader, très jeune, elle obtenait
brillamment son baccalauréat ès Arts et Sciences à
l'université, elle partait pour l'Afrique où elle devrait
se mesurer aux duretés du travail communautaire
dans la lutte contre l'injustice et la pauvreté, mais
pourquoi s'est-elle mariée, a-t-elle eu des enfants, je
ne comprends pas, quand nous avons tant besoin de
leaders parmi les femmes en Amérique, pourra-t-elle
désormais aspirer à devenir sénateur, être à la tête
d'un parti politique, nos amis pourraient pourtant
l'aider, et tout en caressant le front de son fils, Mélanie
songeait à sa communication en retard, il lui sembla
entendre à travers la respiration ténue de Vincent,
contre sa joue, cet émoi incendiaire, dans le monde, la
déclaration de guerre d'un président à la télévision par
une obscure nuit de janvier, ou était-ce l'aube, quand
ils avaient calmé les enfants dans leur lit, oubliant
Augustino venu se joindre à eux pendant la nuit, pelo-
tonné autour de leurs jambes, il était trop grand
désormais pour monter dans le lit à toute heure de la

nuit, quand il avait peur, mais qu'avait donc raconté Augustino, ce matin-là, papa, maman ne reviendraient plus, ce feu dans le ciel, cette odeur de poussière calcinée que l'on respirait dans les rues, le ventre de maman devenu si gros qu'Augustino n'avait plus sa place, que racontait Augustino, il n'avait plus revu ses parents ni ses gardiennes noires Jenny et Sylvie qui étudiaient à l'école de la Vierge-de-la-Mer, en cet obscur matin de janvier, il n'y avait personne à la maison, ce feu dans le ciel, un homme à la télévision avait dit qu'à l'avenir il était inutile de se brosser les dents avant de partir pour la maternelle ou l'école, papa avait dit, prenez quand même votre collation de midi, des sandwichs à la dinde et une pomme, et aussi les balles de tennis pour Samuel, n'oubliez rien, il avait exigé le silence autour de lui jusqu'à midi, Augustino ne reverrait plus ses parents, ni Jenny et Sylvie, et Mélanie terminerait ainsi sa communication, en cet obscur matin de janvier, son fils Augustino qui avait quatre ans lui avait demandé si c'était aujourd'hui qu'ils allaient tous mourir. Vincent qui dormait près de sa mère dans le grand lit, l'un de ses poings fermés qui s'enroulait aux doigts de Mélanie, dans la pénombre brûlante de stores, n'entendait pas les pépiements d'Augustino courant parmi les lapins, les poussins, dans le vaste jardin où fleurissaient les amandiers noirs, autour de la piscine, la piscine grillagée de fer, afin qu'Augustino s'ébatte en paix, tout autour, laquelle serait bientôt éclairée de vertes luminescences dans la nuit, Samuel remplacerait Julio au bar ce soir, auprès des invités de sa mère, Julio qui avait été battu par des Cubains sur la plage, ce Cubain exilé, imitant Julio, Samuel aimerait répandre le vin dans les coupes de cristal, le gin, la vodka, dans les verres sur les abondants glaçons embués d'un air couleur de perle, dans son costume, ses chaussettes blanches jusqu'aux genoux, il demanderait avec autorité, comme Julio, que puis-je vous servir, et les invités de ses parents se précipiteraient vers le bar, dans le jardin sous les étoiles, et puisque Augustino y tenait tant, il servirait le café, ce serait tard dans la nuit, mais ces fêtes dureraient plusieurs jours, plusieurs nuits, et Augustino tanguerait de somnolence dans le sillon de la cafetière fumante, entre Jenny et Marie-Sylvie qu'il suivrait pas à pas, il dirait plusieurs fois à sa mère, je t'ai écoutée, maman, je n'ai pas mangé de sucre, et Mélanie verrait la fine mousse de sucre qui collait encore aux lèvres roses d'Augustino, et le père d'Augustino dirait, c'est l'heure d'aller dormir, Augustino, car tu commences à mentir, mais Augustino crierait, protesterait, le corbeau rescapé de la tempête entendrait ses cris, le labrador trottinerait à ses côtés, haletant dans la chaleur, et Augustino envierait son frère Samuel à qui l'on ne disait jamais d'aller dormir, qui mangeait du sucre et dégustait le vin, parfois d'un air supérieur, une fois la semaine, Samuel à qui ses parents avaient offert un bateau pour son onzième anniversaire, c'était un bateau plus modeste que le bateau de son père mais qui était lui aussi amarré à la marina, lorsque le temps était calme, on voyait le capitaine à son bord qui fendait les vagues de la mer, quand Augustino, lui, ne franchissait jamais la grille du jardin sans Jenny ou Marie-Sylvie, ou son père, combien il s'ennuyait parmi tous ces bambins pleurnichards du jardin d'enfants, de la maternelle, pourquoi ses parents ne remarquaient-ils pas qu'il s'ennuyait parmi tous ces bambins, et la hauteur de son front, que ce front si haut avait déjà un pli, un froncement soucieux au-dessus du nez arqué, pourquoi Julio avait-il été battu sur la plage, cette nuit, demandait-il à son père, pourquoi, pourquoi, et nul ne lui répondait, quant à Samuel, s'il avait tous ces avantages qu'ont les adultes,

c'était sans doute parce qu'il était déjà un acteur que
l'on voyait au cinéma, au théâtre, il sortait le soir, au
bras de sa mère, voyageait avec ses parents en avion,
assistait à New York à l'une des pièces que son père
avait écrites, et à Augustino il n'était pas permis même
de manger du sucre, car le sucre éveillait Augustino,
la nuit ; courant dans l'herbe, Augustino pourchassait
les lapins, les poussins, tous ces menus animaux frais
éclos dans leurs boîtes en carton, et Vincent qui dormait confortablement n'entendait pas ces pépiements
d'Augustino, dans le flottement de sa cape, criant, vive
ma maman, vive ma maman, elle n'a plus son gros
bébé dans son ventre, moi, j'aime ma maman, et se
levant avec précaution du grand lit où dormait
Vincent, Mélanie se dévêtait lentement du maillot, du
short fripés dans lesquels elle avait fait sa gymnastique
du matin sur la plage, le cœur encore serré par un
incertain malaise, elle glissait sur ses hanches osseuses
la robe de mousseline blanche qu'eût choisie Mère
pour elle, car il faudrait plaire à Mère ce soir, elle
chaussait les sandales aux pointes dorées que Daniel
avait rapportées de Chine, cela semblait il y a longtemps déjà, avant l'accident, New York, l'illumination
qui transformerait leurs existences, celle de l'écriture
de Daniel ; posant sa main sur la rampe de l'escalier,
Mélanie avait vu Jenny et Sylvie qui lui souriaient,
levant vers elle leurs visages qui exprimaient une
confiance sans retenue qu'elle croyait ne pas mériter,
elle entendit les voix chuchotantes des invités sur le
seuil, Mère avait raison, hantée par les fléaux du
racisme, du sexisme, de la drogue qu'elle redoutait
pour Samuel qui n'allait pas encore à l'école privée,
Mélanie devait combattre ces fléaux, encore quelques
années, les enfants seraient plus grands, Mélanie
pourrait fonder un parti politique car, c'était la vérité,
Mélanie était une femme leader, elle en avait le

caractère, l'esprit, comme le disait sa mère, à ses amis, dans les salons de thé, les cocktails, le soir, Mère avait souvent raison au sujet de Mélanie, sauf pour les enfants, qu'était-ce que cette passion de Mélanie pour la maternité, disait-elle, et montaient soudain la voix criarde des sirènes de patrouilleurs dans la ville et les cris de Mama qui se chamaillait avec Vénus sur la véranda, quand Carlos disait à Polly de ne pas faire de bruit dans la remise, non, aucun bruit, disait-il, pendant qu'il irait livrer la bicyclette, oui, mais si Vénus ne chantait plus les psaumes à l'église baptiste, le dimanche, se lamentait Mama, dans une longue altercation entrecoupée de gestes menaçants en direction de Vénus, mollement assise dans la balançoire, le blanc de ses yeux étincelant dans la nuit, Vénus qui exhalait de paresseux soupirs en écoutant sa mère, c'est parce qu'elle était devenue pécheresse en chantant avec l'oncle Cornélius au Club mixte, la nuit, une fille de quinze ans ne passait pas ses nuits dehors à chanter dans les bars, les clubs, pour les touristes, une fille de quinze ans priait au temple, aidait sa mère auprès de Deandra et Tiffany, rue Bahama, rue Esmeralda, on savait que l'oncle Cornélius avait été un héros pendant la guerre de Corée, on avait bien consacré quelques lignes à sa bravoure dans le journal local, disait Mama, mais il n'avait jamais été récompensé pour ses valeureuses actions, l'oncle Cornélius vivait dans une roulotte, sur un terrain vague près de la mer, parmi ses chiens et ses chats et toujours entouré de femmes, car ces lieux de plaisir où l'oncle Cornélius jouait ses blues la nuit, où chantait Vénus dans des poses voluptueuses, attiraient la luxure, le péché, qu'en pensait Vénus mollement assise sur la balançoire et si arrogante quand lui parlait sa mère, est-ce qu'on ne consommait pas de l'alcool toute la nuit dans ces lieux, c'était l'enflure de la sève qui lui montait à la tête, criait

Mama, et ouvrant ses lourdes paupières, Vénus songeait à l'oncle Cornélius et à sa voix triste, lancinante,
dépeignant la nostalgie des camarades morts dans les
tranchées, tous, tous, pas un seul n'avait survécu.
L'oncle Cornélius jouait du piano toute la nuit, portant avec fierté son béret de vétéran, ses médailles, ce
béret de feutre rouge où scintillait un minuscule aigle
d'or que l'oncle Cornélius n'enlevait ni le jour ni la
nuit, et Mama entendit cette mélodie que fredonnait
Vénus entre les dents, et comme elle se taisait soudain,
n'entendait-on pas le silence, pensait Carlos qui avait
peur que Polly ne se mît à japper dans la remise, car
il apercevait Polly, pantelante de peur, à travers les
planches fendillées de la porte, Carlos dit à Polly qu'il
reviendrait la chercher, qu'ils iraient ensemble sur la
plage, mais que Polly ne jappe pas, qu'elle obéisse à
Carlos, les Mauvais Nègres tueraient Carlos s'il tardait
plus longtemps à leur livrer sa marchandise, la bicyclette qu'il avait volée le matin avec Polly dans le
porte-bagages, et dont les câbles de frein, le guidon,
étaient du même jaune voyant, éclatant, que le maillot
jaune de Carlos, cette bicyclette dont il avait tant de
mal à se séparer, comme de Polly, Polly qui lui avait
léché les mains de sa langue râpeuse et qui avait une
manière touchante de mendier ses caresses, en penchant la tête sur le côté, quelle chance pour Polly, dit
Carlos, que le pasteur fût au temple à cette heure-là,
qu'il allumât des chandelles et se mît à prier à genoux
pour ce pauvre professeur qui vivait de l'autre côté de
la rue et qui ne tarderait pas à mourir, car on disait à
la maison que le professeur ne passerait pas la nuit,
d'habitude, le soir, papa fourrageait parmi ses outils
dans la remise ou jouait aux dominos dans la cour
avec les voisins, et on entendait le vacarme de toutes
ces mains s'entrechoquant dans l'air du soir, que Polly
n'ait plus peur, elle recevrait de l'air par le carreau

brisé de la fenêtre où venaient se nicher les poules,
Carlos avait placé devant elle un bol d'eau et elle lui
avait léché les mains comme si elle eût supplié, ne pars
pas, ne m'abandonne pas dans le noir, dans cette nuit.
où l'on rejette les chiens sans maîtres, les animaux
sacrifiés, et le pasteur Jérémy pensait que l'huile avait
beaucoup diminué dans la lampe, que le Seigneur eût
dû épargner davantage les hommes, ce pauvre professeur qui n'absorbait plus rien, on posait sur ses
lèvres une ouate imbibée d'eau, il avait si soif, et la nuit
dont il ne savait rien approchait, que le Seigneur eût
dû avoir pitié, dans sa trouble nuit, le professeur
verrait-il l'hibiscus jaune au pied de son lit, l'offrande
du pasteur Jérémy à celui qui allait mourir, que l'on
attendait déjà dans la vallée des Orchidées où cessaient
tous les pleurs, tous les maux, on avait vu le Toqué
claudiquant le long de la rue Bahama, la luxuriante
plante pressée sur son cœur, c'était le jour de la course
des bateaux, mais il avait plu et le pasteur avait ouvert
son parapluie noir sur la plage pour abriter Deandra
et Tiffany, soudain le pasteur avait pensé que le
professeur cultivait des hibiscus jaunes dans son
jardin, il avait pensé aussi, tiens, je vais lui envoyer un
hibiscus et c'est le Toqué, mon fils dont ils se moquent
tous, à cause de sa jambe boiteuse, qui ira offrir la
plante, et ce sera un hibiscus jaune, c'est là, sous le
parapluie noir, pendant que filaient les bolides sur
l'eau, qu'il avait entendu la voix du Seigneur lui dire,
dans le déferlement des vagues, sous la pluie, ouvre un
mouroir, dans l'île, mon fils, car ils n'ont pas de lieu
pour rendre l'âme, et pendant que les chandelles se
consumaient au temple, que leurs mèches s'éteignaient, le pasteur apprenait de la voix de Dieu que ce
mouroir, ce serait un jour ici au temple, que ferait-on
de toutes ces tombes, de cet attroupement de jeunes
gens dans le cimetière des Roses, Dieu aurait-il un jour

pitié de ces vies dans sa bonté, et dans la foi, l'espérance, ils attendraient la fin de leur martyre, eux que leurs familles avaient évacués par centaines dans les rues, on les verrait au temple comme à la synagogue où ils tenteraient de guérir leurs plaies par la prière, la méditation, Dieu qui n'épargnait pas la chair tant de fois saccagée aurait-il pitié, et Jacques pensa que dans la soie de l'air, cet air qui était exquis, parfumé, se déchirait sans un son le rideau de sa vie, dans l'éclat jaune d'un hibiscus que tendait vers lui un enfant noir venu de la rue, tout essoufflé par la course, sans doute était-ce vrai, comme le disait le pasteur Jérémy dans ses sermons, que l'huile avait beaucoup diminué dans la lampe, puisque l'air que Jacques ne respirait plus asséchait ses lèvres, et qu'il n'entendait plus le froissement d'acier de la bicyclette de Carlos sur l'asphalte, la bicyclette qu'il avait volée le matin avec Polly dans le porte-bagages, mais où était donc Carlos, les Mauvais Nègres ne le rattraperaient-ils pas, mais s'éloignait enfin dans les ténèbres le débile soleil de la cécité qui avait bougé dans le ciel, qui avait blanchi les yeux de Jacques, dans la frayeur, libéré de ses liens, le lit d'hôpital transporté à la maison, les appareils médicaux qui longtemps l'avaient maintenu en vie, le corps agile de Jacques flottait comme autrefois sous la voilure de son parachute multicolore, des skis nautiques à ses pieds, il planait en vol libre dans le ciel bleu, retenu au dériveur des secouristes par une corde, dans cet air exquis, parfumé, dans ce ciel bleu si haut d'où il voyait l'adolescente aux cheveux longs qui nageait vers le rivage avec son chien, et une mince barque ancrée au milieu de l'océan, si haut dans le ciel, il se dit, cette fois, qu'il ne redescendrait plus à l'aide de la corde jusqu'au bouillonnement des vagues, tiré par le bateau des secouristes, car il était de retour chez lui, et il leur dirait à tous d'ouvrir vite la chambre afin qu'y pénètre l'odeur du jardin. Et soudain délivré, Jacques avait fermé les yeux dans les reflets du soleil couchant qui tombaient sur la mer, entre les pins, le long de la plage des militaires, ce rose soleil couchant qu'il avait tant de fois aperçu de son lit, en écoutant une céleste musique, la cantate *Davidde Penitente* ou la grande *Messe en do mineur* que Mozart avait écrite dans la joie, l'effervescence du cœur, il avait pensé dans le brouillard de la demi-conscience que s'achevait déjà l'heure de la petite pause pendant que dérivaient au-dessus de l'océan un dernier nuage et ses reflets dans l'eau, que s'enfonçait dans l'obscurité absolue l'apparition si tendre de l'adolescente nageant avec son chien vers le rivage, abandonnée à la douceur des vagues, de même disparaissait le nuage à l'horizon, car il n'y avait plus d'huile dans la lampe et l'amie, la sœur, celle qui avait été l'infirmière dévouée avait soupiré avec soulagement que tout était fini, au même instant, son visage au noble profil n'avait pu retenir une expression de mépris pour Tanjou qui pleurait près d'elle, quand donc ce garçon s'en irait-il, par le prochain train, le prochain avion, elle ne voulait plus le voir, pensait-elle, en ramassant de ses doigts ses cheveux qu'elle nouait sur sa nuque avec indignation, car n'était-ce pas auprès de ces jeunes gens qui n'étaient pas de sa race, dans leur fréquentation, que son frère avait connu ce déclin sordide, elle aspirait aussi à être seule pour régler les affaires de la famille, et comment se débrouillaient son mari, ses enfants, à la maison, sans elle, depuis plusieurs jours, cet homme squelettique que tenaient Luc et Paul dans leurs bras, qu'ils soulevaient encore de son lit vers la lumière du soir, quand désormais tout était fini, tout était fini, cet homme ravagé par le mal était-il son frère, quelle répulsion l'écartait donc de lui quand elle eût tant aimé s'en approcher, mais Jacques avait-il jamais eu pitié d'elle, de sa honte, de son humiliation, lorsqu'il ne serait plus là, comment pourrait-elle demain parler de lui à son mari, à ses enfants, les parfums du jasmin, du mimosa qu'exhalait le jardin l'accablaient, l'étourdissaient de leurs effluves capiteux, presque nauséabonds, dans l'humiliation et la honte, n'avait-elle pas toujours détesté le climat de ces îles tropicales, la stagnante végétation de leurs rives étouffantes dans la chaleur torride, l'humidité, ce climat n'était pas sain, et mystérieusement grisé par les parfums du jasmin, du mimosa qu'exhalait le jardin, Tanjou marchait vers cette table dans l'espace fleuri de la fenêtre où Jacques écrivait chaque jour, empilant les ébauches de son essai sur Kafka, parmi les objets familiers, un stylo marquant un passage dans une biographie allemande de Kafka, des lettres de l'étranger encore encloses dans des enveloppes qui n'avaient pas été ouvertes, gisait, là parmi les objets désormais inertes, l'aquarelle que Tanjou avait peinte un an plus tôt, en ce jour de l'anniversaire de Jacques qui ne serait plus suivi d'aucun autre, et tout en regardant l'aquarelle miraculeuse, dans son cadre sur la table, Tanjou se revit en train de peindre l'eau, le ciel, son dos rigide appuyé contre les genoux de Jacques assis dans une chaise longue, Jacques posait parfois une main indolente dans ses cheveux, il se revit heureux, peignant pour Jacques une aquarelle où l'on voyait le ciel, la mer délayés dans l'encre sur le papier transparent, était-ce vrai, pensait-il, que ce ciel, cette mer se brouillaient déjà de teintes grises, de ces teintes que prendraient demain le golfe couleur d'émeraude, le bleu immuable des ciels d'été lorsque Jacques se serait entremêlé à eux dans l'éparpillement de ses cendres au vent, et était-ce l'intoxication des cigarettes de haschisch que fumait Tanjou, il eut la certitude soudain que Jacques était encore là, dans cette couleur rose du soleil couchant qu'il avait peint dans l'aquarelle, comme dans les branches du bougainvillée égrenant ses fleurs sur une terrasse près de la mer, et il lui sembla entendre ces mots que Jacques avait prononcés avec insolence de son lit de détresse, je vis, tu sais, je vis, et les larmes cessèrent de couler sur ses joues, car il avait entendu la voix de Jacques qui ne parlait qu'à lui seul, dans les ténèbres de la mort, cette voix qui lui disait avec les inflexions de ses sourires et de ses moqueries, comme si elle eût été là contre son oreille, tu sais, Tanjou, je vis et autour de moi, tout est rose, tu te souviens, comme ce rose de nos soleils couchants, quand nous étions ensemble, et au bar, sur le patio orné d'une tonnelle couverte d'acacias, Samuel servait les invités de sa mère, dans le veston qu'il avait emprunté à Julio, l'eau gazeuse pétillait sur le whisky, le gin sur les glaçons couleur de perle, bientôt on lui demanderait de chanter, de danser, serait-il ce soir Elvis Presley ou Billie Holliday, Augustino hurlait en se débattant, non, ce n'était pas encore l'heure de dormir, criait-il à Jenny et Sylvie, et Jenny disait à Augustino, ce ne sont pas tous les petits garçons qui ont chaque soir un pyjama propre à se mettre, sorti de la buanderie, non, pas tous les petits garçons, disait Jenny, j'en connais qui dorment sur la terre durcie, sans pyjama, disait Jenny, et pourquoi Augustino avait-il renversé la cafetière et mangé tout ce sucre dans le sucrier, tout ce sucre l'excitait trop, et en portant précieusement à ses lèvres son cocktail au rhum, Mère se sentit préoccupée de reprendre cette conversation avec Mélanie sur la grandeur de la Constitution américaine, Mélanie, sa fille, n'était-elle pas son unique semblable, le seul être, plus que son mari et ses fils, à qui elle aimât se confier, avec qui elle aimât s'exalter dans des discussions littéraires ou politiques, Mélanie stimulait son intelligence, avec sa probité, l'intégrité de ses observations, ses années au

Ghana l'avaient formée très tôt, l'enseignement de
l'histoire aussi, ces fauteuils rétro qu'ils avaient
rapportés de New York ne convenaient pas du tout
dans cette maison de style espagnol, Mère ne sous-
estimait pas leur sens esthétique, mais ces fauteuils de
cuir grotesques étaient de trop dans le salon, de même
que ce tableau, au-dessus de la baignoire dans la salle
de bains du rez-de-chaussée, pourquoi s'encom-
braient-ils de ces jeunes peintres pornographiques de
New York même s'ils étaient de leurs amis, quant aux
cabinets de toilette, les poignées en or au-dessus des
sièges de marbre, n'était-ce pas un peu exagéré, mais
à son âge, Mère ne devait pas dire tout ce qu'elle
pensait aux enfants, et elle aspirait du bout de sa paille
la délectable boisson au rhum, chagrinée que sa fille
menât ses invités un peu loin d'elle, les entraînant vers
le jardin, la piscine verte luisant dans la nuit, non que
Mère fût obligée de dire à Mélanie que le tableau au-
dessus de la baignoire, dans la salle de bains du rez-
de-chaussée, était de mauvais goût, mais il fallait au
moins lui faire remarquer que la position des deux
amants renversés, dans le dessin cru, n'était pas con-
venable, surtout que Samuel et Augustino avaient toujours cette image sous les yeux, et ces amples notes
noires dans les manuscrits de Beethoven, qu'en pensait-elle, lui demandait un musicien que Mère avait
revu parmi ses connaissances ce soir-là, oui, n'avaient-
ils pas vu, le musicien et Mère, les manuscrits lacérés
de notes noires, les manuscrits de Beethoven, une écriture indomptée, tumultueuse, et pourtant, ces grosses
notes noires, violemment expressives, ou ces humbles
caractères trapus, d'où suintaient encore les humeurs
aigres de l'irritation, de la fatigue, dans le combat
contre la surdité, contenaient une lutte désespérée
pour l'affranchissement de l'homme vers la sérénité,
l'optimisme, qu'en pensait Mère qui avait fait une spé-

cialisation en musique et qui aimait que l'on reconnût la qualité de son esprit dans le milieu artistique que fréquentaient Daniel et Mélanie, Mère acquiesça de la tête en disant, mais ces quelques notes, mon ami, sont sublimes, et soudain elle vit Julio qui accourait vers Mélanie dans le jardin, il écartait de ses bras les branches de fleurs au-dessus du portail, son œil blessé était recouvert du bandeau que l'on avait appliqué sur ses paupières, à l'hôpital, l'après-midi, il se rappro-chait de Mélanie aux abords de la piscine et se reflé-taient dans l'eau iridescente leurs deux silhouettes in-quiètes, que lui disait-il, Mère avait cru entendre ces paroles, il faut fuir avec Daniel et les enfants, Mélanie, car ils ont entendu vos dénonciations à la radio, ils vous ont vus à la télévision et ils ne tarderont pas à vous menacer, ils sont aux portes des hôtels, à la ma-rina où sont vos bateaux, Jenny et Sylvie ont reçu leurs vils dépliants par la poste, boulevard de l'Atlantique. Ils les offrent aux passants. Ou Mère n'avait-elle entendu ces propos que dans son imagination ef-frayée, elle lisait trop tard la nuit, lui reprochait son mari, et puis n'était-elle pas indiscrète de toujours vouloir se mêler des affaires de Daniel et de Mélanie, ils se débrouillaient bien sans elle, malgré tout, ne les avait-elle pas trop encouragés à présider la ligue antifasciste de leur région, oui, mais ne s'exposaient-ils pas à tous les dangers avec ces skinheads, ces chômeurs délinquants qui joignaient de plus en plus les rangs du Ku Klux Klan dans le Sud, pourtant on était si loin de tout ici, sous la voûte du ciel étoilé, parmi les splendeurs du jardin, dans la nuit, Julio et Mélanie avaient levé leur verre en l'honneur de Vin-cent, oh que ces fêtes seraient longues, et Mère vit avec joie le visage radieux de sa fille sous les amandiers noirs, elle approuva la coupe de cheveux qui dégageait le front, exhibait la forme exquise des joues un peu creuses, une brise légère venue de l'océan retroussait les pointes des cheveux coupés raides, Mélanie était parfaite, ce soir-là, pensa Mère, avec contentement, dommage que Julio eût presque perdu un œil, attaqué par ces Cubains, sur la plage, car autrement le début de la fête était très réussi, et boulevard de l'Atlantique Carlos entendit l'appel lancinant des sirènes de patrouilleurs dans la nuit, pivotant sur les roues de sa bicyclette, il les vit, debout sur une estrade surplombant la mer, c'étaient bien eux, tels que le pasteur les avait décrits dans les sermons du dimanche, les Blancs Cavaliers de l'Apocalypse, les fantômes de la suprématie blanche surgis de leur invisible enfer, ils avaient formé un cercle au bout de la rue et chantaient, écoutez bien, citoyens, nous les lyncherons tous, il n'en restera plus un seul, on ne voyait pas leurs yeux ni leurs visages sous leurs capuchons pointus, bien dissimulés sous leurs robes blanches striées de bandes noires, sous leurs capes, on ne les voyait pas, qu'ils fussent de bons pères de famille ou de braves citoyens, Carlos n'eût pas reconnu parmi eux l'épicier de sa rue, ils avaient déjà tout ruiné sur leur passage, un collège noir n'avait-il pas été incendié la veille et qu'arriverait-il demain, ils iraient jusqu'à la remise, lanceraient dans la cour sur les parasols, les tables à dominos, leurs torches fumantes, par une fente dans le capuchon ne voyait-on pas le roulement de leurs macabres yeux, les Blancs Cavaliers de l'Apocalypse étaient en ville, avait dit le pasteur, et Polly, qu'arriverait-il à Polly, s'ils allaient couvrir de feu la pelouse jaunie devant la maison, s'ils arrachaient à leur sommeil Deandra et Tiffany dans les bras de leur mère, Mama le lui avait dit tant de fois, Carlos n'aurait pas dû être sur les routes à cette heure-là, car luisaient dans l'ombre des porches, des vérandas, les crocs des Mauvais Nègres, il ferait beau demain, et Carlos avait acheté un collier à Polly, bien que ce fût le temps, pour Carlos, de livrer sa marchandise, un collier pour Polly, lorsqu'ils seraient ensemble à la plage, et c'était l'heure, pensait Carlos, de filer sans bruit, sans même un frottement d'acier sur l'asphalte de la rue, le ciment des trottoirs, l'heure de filer sous les palmiers sans que le chœur qui chantait, nous les lyncherons tous, tous, ne le vît, et sur la véranda, Mama, acariâtre, soudain, disait à Vénus, mollement assise sur la balançoire, et tous ces hommes avec qui tes frères te voient, qui ne sont pas même de chez nous, ils sont si bien habillés qu'on ne les voit jamais chez nous, on ne les voit jamais rue Bahama, rue Esmeralda, dis-moi sur la tête de Deandra, de Tiffany, ce que tu fais avec eux plutôt que de prier au temple, je suis leur fille escorte, Mama, je leur montre la ville, Mama, et l'ancien quartier des esclaves venus des Bahamas, car on ne peut pas vivre que de prières, Mama; Mama chassait les moustiques de sa main, sa fille était une pécheresse, disait-elle, une fainéante avec ses jambes qu'elle laissait pendre sous le siège de la balançoire, en passant par là, sous leurs capuchons aux macabres yeux, les Blancs Cavaliers eussent enflammé de leurs torches vives la véranda sous les citronniers, les coqs se fussent dispersés dans la frayeur sur la pelouse, car il était tard pour être sur les routes, c'était l'heure où l'on entendait le hululement des oiseaux dans les arbres, l'aiglon chutait de son nid sur les fils, au sommet des arbres et des maisons, s'abattant sur les piquets des clôtures de bois, reprenant son frêle équilibre, piquant son bec dans le duvet brun de son aile cassée, c'était l'heure où la bicyclette de Carlos projetait sur les murs, les trottoirs, son ombre gigantesque, il fallait fuir, car ils étaient tous là, dans la ville, aux portes des hôtels, sur les estrades, dans les rues, ils se confondaient avec Carlos, avec l'ombre gigantesque que projetait la bicyclette sur

le mur, les Blancs Cavaliers de l'Apocalypse. Et dans
ses chaussettes blanches, le veston emprunté à Julio,
Samuel chantait sur le patio, parmi les nombreux convives de sa mère, la voix de Billie Holliday s'élevait,
mûre et profonde, de sa mince poitrine, Mère pensait
que l'incantation venait de très loin, des églises de
Harlem, cette voix que Samuel n'avait entendue que
dans ses écouteurs, dans le tourbillonnement de ses
courses sur les patins roulants, au retour de l'école, ou
qu'il avait perçue dans le tapage de la musique rap
dont ses tempes étaient assourdies toute la journée,
cette voix qu'il imitait était la sienne, pensait Mère,
mais était-ce dans l'ordre naturel des choses qu'il en
fût ainsi, que le petit-fils de Mère se livrât à ces
déhanchements d'une danse qui l'emportait, qu'on
entendît sourdre de sa gorge ces sons gutturaux em-
preints d'une sensualité sauvage quand les lèvres de
Samuel murmuraient, easy easy living, non ce n'était
pas normal qu'un enfant attirât à ce point l'attention
sur lui-même, ses parents le surmenaient sans doute
avec cette carrière d'acteur, plutôt que d'être un éco-
lier modèle, il apprenait ses rôles en été, pendant les
vacances, on le formait à jouer Shakespeare dans un
camp pour acteurs professionnels près de New York,
et ces cours de danse, de piano, trop c'est trop, Mère
en parlerait à Daniel et à Mélanie, mais à quoi bon,
pensait-elle aussi, car on ne l'écoutait plus dans cette
maison, bercée par le hamac, Mère avait pensé,
pendant l'après-midi, j'aurai bientôt soixante-cinq
ans, que vais-je donc devenir? Cette question l'avait
bouleversée dans la tranquillité du hamac, que devien-
drait-elle, elle à qui pourtant rien ne manquait, la
sinueuse question n'était-elle pas toujours là pendant
qu'elle parlait à Mélanie de ces éléments de justice
dont la Constitution américaine était composée, cette
ombre sur sa relation avec sa fille, était-ce l'inquiétude

que Vincent dormît seul, là-haut, que sa respiration fût trop rapide à cause des vents qui soufflaient sur l'océan, Mélanie avait eu un mouvement d'impatience envers sa mère, et Mère avait été offensée comme si Mélanie lui eût dit qu'elle cédait au radotage des femmes de son âge, dans les salons, et Mère qui avait toujours instruit Mélanie, des vêtements qu'elle devait porter à la musique de Bach qui ennoblissait l'âme, se demanda si Mélanie la jugeait désormais trop conformiste pour lui plaire, que Mère fût une compétente directrice de musée dans le Connecticut et une militante engagée comme sa fille ne semblait plus impressionner Mélanie, Mélanie avait élu dans son cœur une tante lointaine, Renata, une parente qu'elle n'avait vue que quelques fois, pendant ses nombreux déplacements, Renata qui annonçait sa visite, la stabilité de Mère n'était donc plus son enviable qualité, elle lui était reprochée, ne connaissait-on pas dans la famille l'instabilité de Renata, avait dit Mère à sa fille, sur un ton jaloux, Renata ne cessait de recommencer sa vie comme si elle eût été encore jeune, elle avait vécu dans plusieurs pays auprès de ses différents maris, on n'avait jamais su pourquoi elle n'était plus près de Franz, en Autriche, partageant maintenant sa vie avec un juge en Amérique, c'était là le mystère de son instabilité, bien qu'elle eût déjà pratiqué le droit en France, qu'elle le pratiquât encore, elle avait récemment refusé de soumettre sa candidature de juge, c'était une âme nomade qui ne semblait jamais trouver le lieu de son repos, et qu'était-il écrit dans ce psaume que Mère n'avait pu citer de mémoire, dans le hamac, cet après-midi, si ton âme réside là où elle doit être, tu seras en paix, et l'âme de Renata, qui ne se pliait à personne, était rétive, et sous le ciel rempli d'étoiles Mère avait sursauté quand les invités de Mélanie avaient applaudi Samuel, mais ce n'était pas sain, non,

qu'un enfant fût capable de chanter avec cette ferveur
viscérale, et lorsque s'éteignit dans le frémissement des
convives, car Samuel avait eu le don de les émouvoir,
la mélodie *Easy, Easy Living*, sur les lèvres de Samuel,
Augustino cessa de pleurer, il entendait l'oiseau qui lui
disait comme chaque soir, bonsoir, Augustino, pip pip
je t'aime, ils vont maintenant recouvrir ma cage pour
la nuit, pip pip je t'aime, et celle qui était l'amie, la
sœur, portait sur ses genoux le corps de Jacques pour
le vêtir, lui qui avait désormais le poids d'un coquillage, pensait-elle, elle l'habillait pour la cérémonie de
l'adieu qui serait strictement privée, annonçait-elle
avec un feint détachement, à Luc et Paul, à Tanjou
qu'elle n'avait plus le courage de repousser dans
l'épreuve, les suppliant tous qu'on les laissât un peu
seuls, le frère et la sœur, car elle voulait choisir, parmi
les vêtements de Jacques, le complet qui lui siérait le
mieux, la cravate noire aux raies rouges, la chemise
blanche qu'il portait à l'université, ainsi, pensait-elle,
Jacques serait plus digne, et dans cette austère pietà où
la pétrifiait sa douleur, elle était sans larmes, posant
ses mains, ses doigts dans les cheveux de Jacques qui
n'étaient déjà plus les siens, sur son visage que n'habitait plus la pensée depuis que ses yeux étaient fermés, ce n'est que plus tard qu'elle avait pensé à la lueur
bleue sous les cils comme si les yeux eussent été mal
fermés, ou qu'un instant ils eussent été sur le point de
s'ouvrir, puis se fussent refermés, le décès avait été
constaté depuis quelques heures par le médecin, mais
cette lueur, avait-elle rêvé, elle avait vu cette étincelle
de vie sous l'ombre pâteuse des cils, cette ombre grasse
sous les yeux, comme si le visage de Jacques n'eût pas
été lavé plusieurs fois pendant la nuit, par Luc et Paul,
pourtant, lorsqu'elle avait posé ses doigts, ses mains
dans les cheveux, sur le visage de Jacques, elle avait été
sûre qu'il n'était déjà plus là, car la peau de son visage

comme la texture de ses cheveux n'étaient plus les siennes, son frère avait une peau délicate, les cheveux fins, et avec le départ de la vie elle n'eût pas su définir quelle consistance caoutchouteuse cette peau avait sécrétée, de même les cheveux de Jacques, au contact de ses doigts, lui avaient paru d'une matière visqueuse dont l'espèce lui était inconnue, mais la lueur, la parcelle de feu sous les paupières closes, cette promesse que la vie n'était pas vraiment absente, soudain, dans ce corps qui ne respirait plus, qui n'avait plus, en apparence, de voix, de regard, longtemps après, elle y réfléchirait encore, ne s'expliquant toujours pas ce que signifiait la lueur, l'étincelle précieuse dont elle ne parlerait pas à son mari, au retour, ni à ses enfants, la lueur dans les yeux fermés de Jacques la suivrait lorsqu'elle transborderait son passager sur la route déserte, la nuit, l'interminable route côtoyant de glauques marécages près de la mer, la savane où croupissaient les crocodiles, les serpents, dans cette Cadillac blanche, elle était venue quérir Jacques à l'aéroport, lui demandant s'il était à l'aise parmi les coussins, sur la banquette arrière de la voiture, Jacques avait aimé sortir avec elle dans cette automobile souple d'où il avait pu saluer ses amis, dans les bars ouverts de la rue, s'appuyant sur ses coussins, il les avait salués, souvent, pour ne plus les revoir, la voiture avait de nombreuses places, mais le frère et la sœur étaient seuls, une rare capacité de chargement, mais dans les coussins, le paquet, la boîte de bois qui contenait les cendres de Jacques était sans poids, n'avait-elle pas pensé jadis, dans l'endurance de cet amour malmené, ambigu, de cet amour qu'elle éprouvait pour Jacques, que les cendres de Jacques eussent dû lui être expédiées par Luc et Paul dans un colis par la poste, afin que l'indifférence naquît plus vite envers ce défunt, et soudain l'étincelle de vie, entre les cils blonds maculés d'une sueur cireuse sous les paupières, avait perturbé tous ses plans, l'éclair d'une souterraine douceur que lui léguait son frère avait déchiré cette âme hier si dure, et bien que personne ne fût là pour l'entendre sur cette route déserte, elle sentit que sortait de sa poitrine une plainte, un hurlement, mais ses joues étaient sèches, elle ne pleurait pas, car Jacques était enfin à l'aise parmi les coussins, à l'arrière de la voiture, à l'aise et serein, dans la vaste Cadillac blanche où, à eux seuls, ils prenaient si peu de place, s'ajoutaient aux côtés de Jacques, sur la banquette, des objets que Tanjou avait jetés pêle-mêle dans un sac de plage, l'essai de Jacques sur Kafka, dactylographié jusqu'à la page 80, une biographie allemande de Kafka à jamais interrompue par un signet au milieu du livre, un pantalon de velours côtelé, un chandail et de fantaisistes bottes de cuir d'où, comme sur des échasses, Jacques avait médité sur la vanité de ses conquêtes, un t-shirt noir mouillé dont Tanjou s'était dépouillé au dernier instant pour le joindre aux affaires de Jacques, tout en y enfouissant son visage baigné de grosses larmes, ces larmes intarissables dont le maillot était encore trempé, dans cette odeur d'air et de sel marin appliqué avec le sable sur la peau de Tanjou, et dénouant ses cheveux, l'amie, la sœur, sentit comme une caresse le frisson de l'air salin sur ses épaules, son frère était enfin libéré de ses tourments, au-dessus des mers, des océans, là où Luc et Paul avaient semé de ses cendres dans la nuit chaude, parfumée, et ne persistaient de lui que ces quelques mots qu'il avait copiés d'un sermon du pasteur Jérémy dans son cahier : Mon Dieu, pourquoi dois-je périr aujourd'hui, en ce matin de délices ? Et eux avançaient vers lui dans l'appel des sirènes, était-ce les Blancs Cavaliers de l'Apocalypse lançant leurs flambeaux dans les charpentes branlantes de ces écoles près de la mer où Vénus et le Toqué n'avaient pas encore refermé leurs livres de classe, le feu grimpait aux poutres rongées par les termites, et dans l'enroulement des tresses de ses cheveux, Vénus semblait dormir entre deux planches roussies, étaient-ce eux, versant la gazoline sur la flèche de feu qui détruirait les parasols, les jeux de dominos dans la cour, ou les Mauvais Nègres, dont brillaient les crocs livides sous leurs casquettes rabattues à l'arrière de la tête sur des tignasses sales, leurs pieds arpentant dangereusement les trottoirs dans leurs bottillons, Carlos fut précipité de sa bicyclette contre le mur par ces mains vengeresses, dans l'éclat de la cruauté que subissent les innocents, Carlos revit un chat écrasé le matin sous les roues d'un camion, ses pattes grouillant encore sur la chaussée brûlante, dans sa voiture une femme noire avait frôlé Carlos, baissant la vitre teintée de la portière, elle avait crié, rentre chez toi, Nègre, rentre chez toi ou je t'écrase, il revit son visage d'ivrogne sous la vitre aux coloris de fumée, et maintenant ces mains venues d'un ciel de ténèbres, ces mains louches et veules le tenaient au-dessus du vide dans un odieux balancement où son corps avait la position d'un pendu, la soyeuse fourrure de Polly ne l'égayait plus au soleil, la bicyclette au guidon jaune, d'un jaune voyant comme son t-shirt, avait été démolie dans un coin sombre de la rue Bahama, Carlos n'avait-il pas toujours su qu'il se trompait de route, que par ces sentiers où rôdaient les chiens et les trafiquants l'attendaient les Mauvais Nègres, ils lui assenaient des coups de poings de leurs gants de boxe, ils tournoyaient autour de lui dans une danse hallucinée sous la lune jusqu'à ce que Carlos se mît à chanceler sous les coups, ne le relâchant que lorsque les voitures des patrouilleurs les pourchassèrent en sillonnant les rues, les trottoirs d'où s'écartaient les passants apeurés ; vautré dans l'herbe, à la lisière du trottoir, Carlos entendit à ses tempes la sirène stridente des patrouilleurs, Vénus qui chantait à l'église baptiste, Mama, avaient-elles entendu les pas des Blancs Cavaliers qui marchaient dans la ville, lançant leurs flambeaux dans les charpentes branlantes des maisons, des écoles, des collèges, ils embrasaient ces cabanes plates comme des cases de la rue Bahama, de la rue Esmeralda, longtemps après, un chien maigre errerait autour des pelouses rasées par le feu, tous, ils seraient tous massacrés, le grand-père Davis, l'oncle Lee, l'oncle Cornélius qui jouait du piano à sept ans dans les rues de La Nouvelle-Orléans, c'est ainsi qu'autrefois avait disparu dans les flammes le Bois des fleurs, pendant que l'oncle Lee jouait de l'orgue à l'église pour les Blancs, le feu avait grimpé aux poutres des maisons rongées par les termites, et ouvrant les yeux dans le soleil du matin, Carlos passa sa main sur ses lèvres, son nez sanguinolents, c'était l'heure où toutes les cloches sonnaient dans les églises, une poule et ses poussins caquetaient sur la pelouse, Carlos tendit la main vers eux, tout en continuant de rouler dans l'herbe, la voix de Vénus chantait, que ma joie demeure, à l'église, étourdi, Carlos se releva, c'était l'heure où toutes les cloches sonnaient ensemble dans les églises, et Carlos avait Polly, Polly qui avait soif, qui avait faim, Polly qu'il avait laissée seule dans la remise, dans le noir, Polly, il avait Polly, et à l'église Vénus chantait, que ma joie demeure. Non, ce n'était pas bien, pensait Mère, qu'un enfant attirât trop l'attention sur lui-même, et Mère se souvint du déguisement de Samuel aux fêtes de l'an dernier, qu'inventerait-il encore cette année, Mère se souvint du rassemblement des adultes autour du visage peinturluré de Samuel, ce jour-là, des collégiens avaient été conduits à une institution de réforme pour avoir massacré des renards et tué un cerf, la protestation de Samuel contre cette tuerie, étaient-ce son visage, ses lèvres qu'il avait peintes en noir, ces empreintes rouges sur son visage, telles des griffes de sang, l'effet du masque de Samuel avait été étudié, pensait Mère, Samuel avait su qu'il choquerait, ferait peur, Samuel, Mère en était convaincue, avait voulu scandaliser les adultes par une représentation burlesque d'une tête de crucifié, car ce visage peinturluré de Samuel était celui d'un homme sur une croix, et c'est en crucifié, avec ce visage, pensait Mère, que Samuel avait dansé dans la foule, pendant les fêtes, et pourquoi Mélanie et Daniel n'avaient-ils rien dit, tout était donc permis, on avait photographié Samuel, dans ce déguisement, que se passait-il donc avec l'éducation des enfants de nos jours, c'était le souvenir du mouvement d'impatience de Mélanie envers sa mère qui était la cause de cette désagréable réflexion d'où remontait l'obsédant visage de Samuel, pensait Mère, car autrement la soirée de fête eût été réussie, et dans le brouhaha des invités que coupait le chant des cigales Mère entendit la voix de Maria Callas qui chantait l'air d'*Orphée et Eurydice*, la voix de la cantatrice grecque labourait l'âme de Mère, ce cri ou cette plainte, j'ai perdu mon Eurydice, ne venaient-ils pas d'elle-même? Mère avait perdu Mélanie, pensait-elle, elle entrerait bientôt dans sa soixante-sixième année et Mélanie conserverait longtemps encore sa florissante jeunesse, l'énergie de Mère dépérirait, Mélanie serait à sa place la présidente de l'Union des femmes pour la défense des travailleurs, de ses comités contre la discrimination raciale, Mélanie serait la conseillère des femmes battues, j'ai perdu mon Eurydice, chantait la cantatrice dans le cri d'un désenchantement aigu, et cette voix fracassait l'air du soir, avec ses tremblements et ses secousses modulées, personne ne demandait à Mère ce qu'elle pensait de la musique de Gluck, elle eût parlé du renouvellement du style musical, des psaumes, du *De profundis* si passionné dont Gluck était l'auteur, mais c'est à peine si les invités de Daniel et Mélanie s'adressaient à Mère ; dans le veston de serveur qu'il avait emprunté à Julio, Samuel était de nouveau au bar, et, debout près de lui, Mélanie passait parfois tendrement une main dans ses cheveux, j'ai perdu mon Eurydice, pensait Mère, tous, ils levaient leurs verres à la santé de Vincent qui avait dix jours aujourd'hui, et si l'on en croyait l'art sacré de Gluck, pensait Mère, à peine sorti des mains de son Créateur, Vincent contenait déjà un germe d'immortalité, et peu de temps après le décollage de l'avion, le juge se souvint d'un visage qu'il avait aperçu en se penchant de la fenêtre de sa chambre d'hôtel pour voir ce qui se passait dans la rue, soulevant un rideau pendant qu'il se rasait, du deuxième étage où il avait cru être seul dans son invisibilité, il avait croisé le regard du chauffeur qui l'attendait en bas sous les arbres, c'était un jeune Arabe vêtu de l'uniforme beige que portaient les employés de l'hôtel, il avait soulevé sa casquette dans l'air déjà chaud du matin, signalant sa présence par un salut de la tête vers le deuxième étage où bougeait la silhouette d'un homme derrière le rideau, et cet homme, c'était Claude, un juge qui avait l'habitude de voir les autres, de peser leurs actes, de la rigidité d'un tribunal, et soudain, les yeux d'un inconnu avec qui il avait échangé quelques mots la veille, pendant qu'il visitait la ville, ces yeux avaient happé les siens dans une expression rieuse, presque narquoise, et il avait répondu à l'empressement de ces yeux posés sur lui par une expression de docilité coupable, comme s'il y eût un lien obscur entre cet homme et lui, il avait pensé à la sentence des trafiquants que lui avait reprochée sa femme, si elle avait raison, n'avait-il pas commis quelque irréversible dommage, comme ce juge américain qui avait

condamné un Noir à mourir par injection létale dans
une prison du Texas, les méfaits, les crimes, n'étaient
pas comparables, mais une sentence injuste était aussi
un crime, à quoi bon, s'il s'était trompé, cette vigilance
policière autour de leur résidence, les yeux de Claude
avaient aussi affronté les yeux du chauffeur, lorsque le
jeune homme, souriant à Claude de loin, avait solen-
nellement recueilli une écharpe qui tombait des
épaules de Renata, cette écharpe, pensait le juge,
comme la raillerie dans le regard du chauffeur, tout
avait soudain uni ces deux hommes d'un lien violent,
qui, pendant un instant, ne les avait plus dissociés l'un
de l'autre, dans la démarcation de leur race, l'inégalité
de leurs chances dans la vie, les yeux du chauffeur ne
semblaient-ils pas dire à Claude, même sang, même
eau, ne sommes-nous pas tous mortels, les puissants
comme ceux qui les servent avec dévouement, les con-
fidences du chauffeur, la veille, impliquaient, hâtives,
une alerte, un danger, dans la rumeur de ses paroles
murmurées à l'oreille du juge, ils tuent nos enfants,
nous chassent de nos mosquées où nous sommes en
prière, trop de bruit, disent-ils, trop de bruit, nous
faisons trop de bruit avec les larmes de nos enfants et
nos prières : l'avion transperçait d'épais nuages quand
Claude avait revu le visage du chauffeur soulevant vers
lui sa casquette en signe de respect, même si ses inten-
tions étaient haineuses, le chauffeur était un homme
poli, même eau, même sang, avait pensé le juge, dans
l'avion, livré à la commune pesanteur de son corps
dans le ciel immense, ou sans pesanteur, pensait-il, ce
corps en apparence maintenu à son siège par une
ceinture, dont les besoins passifs seraient comblés par
l'assiduité des hôtesses, il avait pensé aussi à la chair
condamnée des hommes, c'était cette chair que le
chauffeur avait perçue avec ses regards appuyés, qu'il
levait vers Claude, il avait surpris le juge au milieu de

ses élans de bonheur, de satisfaction, un homme se
rasant dans une chambre d'hôtel, une suite luxueuse,
après avoir fait l'amour, ne le surprenait-il pas encore
ouvrant ses dossiers sur une tablette dans le compar-
timent première classe d'un avion, donnant des ordres
autour de lui avec son habituelle aisance, le chauffeur
avait entendu une implorante voix de femme gravée
en lui, il avait perçu, pensait le juge, ce que tous les
hommes pouvaient partager entre eux, ce secret d'une
peur innommable dans le tumulte des entrailles, ce
tumulte de la chair menacée, condamnée, que rien
n'apaisait, et puis, parcourant ses documents, le juge
pensa qu'il avait eu raison d'imposer cette sentence
aux trafiquants, sa femme était toujours sentimentale
lorsqu'il s'agissait des hommes jeunes, de leur vie, il
lut la déclaration d'un juge américain en se disant que
cette déclaration serait un jour la sienne et que Renata
le féliciterait de sa largesse, de la libéralité de ses idées,
la législation des drogues réduirait les crimes, avait
déclaré un juge à la retraite, tout ce qui était prohibé,
tel l'alcool autrefois, contribuait à une vague de meurtres, toutefois, pensait Claude, ne faut-il pas corriger
les petits méfaits avant qu'ils ne dégénèrent en vrais
crimes, et il revit à cet instant le visage du chauffeur
signalant sa présence dans la cour de l'hôtel, même
sang, même eau, lui disait ce visage, et pourtant, ils
nous chassent de nos mosquées, trop de bruit, disent-
ils, avec les larmes de nos enfants. Et cette creuse
sensation de soif n'avait cessé de l'avilir lorsqu'elle
avait pris la main de l'Antillais pour lui remettre une
somme d'argent qu'il avait gardée tout en serrant
entre ses doigts les doigts de Renata, baissant les yeux,
tournant la tête, elle avait tenté de s'échapper, le re-
merciant d'une voix vague qu'il avait sans doute,
pensait-elle, jugée faussement craintive, encore trop
affermie de son insolence, elle l'avait remercié, le re-

gard fuyant sous les paupières, d'avoir bien voulu
l'assister avec les valises jusqu'à cette maison qu'elle
avait louée, serrant toujours dans la poigne de sa main
forte et sèche la main de Renata, l'Antillais lui dit qu'il
observait depuis longtemps cette femme, seule la nuit
au casino, parmi les hommes, étreignant subitement
Renata, il lui reprocha d'avoir été témoin de sa destitution ce soir-là, lorsqu'il avait tout perdu et que les
autres joueurs l'avaient jeté à la rue et battu, vous, une
femme riche, vous n'avez rien fait pour moi, semblait-
il dire, mais il était taciturne, rageur, posant ses lèvres
sur le front de Renata, cette promiscuité était si gê-
nante qu'elle pouvait sentir les dents de l'Antillais
mordre son front, le halètement de son souffle dans
son cou, né pour perdre, dit-il, furieux, ou pendant
qu'il la tenait captive dans ses bras, Renata ne pouvait-
elle lire ces pensées dans les yeux tourmentés de
l'homme, ravir cette femme, d'un seul geste colérique
de son bras, il l'avait rejetée sur le lit, ce lit sur lequel
il avait respectueusement déposé les valises quelques
instants plus tôt, il regardait, effaré, de tous les côtés
pendant qu'il la dépouillait de l'écharpe, de la robe de
soie, et c'est là où la creuse sensation de soif n'avait
cessé d'avilir Renata, l'écharpe, la robe de soie dont le
tissu couvrait à peine les épaules, toute étoffe gracieuse, tout linge que le sang ou le sperme avaient
touché adhéraient à sa honte comme à la membrane
de la chair exposée à tous les coups parmi les déchi-
rures des vêtements, ces secrets organiques du corps
foulés, frappés, jusqu'à sa circulation sanguine dont
elle pouvait sentir le trouble précipité, l'agitation,
l'homme toujours penché sur elle, de toute la ténacité
de ses muscles, de son poids, rivé à elle, à l'apaisement
de la honte reçue, cet homme se vengeant de la
bassesse de sa vie, qui lui disait à travers les narco-
tiques efforts, pour la détruire, pour la posséder,

comme si, à travers ces déchaînements de sa violence,
il fût capable soudain de s'éprendre d'elle, lui disant,
qui êtes-vous donc avec votre attitude hautaine envers
moi, quelle est donc votre race, cette attitude, ces
bijoux, ce ruissellement de perles, que représentent-ils
pour vous, de vos sensuelles attentes, déambulations,
dans la fumée transie des casinos, des bars, seule, ou
auprès de votre mari, je vous ai vue me sourire de
votre sourire hautain, méprisant, dans cette fumée
près de l'eau, la nuit, quand scintillaient vos bracelets,
l'éclair de votre étui d'or, car il faut désormais que tout
soit avili, détruit en vous, puis l'Antillais avait cru
entendre un bruit dans les buissons par les fenêtres
grandes ouvertes et lâchement il avait fui ; au matin,
elle avait vu ce linge blanc, la déchirure dans l'étoffe
gracieuse, le tissu spongieux que les taches du sperme
avaient jauni, un morceau de linge blanc sur le lit dont
les draps avaient été retroussés, dans la lutte des corps,
quand se répandait sur Renata la lumière d'un jour
incandescent, chaud et humide, maintenant qu'elle
était seule, elle se souvint que c'était à l'aube qu'elle
avait décidé de partir vers la maison louée, n'avait-elle
pas commandé du regard à l'Antillais qui sortait,
furtif, du casino, de la suivre ou de l'aider avec ses valises, il avait obéi à son regard autoritaire, sans doute
était-ce un regard impérieux, dans son égarement, car
il lui avait semblé soudain être en danger dans son
hôtel, n'était-elle pas encore imprégnée de la creuse
sensation de soif quand il l'avait suivie, elle téléphonerait vite à Claude, lui dirait qu'elle était vraiment
dans les limbes, ne dirait pas lesquels, elle prendrait le
temps d'écrire, de réfléchir, lui dirait-elle, il lui témoignerait sa sollicitude, il dirait, pour combien de
temps encore, reviens, il avouerait son erreur quant au
jugement qu'il avait rendu, mais avide d'entendre les
mots de leur réconciliation, elle ne lui téléphonerait

pas tout de suite, craignant qu'il ne fût distrait, moins aimant ou trop préoccupé, l'aiguille du cadran vert qu'elle avait sorti de ses bagages indiquait qu'il était neuf heures, comme si elle eût été immobilisée au milieu de l'océan et que l'aiguille lui eût indiqué une heure quelconque dans l'éternité, l'heure où elle était née, l'heure où elle mourrait, le seul mystère qui nous captivât tous, retomberait-elle, dénudée, perdue, sur ce matelas où elle dormirait quelques heures, seule, comme elle avait souvent souhaité l'être, nageant dans ses rêves au milieu d'une eau verte, étale, l'océan était calme, Renata fixait son regard sur la peinture verte des murs et des plafonds de bois peint, ce pesant décor n'épousait-il pas la luxuriance de la végétation du dehors, pensait-elle, et pourquoi pensait-elle à Franz à cet instant, à ce qu'il lui avait dit, au retour de l'un de ses concerts à Vienne, qu'elle, Renata, pendant son absence, avait un peu vieilli, ou était-ce que désormais elle était vieille, et elle se dit qu'il lui faudrait retrouver cet homme dans la rue, celui qui titubait vers le casino désert, qui s'était enfui en courant au son d'une goutte de rosée fondant dans une feuille de palmier qu'une longue sécheresse, précédant l'orage, avait craquelée, c'était le bruit mat de la goutte d'eau qui l'avait fait fuir, mais elle le retrouverait, le dénoncerait aux autorités de la ville, s'il n'y avait eu contre elle cette accablante preuve, ce regard qu'elle avait dardé sur lui à la sortie du casino dans les reflets blafards du néon sur l'eau, mais cette preuve existait, imprégnée encore de la sensation de soif, elle mettrait de l'ordre dans la maison louée, ici avait vécu un poète célèbre, d'ascendance écossaise, entre ces murs, il avait écrit la majeure partie de son œuvre, mais si elle avait loué cette maison engloutie sous une dense végétation de cactus et d'arbustes tropicaux, c'était parce qu'une femme y était aussi venue écrire seule, elle avait écrit son œuvre et avait disparu au Brésil, c'était cette femme dont le nom était peu connu que Renata cherchait dans ces lieux bien qu'il n'y eût aucun signe tangible de sa présence, quand du poète célèbre on savait tout, quand il était encore là, eût-on dit, avec ses préférences pour l'austérité et la vie pastorale, dans cette maison de campagne dans la ville, l'aiguille du cadran vert n'indiquait-elle pas à Renata que le poète commençait à travailler le matin à neuf heures, que son horaire suivait tous les jours des règles rigoureuses, que veillait sur elle cet esprit ordonné quand elle était souvent tout désordre et désarroi, raideur aussi, lorsqu'elle refusait de se soumettre, c'était une illumination qui l'avait amenée ici, la lecture d'un poème d'Emily Dickinson, dans un état de fièvre et de soif, c'était l'heure de se baigner dans la mer, mais cela n'était-il pas encore interdit pour elle, de s'habiller bientôt pour sortir le soir, la maison, dans la baie, chez ses neveux Daniel et Mélanie, s'illuminerait pour la fête, il y aurait cet embrasement de la lumière dans les lampes, les chandeliers sur les tables dans le jardin d'où s'exhaleraient les parfums des limettiers, des acacias, des pointilias en fleurs, une fête en l'honneur de Vincent qui avait dix jours aujourd'hui, des jours et des nuits de fête, lui avait dit Mélanie en la suppliant de venir, et Vincent, disait Mélanie, dormirait, ses petits poings fermés sur l'oreiller, dans tout ce bruit, et Renata avait pensé à ces liens de rivalité entre les femmes, ainsi entre elle et la mère de Mélanie, elle dit à Mélanie, à qui elle téléphonait, qu'elle viendrait plus tard dans la nuit, elle avait parlé à Mélanie de l'intervention chirurgicale qui l'obligeait au repos, quand un procès important l'attendait au retour, ce repos si long, éprouvant, s'appelait les limbes, chancelante, je suis un peu chancelante, avait dit Renata à Mélanie, puis elle avait raccroché le téléphone avec brusquerie, se disant qu'elle ne dirait rien à Mélanie de cette nuit, de cette aube, elle réprimait déjà sur ses lèvres ces aveux et ces secrets déconcertants, car, pensait-elle, si les peines dont était tissée la condition féminine étaient insidieuses, n'en était-elle pas, elle aussi, responsable, car elle plaisait aux hommes, la loi, la règle étaient qu'elle dût attirer sur elle leurs regards, c'était une loi séculaire, mais ne la modifiait-elle pas à son goût en sa propre règle d'inconduite, d'affrontement ; ces peines, dont était accablée la mortifiante condition féminine, étaient insidieuses, Franz, capable soudain de graves injures, ce même jour où il s'était adressé à elle en français, dans la confusion de l'ivresse, mais ne parlait-il pas toutes les langues, après une nuit de célébration avec des amis, tu, vous, n'avez-vous pas vieilli pendant que je n'étais pas là, à mes concerts à Vienne, tu, toi, était-ce le même jour qu'une humble manucure avait dit à Renata qu'elle était belle ; passait sur Renata avec le baiser de la bouche de Franz ce souffle du néant qui aplatissait ses espérances, l'un après l'autre, à l'exception de Claude qui était un homme et un juge précoces, l'avaient bannie dans les limbes du rejet, de la dépossession où séjournaient ces âmes infantiles que Dieu refusait dans son Royaume, et dans ce lieu clandestin, comme dans la maison louée où une femme s'était retirée pour écrire une œuvre, la sensation de ces limbes grimpants, dans la chaleur, la haute végétation touffue, était aussi réelle pour Renata que pour la femme d'origine brésilienne, dont l'œuvre était dominée par de si douloureux présages que peu de gens avaient pénétrés, lus, et celle qui était l'amie, la sœur, ouvrait lentement le tiroir où étaient rangées les affaires de Jacques, son mari, ses enfants ne devaient pas la voir dans la contemplation de ces objets vénérés, ils étaient tous sortis et ne rentreraient que ce soir, le mari, les enfants, tous la réprimandaient, la scrutaient,

car elle appartenait désormais à Jacques, disaient-ils,
à lui, à lui seul, une main accrochée à sa jupe, cet oncle,
qui était-il, ce frère, n'avait-il pas mauvaise réputation,
qui était-il, cet homme, leur oncle, le frère de leur
mère, dont les cendres avaient été dispersées si vite au
fond des eaux, émiettées dans la moiteur de l'air, elle
entendait ces voix qui réclamaient sans cesse d'elle,
intransigeants, menacés, ils disaient tous, viens à notre
aide, nous sommes dépendants, comment la porte de
la douillette maison victorienne héritée de leurs
parents avait-elle pu se fermer ainsi sur elle, comment
ces volets, ces panneaux de bois avaient-ils pu clore sa
vie soudain quand son frère, pendant ce temps,
voyageait en Asie, écrivait des livres, lisait, rêvait en
respirant l'air fluide de son jardin, seul, il était pourtant aimé, quand la fière stabilité de sa sœur, son
domaine, avaient été envahis, quand auprès de ce
mari, de ces enfants, tous capricieux, elle n'était jamais
seule, et il n'était pas sûr qu'elle fût même appréciée,
mais ces pensées mesquines qui avaient jadis occupé
son esprit, l'amie, la sœur, ne les éprouvait plus
lorsqu'elle ouvrait lentement le tiroir dans l'armoire
secrète, ces objets aux empreintes impérissables,
pensait-elle, le t-shirt noir de Tanjou, le pantalon de
velours côtelé, les bottes dont le cuir n'avait pas eu le
temps de s'user, ces objets, elle les étendait parfois aux
fenêtres afin que le soleil, après l'hiver, vînt les
réchauffer de ses rayons, de même les géraniums en
pots qu'elle venait de sortir, du maillot noir de Tanjou
elle humait les émanations marines, ce t-shirt retenait
son attention tout à coup à cause d'un dessin imprimé
dont elle distinguait les formes acrobatiques sur le
fond noir du tissu, le dessin ne figurait-il pas
la danse de squelettes dans diverses attitudes amou-
reuses, celui qui avait conçu ce ballet d'os sur un
t-shirt n'était-il pas d'une ingénieuse perversité, tra-

duisant, dans cette fresque minuscule sur un t-shirt, l'amour traversé de radiations mortelles en notre temps, ces enlacements étaient aussi véridiques que les enlacements des rois et des reines sculptés dans la pierre, dans les tombeaux des cathédrales au XVe siècle, pensait-elle, mais déjà corrompue, la chair poreuse avait été ici illuminée par l'artiste afin qu'on ne la vît pas dépérir et mourir, mais c'est ce même t-shirt qui, avec ses parfums salins, ses sueurs de santé et de bien-être, avait revêtu le torse droit de Tanjou, courant dès l'aube sur les plages, ce t-shirt longtemps avait logé parmi les grains de sable d'un sac de plage, les balles de caoutchouc que Luc et Paul continuaient de faire rebondir au-dessus de l'eau, les serviettes moelleuses dans lesquelles ils asséchaient leurs corps après le bain, Tanjou avait confié à ce t-shirt le sel de ses larmes et, sous le blanc fantôme de chacun des squelettes dessiné avec précision, sur l'illustration du t-shirt, se figeait encore la sensualité étourdie des gestes de l'amour, leur nécessité et leur urgence, comme si celle qui était l'amie, la sœur, cette femme avant tout réservée, pudibonde, eût participé à ces jeux de Jacques dans une chambre fermée, ces jeux qui avaient toujours été pour elle inimaginables, condamnables, et qui lui apparaissaient soudain avec la limpidité d'un dessin d'enfant sur une feuille blanche, et la mélodie *Easy, Easy Living* s'était tue sur les lèvres de Samuel, qui, imitant Julio, servait au bar, passait entre les tables avec le vin, dans le jardin odorant ; que racontait donc Julio à sa mère, Mélanie, les Blancs Cavaliers sont arrivés, je les ai vus en revenant de la plage, Mélanie, écoutez-moi, ils ont recouvert de peinture rouge indélébile le bateau de Samuel, à la marina, c'est ainsi que le bourreau marquait autrefois l'épaule des con-damnés au fer rouge, et le sillon ne pouvait plus être effacé, demain, au soleil, on verra leur insigne, on le verra poindre au gouvernail du bateau de Samuel, à la barre, ce sera l'insigne nazi avec une flèche au-dessus et cette flèche atteindra le cœur de votre fils Samuel, je les ai vus, fuyez, ils sont aux portes de vos demeures, fuyez, Mélanie, mais lorsqu'il voulut écouter ce que Julio disait à l'oreille de sa mère, Samuel n'entendit que la rumeur des voix dans le jardin, Mère avait pris le bras de Julio en soupirant combien elle était désolée que Julio eût été ainsi agressé sauvagement sur la plage, de nos jours, que n'arrivait-il pas, dit-elle, mais craignant que Julio ne lui avouât la raison de ses promenades, la nuit, sur les plages, Mère détourna vite la conversation, ne serait-ce pas demain, à une heure, demanda-t-elle à Julio, qu'aurait lieu, boulevard de l'Atlantique, la course des bateaux, elle y assisterait avec ses petits-fils, dommage que Mélanie s'intéressât si peu aux sports, il y aurait demain plusieurs femmes capitaines et Mélanie, qui avait un sens trop poussé de ses responsabilités familiales, ne serait pas parmi elles, puis Mère retint un bâillement, il était encore trop tôt dans la soirée, et ces fêtes seraient si longues, et elle éprouvait déjà de la fatigue, à mon âge, hélas, on se couche tôt, affirma-t-elle d'un ton péremptoire à Julio, inquiets, ses yeux semblaient en quête déjà de cette chambre où elle dormirait, cette chambre n'était-elle pas située à l'extérieur de la maison, à l'extrémité d'une allée du jardin, on s'y rendait par un pont lancé comme une arcade au-dessus du jet des fontaines, d'un étang de poissons roses japonais, c'était là une autre des fantaisies coûteuses des enfants, pensa-t-elle, et l'invention de cet architecte qu'ils avaient ramené avec eux de New York, tel le tableau indécent dans la salle de bains du rez-de-chaussée, les poignées en or du cabinet de toilette, c'étaient d'inutiles dépenses pour lesquelles Mélanie ne l'avait pas consultée, que penser aussi de ces sculptures qui bloquaient l'espace près de la piscine, quant aux meubles antiques mexicains dans la chambre des invités, c'était sans doute la note la plus incohérente du décor, car on ne pouvait unir dans un même agencement barbare l'art ancien et le moderne, c'était de l'aberration, mais surtout Mère pensait à son sommeil qui serait agité à cause de tout ce bruit autour d'elle, comme si elle eût été faite en porcelaine soudain, elle croisait les mains sur sa poitrine compacte, ramassée, en pensant qu'elle avait déjà dépassé l'heure d'aller dormir, il lui faudrait au moins six heures de ce sommeil inépuisable et sans mémoire pour poursuivre ces fêtes pendant près de trois jours, car Mère rêvait peu, Julio ne lui avait-il pas dit qu'un groupe de musique rock viendrait vers minuit, était-ce une façon d'accueillir le nouveau-né qui dormait là-haut, cette bruyante fête, mais les enfants ne l'avaient pas consultée non plus à ce sujet, et on entendit les cris perçants d'Augustino dans l'air du soir, échappant à la surveillance de Jenny et Sylvie, il courait de nouveau dans le jardin sous sa cape de surhomme, Mère se mit à l'écart sous un arbre, en courant, Augustino ne renverserait-il pas sa grand-mère dans les acacias, elle qui tenait encore ridicule-ment son verre à la main, pensa-t-elle, bien qu'il fût vide et que la paille fût toute molle, sous la pression minutieuse de ses lèvres, et alors, Mère pensait que l'heure de son sommeil serait encore retardée, car n'était-ce pas Renata qui arrivait par la grande porte d'entrée de la maison, elle ne pouvait donc arriver simplement par le portail du jardin, comme tout le monde, pensait Mère qui rajusta ses lunettes sur ses tempes pour observer celle qui apparaissait si tard, les épaules nues sous une veste de satin, peut-être ne portait-elle rien du tout sous sa veste, pensa Mère, il est vrai que la chaleur était suffocante, Mère pensait qu'il était bien agaçant que Renata changeât si peu

avec les années, qu'elle eût encore rajeuni, elle
conservait depuis si longtemps déjà, pensait Mère, son
air de déesse, le cou, la tête n'étaient-ils pas un peu
forts, presque masculins, mais quelle dignité dans son
port, qui était Mère à côté de cette femme, Renata était
bien connue pour ses plaidoiries en défense des droits
de la femme, Mère, elle, ne défendait personne à part
ses enfants, son rôle de directrice de musée n'était-il
pas plutôt honorifique, son érudition en peinture de
même que son mécénat lui avaient attiré le respect de
sa ville, il n'y avait là rien d'étonnant, pensait-elle,
dans un milieu décadent où régnait l'ignorance,
comme sa fille, Mère était unique, son unicité, son
exceptionnelle valeur n'eussent été reconnues, pensait-elle, que si Mélanie eût songé à une carrière en
politique, tout semblait annoncer que Mélanie serait
un jour au Sénat et soudain, elle n'était que mère, bien
sûr, c'était encore une jeune femme, mais pour exister
entièrement dans la vie, ne faut-il pas se rendre
indispensable, et les yeux inquiets de Mère cherchaient
cette chambre, sous une voûte de lauriers-roses à
l'extrémité du jardin, observaient les épaules de
Renata, découvertes sous la veste de satin, l'harmonie
des formes n'était pas parfaite, pensa Mère, Renata
avait une nuque, un cou trop puissants pour une
femme, du moins, le mari chirurgien esthétique de
Mère n'eût pas vu en elle un modèle de joliesse, de
beauté sans faille, et ces femmes très belles étaient si
orgueilleuses, pourquoi les enviait-on tant, et les
mains croisées sur sa poitrine compacte, ramassée,
Mère se sentit soudain aussi dépréciée qu'elle l'avait
été l'après-midi dans le hamac pendant qu'elle parlait
à Mélanie de la Constitution américaine, en même
temps que l'apparition de Renata dévoilant ses épaules
couleur de bronze sous une veste de satin pâle, il y
avait eu autour d'elle, surgissant de la même nuit

dorée et mystérieuse, tout un cortège de jeunes gens, les musiciens invités pour les nuits de fête, oui, c'étaient bien eux qui se présentaient à une heure aussi tardive, pensait Mère, dans leurs blancs habits de soirée, lesquels avaient été arrangés pour plaire avec sophistication, pensa Mère, dans le chic délabré que s'approprient les jeunes gens d'aujourd'hui, ils semblaient renforcer, par leurs gestes insolents, par le lumineux accompagnement de leur jeunesse, le charme mûr de Renata, sa souveraineté inaccessible, dans ce tableau, sa froideur, l'instantanéité de ce tableau ne venait-il pas de se former, pensa Mère, lorsque les jeunes gens qui dévalaient les rues, leurs instruments de musique sous le bras, avaient soudain aperçu Renata qu'ils avaient entraînée avec eux en riant, et la vague folle bruissait encore sur le seuil, le visage de Renata se hissant au-dessus, glacial, avec l'ombre d'un sourire, ce sourire un peu terrorisé, pensait Mère, mais n'était-ce pas malgré tout un sourire de victoire qui amoindrissait l'âme de Mère, comme elle avait été amoindrie l'après-midi dans le hamac lorsqu'elle parlait à Mélanie qui ne l'écoutait pas, Mélanie qui s'inquiétait de la force des vents sur l'Atlantique pour le souffle de Vincent, quand Mère lui expliquait la grandeur de la Constitution américaine, seuls ces mots de la mélodie de Gluck étaient donc vrais, esseulée, délaissée par les siens, ne la privait-on pas même de ses heures de sommeil, Mère avait perdu son Eurydice, et Renata levait la tête, le craignant, le redoutant, qui sait, l'Antillais avait peut-être décidé de la suivre jusqu'ici, de la cerner en cette nuit de fête, ne se dérobait-il pas derrière les musiciens, car il serait toujours là, pensait-elle, jamais elle ne parviendrait à le bannir de sa chair, dans sa honte, il lui fallait écarter cette jeunesse autour d'elle, à qui elle souriait avec amitié, car elle l'égayait de son inconfort dans les

limbes, ces limbes, telles les plantes grimpantes autour
de la maison qu'elle avait louée, adhéraient à sa vie,
ces limbes renouvelaient sans fin la sensation de soif
inextinguible, que faire de ces somptueux jeunes gens,
s'enfermer avec eux sous le toit aux plantes grimpantes pour des noces successives, mais comme les
gondoliers de Venise qui étaient venus vers elle quand
Franz ne la désirait plus, elle savait qu'il était trop tard,
quel ravissement, pensait-elle, la contemplation de
tous ces visages, de ces corps virils, les musiciens langoureux, comme les bateliers moqueurs dans leur
embarcation vénitienne, tous, ils avaient éveillé la
même sensation de soif, c'est à Venise que Franz avait
été applaudi pour son oratorio quand elle se conten-
tait d'exciter le désir des hommes, marchant seule vers
les bateliers, le fuyant, lui, Franz, l'auteur d'une œuvre
grandiose, cet homme puéril qu'elle avait souvent
formé, dirigé, dans la préparation de ses concerts,
qu'elle tentait d'éduquer dans ses déboires, sa sauva-
gerie, sa démence, et tout à coup la musique de Franz
n'était qu'un tintamarre orchestré quand la voix des
bateliers se répandait sur la fraîcheur de l'eau, les fris-
sonnements de l'eau et du ciel, en une languide mélodie, c'était une passagère vivant auprès d'un musicien,
dans des appartements, des chambres de grands
hôtels, c'était une femme abandonnant les devoirs de
sa profession pour soigner Franz, c'était Renata, un
être incomplet, pensait-elle, porteur de doutes, une
femme qui aimait le plaisir, la compagnie heureuse de
l'homme encore jeune et sincère, léger, et soudain
cette compagnie s'attardait vainement autour d'elle,
dépistant sa soif, sa soif si creuse et désarmée, ils
étaient tous là, à quelques pas d'elle, ils la prenaient
par la taille, leurs mains se posaient sur ses épaules,
sous la veste de satin, les bateliers dans leur embarcation vénitienne sur l'eau, cette eau frissonnante, le

soir, et pourtant Franz lui avait dit, n'avez-vous pas
changé pendant mon absence, éphémère mais toujours chargée d'ans, de connaissances, comme l'était la
femme, et d'une mort tout aussi éphémère que sa vie,
c'était l'heure d'entendre cette musique, de l'écouter
quand les jeunes gens regagnaient leur place dans
l'orchestre sous les arbres, près de la piscine iridescente dans la nuit. Et de son pas nonchalant, Vénus
descendait les marches de la véranda, elle marchait
vers la plage pendant que Mama grommelait sur la balançoire, pourquoi, demandait Mama, Vénus sortait-
elle si tard le soir, la nuit, était-ce une tenue pour
sortir, cette robe d'un rose clair, transparente, qui
moulait les hanches, le buste, et cette provocante fleur
d'hibiscus rose dans les cheveux, ces cheveux que
Mama avait tressés en nattes, le matin, et qu'aucun
ruban ne retenait plus, un brin de paille, la fleur de
l'hibiscus, s'entrelaçaient à leur abondance touffue, et
Vénus dit en riant à sa mère, de son rire, presque un
ricanement, qu'elle était invitée à chanter pendant les
nuits de fête, trois jours, trois nuits, elle chanterait
cette nuit *Que ma joie demeure,* et Mama entendit ce
rire mou de Vénus à travers le bruit des vagues, cette
démarche lascive, dit Mama, cet air effronté, c'est
l'influence de l'oncle Cornélius et de ces Blancs au
Club mixte, Vénus allait du côté des résidences où il
était interdit aux Noirs de marcher, dit Mama, en
refermant la porte de la cuisine sur le rayon blanc de
ses souliers du dimanche, Mama respirait avec dégoût
l'odeur de viande cuite sur les grils, rue Bahama, un
relent de viande pourrissante, autour de ces grils où
Carlos et le Toqué traînassaient parmi les vicieux marchands de crack, de cocaïne, et rue de la Brise-Tiède
à Chicago, ils tombaient tous un à un, sous les balles,
quand reviendrait la vie paisible rue Bahama, rue
Esmeralda, n'était-ce pas l'heure d'abaisser la mousti-

quaire au-dessus du lit de Deandra, de Tiffany, des familles de miséreux, de pouilleux somnolant sous leurs porches le soir, se plaignaient d'une invasion de fourmis rouges, quand la paix reviendrait-elle rue Bahama, l'océan, l'air du soir enivraient l'âme de Vénus pendant que les vagues caressaient ses pieds nus, la mer, le ciel, tout cela est à moi, pensait Vénus, et ces résidences près de la mer où, dans leurs salles de bains climatisées, leurs piscines et leurs saunas, elle prêtait son corps aux Blancs, un jour, l'une de ces résidences serait la sienne, et passaient devant ses yeux ces images qu'elle repoussait, était-ce vrai ce que disaient Mama et le pasteur Jérémy, que les Blancs Cavaliers étaient de retour, que dans leurs maisons, près de l'océan, ils testaient leur adresse à des jeux vidéo, où comme dans le lancer d'une boule de métal, comme dans un jeu de quilles où d'oblongues pièces de bois sont visées, ils abattaient symboliquement des têtes de Noirs, ces têtes s'écroulaient sans aucun fracas sanglant sur un écran de télévision voilé de ténèbres, sous les lamelles, les panneaux des stores baissés, était-ce donc vrai ce que disaient Mama, le pasteur, sur leur véranda, la nuit, ou Mama, Papa n'étaient-ils pas jaloux de Vénus, de sa jeunesse, de sa beauté qui excitaient les hommes blancs, ces hommes à qui elle cédait tour à tour dans les toilettes publiques ou au Club mixte, pendant que l'oncle Cornélius écrasait ses doigts rachitiques sur le piano, lui qui avait joué si longtemps depuis qu'il était petit, dans les rues de La Nouvelle-Orléans quand brûlaient encore les temples et les églises, ils avaient la chair fade, Vénus ne les craignait pas, ni eux, ni la morsure de leurs dents sur sa peau, sous la robe transparente, le monde avait beaucoup changé depuis l'enfance de l'oncle Cornélius et de Mama, et Mama qui était pieuse ne savait rien du progrès, Mama, l'oncle Cornélius entendaient encore cette rumeur venue de si loin quand Vénus n'entendait ici que le remuement des vagues tièdes sur ses pieds et que, boulevard de l'Atlantique, pensait-elle, l'air se parfumait des fleurs jaunes du jasmin égrenées sur les trottoirs, près des plages, et comme l'avait dit Vénus à Mama ce soir d'un ton ricaneur, invitée à une fête, Vénus chanterait ce soir comme ce matin, au temple, de sa voix cristalline, oh, elle chanterait, en pensant à eux tous, Carlos, le Toqué, Deandra, Tiffany, Mama, que ma joie demeure, car comme Mama et le pasteur Jérémy, Vénus aimait Dieu et cet océan, ce ciel, cet air qu'Il avait créés. Mère avait perdu son Eurydice et lorsqu'elle se sentait ainsi rabaissée et qu'elle éprouvait ce sentiment d'échec auprès de sa fille, elle avait honte de l'opulence dans laquelle vivaient les siens, elle était une femme si confortablement sereine à qui rien ne manquait, pas même le superflu des richesses, quand les cousins de Pologne, ceux que Mère désignait ainsi, bien qu'elle ne les eût jamais connus, ces cousins, ces lointains cousins, qui n'avaient jamais pu fuir depuis des générations vers le Canada, les États-Unis, avaient tous péri dans le village de Lukow, dans le district de Lublin, on les voyait encore sur les photographies que déterraient les historiens, les journalistes, ils levaient la main comme si la scène eût été éternellement vivante, vers leurs massacreurs, leurs meurtriers, dans un geste de reddition ultime et affolé, mais sans révolte, car les cousins de Pologne avaient su qu'ils ne pourraient jamais s'enfuir, leurs rangs étaient innombrables et ils étaient debout près de baraques d'où montait une odeur de gaz et de charogne, à genoux au même rang, les rabbins se prosternaient en signe d'acceptation d'une loi spirituelle qu'ils avaient choisie mais qui, soudain, les égarait, sous les bérets, chacun agitait la tête, macabre danse de frayeur dans la neige et le froid où tous ces yeux agrandis, ces corps pantelants, quêtaient désespérément leur fuite, quand, muet, le ciel gris se refermerait bientôt sur leurs plaintes, les cris des enfants lorsqu'ils seraient séparés de leur mère, eux avaient tous péri, quand Mère vivait dans l'opulence, quand sa fille, ses fils, étaient la joie de sa vie, bien que ce ne fût jamais sans ombres ; était-ce l'apparition de Renata par la grande porte, qui avait soudain évoqué, pour Mère, les cousins de Pologne, ou n'étaient-ils pas toujours présents dans sa pensée, irrécupérables, pensait-elle, au bord de sa conscience, comme Mère, Renata ne connaissait de cette parenté, de ces cousins de Pologne dont Mère eût préféré à jamais écarter le souvenir, que ces visages des photographies et des journaux, mais ni Mère ni Renata ne pouvaient ignorer l'existence si brutalement achevée de ceux qui n'avaient pu s'enfuir du village de Lukow, dans le district de Lublin, Samuel ne portait-il pas le nom de l'un de ces grands-oncles fusillé en ce même hiver de 1942, Samuel, l'enfant, celui qui avait chanté en imitant une voix noire, avec une savante volupté, easy, easy living, Samuel, n'était-ce pas là tout ce qui eût dû réconforter Mère, la réjouir dans sa peine, qu'avec Samuel, Augustino, Vincent que ces visages de Lukow, dans le district de Lublin, se fussent un peu éloignés, car de la mort renaissait la vie, Samuel était ce glorieux phénix renaissant de ses cendres, de même que repoussent les feuillages après un incendie, c'était sans doute l'apparition de Renata, par la grande porte de l'entrée, qui avait éveillé ces souvenirs harassants, cette complicité d'une secrète lutte, entre elles, femmes adultes, le souvenir ineffaçable des cousins de Pologne, quant aux plus jeunes, qui sait s'ils pensaient souvent à eux, car de la mort renaissait la vie, pourquoi Mère avait-elle pensé à ce moment précis à la saveur sucrée des fraises sur le poisson frais servi au dîner, elle eût pleuré de détresse en pensant aux

cousins de Pologne que lui renvoyait le visage de
Renata, ce souvenir ineffaçable, l'intelligence de ce
visage et son inquiétude permanente, presque ances-
trale, et soudain elle s'adonnait à des souvenirs de
délectation, le goût des fraises sur le poisson frais, il
était temps qu'on lui permît de se retirer dans sa
chambre, mais voici que les musiciens commençaient
leur tapage, et tous les écoutaient, leur verre à la main,
c'était donc là cette insolite musique, désagrégée,
proche de l'effritement, que Samuel écoutait sous le
casque de ses écouteurs après l'école, lorsqu'il avançait
en trombe vers la maison sur ses patins roulants, ces
patins dont les roues avaient de verts reflets irisés, des
patins, des bicyclettes, les fils de Mélanie ne prenaient-
ils pas l'habitude trop vite d'un mode de vie de grandeur dont l'avenir pourrait les priver, car qui sait ce
que réservait à chacun l'avenir, transportés le dimanche par leur père dans sa voiture de marque Infi-
niti, ils allaient, couverts de leurs jouets surabondants,
vers les plages, les terrasses des cafés, des restaurants
où on leur servait de copieux repas, des crêpes aux
bananes baignant dans le sirop de Cassis, la crème
épaisse, laquelle dégoulinerait bientôt de leurs doigts
pour tomber sur leurs shorts blancs, parmi leurs
raquettes de tennis et leurs ballons, à leurs pieds, ces
fils princiers ne recueillaient-ils pas la part dont
d'autres avaient été déchus, debout contre les baraques de l'enfer, illisible, cette écriture de la justice à
travers le temps, pourtant ne s'inscrivait-elle pas en
toute vie, pensait Mère, car de la mort renaissait la vie,
bien qu'il y eût toujours un doute persistant dans
l'esprit de Mère si vraiment de la mort renaquît la vie,
qu'en pensait Mélanie, ces doutes, ces malaises entre
Mère et Mélanie n'étaient-ils pas comme ces points
noirs brouillant la clarté de l'eau et du ciel par un beau
jour, elle avait accompli le rêve d'être seule avec

Mélanie, sans son mari, pendant quelques jours, dommage que Mère ne se sentît pas utile dans la décoration de la spacieuse maison de Daniel et Mélanie, mais Mère avait éprouvé une joie de vivre, quelque sentiment fort inattendu, pensait-elle, en se promenant au lever du jour avec Samuel et Augustino sur la jetée, près du port on définissait l'extase comme un état de transport si vivace qu'en vous rejetant hors de vous-même, vers un ciel de béatitudes, cette même extase causait d'irréparables désordres pathologiques, Mère n'en croyait rien, se disant que c'est bien cela qu'elle avait éprouvé ce matin, la laissant seule au milieu de la haute chaussée construite sur le tumulte des vagues, Samuel et Augustino avaient couru loin vers la pointe du quai jusqu'à ce que Mère ne les vît plus, bien qu'elle continuât de les entendre, c'était le bien-être de la solitude retrouvée, ou l'air marin dont les poumons de Mère se remplissaient jusqu'à l'euphorie, Mère, le temps de quelques secondes à peine, avait été submergée par un sentiment d'incommensurable vitalité, comblée d'une grâce exquise, elle avait appelé ses petits-fils, émue par l'écho de sa voix dans le vent, inclinée vers le roulement des vagues, elle avait pensé qu'elle n'était qu'une poussière sur laquelle souffleraient bientôt les vents éternels, mais tout était bien ainsi, cette poussière irait dans son insaisissable voyage loin des voies terrestres, sa vie avait été comblée et elle avait vu le héron blanc qui était seul, lui aussi, l'extase, c'était la fulgurance de cette image du héron calme et immobile, prenant soudain son envol oblique avec lenteur au-dessus d'une mer sans tempête, c'est ainsi que Mère quitterait le monde, avait-elle pensé, de ce même envol silencieux, sans émoi, dans une dignité muette, mais qui sait ce que l'avenir réserve à tous, à Mère comme à Samuel et Augustino? Et Renata pensait que les musiciens de l'orchestre étaient aussi charmants, séduisants, ce soir-là, dans le jardin, que les bateliers dans leurs embarcations vénitiennes sur l'eau frissonnante, un peu à l'écart de leur groupe, elle pouvait maintenant les voir sans être vue, un homme aux cheveux grisonnants avait passé son bras sous le sien et instinctivement elle avait accepté la désinvolture de ce geste qui l'éloignait d'eux tous, du ravissement qu'ils éveillaient en elle, cette soif creuse, désormais inextinguible, elle eût aimé faire taire en elle cette voix qui lui rappelait la chevauchée sans remords de onze jeunes gens, n'étaient-ils pas du même nombre que ceux-ci dans l'orchestre, et sans doute aussi bien élevés par leurs parents, charmants, séduisants, ils avaient, comme les musiciens, entre seize et dix-huit ans, ils étaient entrés dans le dortoir d'un kibboutz, et pendant plusieurs nuits, sans remords, sans consternation devant leurs actes, ils violeraient une jeune fille, sept jours, sept nuits, elle avait quinze ans, ne dirait rien, longtemps elle ne dirait rien, pendant des années, car elle serait internée, si charmants, si séduisants, les uns et les autres, comment eût-elle pu les dénoncer à ses parents, aux amis de ses parents, aux éducateurs, comment, ils vivaient tous ensemble dans le même kibboutz, et soudain, ce dortoir où dormait l'étudiante sage, dans son lit, était occupé par les pas des envahisseurs, par la chevauchée des jeunes prédateurs, eux si charmants, irrésistibles, dans un état de stupeur, une hébétude atterrée, l'étudiante ne leur avait-elle pas d'abord souri avec égarement comme l'avait fait Renata sous la pression des doigts de l'Antillais lorsqu'il l'avait soudain serrée contre lui pour l'embrasser, et après beaucoup de craintes, d'hésitations, l'étudiante avait enfin confié les faits aux policiers, oui, ils étaient venus tous les onze, pendant sept jours, sept nuits, dans le dortoir, et parfois elle interrompait son récit de sanglots et de

mots lamentablement articulés, ils étaient venus dans
le dortoir, tous si charmants, irrésistibles, bien que
dévorée, déchirée par la fureur de tous ces sexes, elle
continuait pourtant de vivre, tous si charmants, irrésistibles comme les musiciens ce soir, pendant l'indécent interrogatoire des avocats au tribunal, l'étudiante
avait su que les onze jeunes gens ne seraient pas
accusés, dénoncés, car, comme Renata, n'avait-elle pas
été coupable de ce sourire atterré, de ce sourire coupable lorsque, se ruant dans le dortoir vers son lit, les
jeunes gens avaient commencé leurs rudoiements,
mais les avocats avaient déclaré que, par défaut de
sympathie de la part du jury, du public, la cause avait
été annulée, la jeune fille ne souffrait-elle pas de
troubles mentaux, son esprit n'était-il pas confus, aucune infraction à la loi n'avait été imputée aux jeunes
gens qui avaient repris leurs travaux au kibboutz,
pendant sept jours, sept nuits, ils avaient prié, allumé
les bougies le soir, s'étaient réunis le samedi avec leur
famille autour du repas du sabbat, et le juge, qui était
un homme, leur avait dit, allez en paix, vous êtes
innocents, en se souvenant de la jeune fille violée par
onze jeunes gens dans la tranquillité d'un kibboutz,
Renata avait regretté son refus de soumettre sa candidature de juge, cet acte orgueilleux, car elle ne voulait
pas de l'appui de Claude, moins encore de celui des
juges de sa famille, était-ce cet acte de doute et de
négation de soi qui imprégnait d'une même honte
toute l'humiliante condition, était-ce ce mouvement
d'orgueilleuse méfiance, devant l'exercice du pouvoir,
de l'autorité des hommes, qui l'avait ainsi empêchée
de dénoncer à la justice ces mêmes onze jeunes gens,
d'où qu'ils soient, d'où qu'ils viennent, juge, elle les
eût traînés au tribunal, eût révélé l'horrible nature de
leurs crimes, pendant sept jours, sept nuits, dans le
kibboutz, elle les eût accusés, ils eussent été punis et

ce souvenir eût été durable dans leurs consciences, et dans la conscience du monde, mais qui était-elle, un être porteur de doutes, d'inquiétudes, le cauchemar, cette pensée du viol de l'étudiante dans le dortoir d'un kibboutz, était-ce là l'image qui l'avait tenaillée pendant ces quelques instants où elle s'était endormie, peu de temps après que l'Antillais eut pris la fuite, qu'elle eut entendu le bruit mat de la goutte de pluie, sur la feuille du palmier, pendant cette courte somnolence, n'avait-elle pas rêvé qu'une araignée noire tissait sa toile sur son sein gauche, et en se réveillant, elle avait pensé, c'est ainsi que l'étudiante a ressenti cet étirement de la toile que formaient les onze jeunes gens, toutes ces fibres, ces membranes étrangères sur son corps, c'était entre les murs glauques de la maison louée, quand étincelaient dans l'aube les fleurs d'une végétation luxuriante, l'araignée noire tissant encore sa toile sur son sein gauche, et Mère pensa qu'une lithographie d'Erté eût été agréable dans cette maison art déco, quelques figurines de bronze aussi, dans ce décor noir et blanc trop dramatique, mais Daniel et Mélanie auraient-ils écouté ses conseils, et que penser de ces tuiles de marbre dans la salle à manger, n'y avait-il pas là quelque prétention, et pourquoi Samuel se tenait-il toujours aux côtés de Julio, quels rapports d'amitié pouvaient-ils bien exister entre Samuel et Julio qui était de douze ans son aîné, une candide admiration, peut-être, quel triste sort pour Julio qui avait vu ses frères et sœurs, sa mère Edna, son frère Oreste, sa sœur Nina se noyer sous ses yeux, c'est à peine si, sur ce radeau où il avait longtemps déliré de soif et de fièvre, il avait pu atteindre nos rives, quel malheureux destin, quand Mère vivait dans l'opulence, parmi les siens, cédant à ses pensées frivoles, lorsqu'elle eût aimé remplacer le tableau obscène de la salle de bains du rez-de-chaussée par une lithographie d'Erté, Samuel avait aussi un compagnon de son âge, ce qui rassurait Mère, Jermaine, qui irait bientôt avec Samuel à l'école privée, ses parents étaient d'une remarquable distinction, pensait Mère, le père était l'un de ces rares sénateurs noirs élus depuis la nouvelle présidence, dans le pays, la mère de Jermaine, une journaliste japonaise de souche aristocratique, était militante avec Mélanie, c'était un couple courtois et délicat, Jermaine possédait la grâce orientale de sa mère, ses yeux brûlants sous de longues paupières, mais Samuel ne jouait plus avec Jermaine comme autrefois, ses répétitions le retenaient trop tard le soir dans les salles de théâtre, était-ce une vie saine pour un enfant, cette vie d'acteur, de chanteur, et toutes ces fréquentations douteuses, Mère avait l'intention d'emmener Samuel en Europe cet été, il oublierait pendant ce temps le milieu des comédiens qui était celui de son père, bientôt Daniel serait le metteur en scène de la pièce qu'il écrivait ces jours-ci sur la Guerre civile, oui, Mère emmènerait Samuel en Europe cet été, où ils avaient encore de la famille, on entendait le refrain de Samuel dans l'air du soir, easy, easy living, Mère se souvint soudain avec peine que Mélanie ne lui permettrait pas de remplacer le tableau de la salle de bains par la lithographie d'Erté. Puis Mère observa Julio qui était assis seul près de la piscine, il semblait perdu dans sa méditation pendant que, du bout de ses pieds ballants, il effleurait l'eau iridescente sous les lumières qui éclairaient le jardin, Julio portait parfois une main à son front, vers le bandeau, comme si son œil eût élancé douloureusement, et Mère se reprocha d'être si peu sensible aux drames d'autrui, les cheveux de Julio remontaient en épis bruns au-dessus de son front, son oreille gauche était percée par un anneau, c'était un jeune homme comme tous les autres, ses pieds effleurant l'eau dans de sensuels mouvements, était-ce ce même Julio qui avait dérivé pendant deux semaines sur son radeau, avec sa mère, ses frères et ses sœurs, sur les eaux de l'Atlantique d'où sourdaient la tempête, la bourrasque, qui sapaient les vivres, arrachaient à la plateforme du radeau ses habitants et leurs faibles mâts, eux qui ne savaient pas nager, ce tableau flottant, non, Mère ne l'imaginait pas, mais elle se souvenait d'un détail dans le récit de Julio, c'est pendant l'une de ces ravageuses tempêtes entre le ciel et la mer de feu que Ramon, Oreste, avaient avalé de l'eau salée, songeant à Vincent qui dormait en haut, à son minuscule cœur de bébé, Mère entendit dans le silence ces cœurs soudain saisis par l'arrêt de leurs battements, Oreste, Ramon, ne respiraient plus, après l'absorption de l'eau salée, les minuscules cœurs avaient cessé de battre, ou battaient-ils encore lorsque Julio vit un hélicoptère dans le ciel, le pilote ne criait-il pas à travers la densité nébuleuse de l'air, nous serons bientôt là, l'hélicoptère *Homeland* sera bientôt là, comment l'hélicoptère et ses courageux pilotes s'étaient-ils dissous avec l'espoir du *Homeland,* de la terre retrouvée, entre le ciel et la mer en tempête, comment cette vision avait-elle pu s'effacer à jamais pour Julio dans le brouillard épais de sa fièvre, le temps de cette traversée de deux semaines, oui, Mère se souvenait de ce détail dans le récit de Julio, c'est l'eau salée qui avait causé l'irréparable arrêt des cœurs de Ramon, Oreste, quand grondait encore le moteur de l'hélicoptère *Homeland* dans le ciel, homeland, nous serons bientôt là, mais Julio, longtemps, eut l'air de dormir au soleil comme sous la pluie, le jour ou la nuit, pendant deux semaines sur son radeau, lorsqu'il reprit connaissance, il les reconnut, Oreste, Ramon, Edna, Nina, à la couleur de leurs cheveux dans un flottement d'épaves suspendues au radeau, Oreste, Ramon, Edna, Nina, qui n'avaient pas

été sauvés bien que grondât encore dans le ciel le
moteur de l'hélicoptère *Homeland*, terre retrouvée.
Julio levait la tête vers le premier étage d'où Samuel
plongeait dans la piscine, le fracas des vagues, Mère
éprouva un léger choc, le maillot rouge de Samuel était
d'une couleur électrisante, Mère s'irrita qu'on laissât
Samuel plonger si tard dans la nuit, c'était imprudent,
pensa Mère, à peine Samuel fut-il sorti de l'eau dans
un éclat de rire que Jenny et Sylvie étaient près de lui,
emmaillotant Samuel dans une robe de chambre
soyeuse et fleurie, l'un de ces kimonos de soie dont
Jermaine et Tchouan, sa mère, lui avaient fait cadeau
à leur retour du Japon, lorsque, pendant une mission,
le père de Jermaine avait été honoré pour ses écrits, le
kimono de soie sur le corps ruisselant d'eau de Samuel, les mains de Jenny et de Sylvie courant furtivement sur ses épaules, il y avait là, pensait Mère, un
tableau d'une paresseuse sensualité, les sens de Samuel
n'étaient-ils pas trop tôt aiguisés, avec ces parfums du
jasmin, de l'acacia, sous la tonnelle où Samuel avait
chanté avec l'élan de sa bouche ronde, mais tous les
enfants, de nos jours, n'avaient-ils pas les sens trop
aiguisés, et sous les épis sombres de ses cheveux coupés très courts, d'un air tristement enjoué, Julio avait
applaudi le plongeon excessif de Samuel, de la fenêtre
du deuxième étage, et soudain, ces ébats aquatiques de
Samuel sous les lumières de la nuit, dans la piscine aux
iridescentes lueurs, lui avaient déplu, car voici que
dans le silence qui s'étendait sur le radeau s'engouf-
fraient une à une, dans le bruit des vagues, les voix à
peine audibles d'Edna, Oreste, Ramon, disant à leur
frère, viens vite vers moi, car loin de la terre retrouvée,
de homeland, je meurs, oh, viens vite vers moi, Julio,
et quand parviendraient-ils au port de Brest, pensait
Renata, comment avaient-ils jamais atteint les côtes de
l'Atlantique dans cette tempête, pourquoi les vagues

s'étaient-elles apaisées tout à coup, une seule vague balayant le pont du yacht eût suffi à les perdre tous, Renata avait su qu'elle serait la première à être engloutie par la vague meurtrière, soudain, sur le pont d'un navire de croisière, sa vie n'avait-elle pas cessé, la mort avait soufflé sur elle avec le passage de la vague méandreuse, celui qui serait rescapé avec ses enfants, ne serait-ce pas Franz dont on jouait l'oratorio dans une cathédrale en Angleterre à cette époque des fêtes de Noël, Franz que l'on attendait à Brest, dans une humble église du Finistère, l'église Saint-Louis, dans la brume, quand Franz et Renata, les fils de Franz, verraient-ils briller les feux du phare de Brest sur les rochers, celui qui devait être rescapé avec ses enfants, il fallut que ce fût lui, Franz, celui dont on entendait la musique dans les cathédrales et les églises, n'avait-il pas écrit dans un psaume qui avait été traduit en hébreu, pour la voix de soprano d'un enfant, ô toi qui es notre berger, éloigne de nous les fléaux, les malédictions de la guerre, ces flots où coule le sang chaque jour, guide-nous, ô berger, loin de la féroce tempête, et ces mots, on les écoutait en ces nuits de ténèbres, en ces temps obscurs, on les entendait dans une église du Finistère comme dans une cathédrale de Londres, quand Franz implorait Dieu, dans une lamentation que la voix de soprano d'un garçon soutenait de son envolée jusqu'au paroxysme de la joie, ô toi qui es notre berger, éloigne à jamais de nous ces fléaux, guide-nous loin de cette malédiction de la tempête, parce que Franz avait composé cette musique, lui seul et les siens devaient être sauvés de la vague mauvaise, refluant peu à peu sur le pont du yacht, dans un déchaînement de cordes dénouées par le vent, Renata, elle, n'était que la seconde femme de cet homme si grand, l'une de ses maîtresses, elle avait entrepris des études juridiques en France qui étaient sans cesse

entrecoupées par son besoin de ne penser qu'à lui,
Franz, l'accablant sans doute d'un amour déraison-
nable et fou, comme une mendiante qui frappe à une
porte close, elle ne ressentait que de l'abandon, mais
cet homme, c'est lui, cet homme narcissique, et tous
ses enfants qui eussent dû être sauvés, rescapés,
comme dans le poème d'Emily Dickinson qui serait
souvent évoqué, pensait Renata, dans d'autres circonstances périlleuses de sa vie, avec l'éveil soudain d'une
tempête sur une mer immobile, le navire ou la voiture
de la mort ne s'arrêtaient-ils pas ici pour elle, bien
qu'elle n'eût aucune hâte de gravir les marches qui la
conduiraient à son seuil, mais son destin ne consistait-
il pas à savoir que l'homme aurait toujours raison,
même au moment de la survie, car elle n'était qu'une
femme, un être porteur de doutes, d'incertitudes, et
pourquoi la mort ne s'arrêterait-elle pas ici, pendant
une tempête, sur ce yacht aujourd'hui, quand elle
fumait dans la cabine où elle s'était retirée depuis le
matin, quand déjà depuis quelques heures les bateaux
avaient émis le long de leur marche sur l'eau peu
navigable leurs sifflements, le son des cloches qui
prédisaient le danger, en ouvrant la porte de la cabine,
ne recevrait-elle pas, en plein cœur, la vague et sa
foudre d'argent, un filet d'eau grise ne s'était-il pas
déjà infiltré sous la porte de la cabine que le vent
tiraillait, dans cette cabine où elle s'était retirée depuis
le matin, elle ne le dirait à personne, elle avait connu
cette insatiable convoitise d'être loin de tout regard,
fumant une à une avec un lancinant plaisir ses cigarettes, déployant dans la lumière orageuse du hublot,
pour elle seule et son insatiable convoitise, l'étui d'or,
objet d'ironie, si elle songeait qu'elle vivait peut-être
là sa dernière heure, car le filet d'eau irait en s'am-
plifiant sous la porte, il bouillonnerait jusqu'à son cou,
à ses tempes, mais qu'on la laissât seule, ce matin-là,

comme hier, dans le secret de son insatiable convoitise. Et quand ils avaient tous vu briller le phare sur les côtes de Brest, la mer s'était adoucie et le ciel avait été éclairé d'une rouge lumière, eux, qui n'eussent été tous que des débris, des ossements sous l'eau, la coque vide d'un bateau, ils étaient sauvés, longtemps Renata avait regardé Franz debout sur le pont avec ses enfants, courbant tous sous la pluie dans leurs imperméables à capuchon, s'ils avaient tous fait naufrage dans cette tempête de l'hiver, si le phare n'avait jamais plus scintillé de ses feux, c'eût été la fin de ces années de magnificence et de succès de Franz, la destruction de ce visage fébrile, de ce corps, de ces mains qui n'avaient peut-être vécu que pour la musique, et elle eût gardé de lui le souvenir de son visage basané, sous les cheveux comme des flammes noires, de ses longues mains, il eût enveloppé les enfants, les eût défendus et protégés dans sa foi mâle en la vie, figure contractée et puissante contre le ciel rouge comme ces personnages de Goya affrontant les tortionnaires de l'Inquisition et les désastres de la guerre, une figure révolutionnaire, parmi elles, avec de petites figures d'hommes se tenant tout près dans l'attente d'une fusillade, personnages en rang dans leurs imperméables à capuchon sous la pluie, signe de l'innocence dans les tableaux de Goya, cette figure, ce personnage était vêtu d'une chemise blanche, comme cette chemise blanche du yacht club auquel appartenait Franz et qui moulait son torse, avec l'éclat d'une tache au milieu, ce blanc, cette blancheur avant l'épreuve, mais qui était déjà, dans sa blancheur et son innocence, le linceul de la mort, son vêtement. Mère pensa qu'il était trop tard désormais pour aller dormir, et il lui sembla que de cette nuit sans sommeil son existence serait abrégée, d'autres invités, parmi les plus jeunes, arrivaient, dont une jeune fille noire, délurée qui exhibait avec fierté sur ses cheveux tressés en nattes une couronne d'hibiscus roses, elle osa se servir elle-même un verre de cognac au bar, pensa Mère, puis elle se dirigea vers l'estrade des musiciens où Mère la chercha du regard, cette nuit, ces nuits de fête seraient trop dispendieuses, pensa Mère, tant d'êtres fantaisistes parmi les musiciens ne cessaient de la surprendre, mais Daniel et Mélanie ruineraient leurs parents, et Julio montait sans bruit vers la chambre où dormait Vincent, était-ce vrai ce que disait le médecin de la famille ou était-ce l'évaluation erronée d'un symptôme, ce souffle ténu de Vincent qui avait dix jours aujourd'hui, Julio s'approcha du grand lit où dormait Vincent, écoutant longuement son souffle, Vincent respirait normalement et sa respiration à peine essoufflée emplissait la chambre sous les stores fermés, de son bruit rassurant, Ramon, Oreste, Edna, Nina, mes abeilles, mes mouches, vous êtes partis, murmurait Julio, comme s'il fût encore atteint de fièvre sur son radeau, mais les mouches, les abeilles, comme ces insectes translucides brûlés par la flamme des bougies, des chandelles sur les tables du jardin, ces proies diaphanes dans la lumière du feu s'étaient à jamais dissipées avant même que la fête ne fût commencée dans la nuit. Et ce souffle ténu de Vincent, pensait Daniel, auprès de ses invités qu'il accueillait au portail du jardin, interrogeant tous les regards de la lueur jaune, pénétrante de ses yeux, ce souffle à peine oppressé de Vincent n'était-il pas, dans leurs vies, comme ce son menaçant, long, rugissant et grave, annonçant une secousse sismique, sous la brièveté de ce souffle oscillaient leurs vies comme des flammes dans le vent, que disait cet éditeur new-yorkais dans sa lettre, dans le courrier, ce manuscrit des *Étranges Années* auquel Daniel avait tant travaillé avait été refusé, l'éditeur louait le style poétique de l'auteur, mais le récit des étranges années de Daniel, de ses années de dépendance à la cocaïne à New York, n'entrait pas dans la catégorie des œuvres qui seraient publiées cette année, ce récit ne retenait pas l'attention des lecteurs, et lorsque Daniel avait entendu ces mots que prononçait Julio à l'oreille de Mélanie, fuyez avec les enfants car les Blancs Cavaliers sont de retour, il avait reconnu l'Ombre qui frôlait la clôture, tout près de l'oranger aux oranges amères, là où Augustino tournait en rond sous sa cape de surhomme, l'Ombre était celle d'une vieille femme au visage cramoisi, sous de raides cheveux blancs, la vieille femme n'était pas l'itinérante dont elle avait la trompeuse apparence dans sa robe, telle une poche cousue à son corps, cette robe était l'un des déguisements qui appartenaient au clan maudit, les Blancs Cavaliers étaient de retour, l'Ombre de la femme allait et venait derrière la clôture, tout près d'Augustino qui jouait sous l'oranger aux oranges amères, cette femme n'était pas l'itinérante dont elle offrait l'aspect, non, pensait Daniel, lorsqu'elle rentrait à son domicile, le soir, c'était pour peindre, aux côtés de son mari, en trempant son pinceau dans de la peinture rouge comme du sang, ces slogans que l'on verrait le lendemain sur les murs blancs des maisons neuves du boulevard de l'Atlantique, cette marque de peinture rouge, indélébile, et son inscription de haine, on les verrait aussi incrustées sur le bateau de Samuel à la marina, car les Blancs Cavaliers étaient peut-être de retour, comme le disait Julio, ne les avait-il pas rencontrés dans la rue ; le maire de la ville recommandait à Daniel de calmer ses ardeurs de jeune activiste, dans ce lieu que Daniel appelait le paradis, dans ses livres, s'imposaient des lois qui ne rendraient vainqueurs toujours que les riches, Daniel, dans ses écrits, stimulait la colère des esprits réactionnaires, incitait la communauté noire à la révolte, et en écoutant les paroles du maire de la ville, Daniel songea qu'il n'y avait de paradis pour l'homme que dans le silence et la lâcheté, il se reprocha son bonheur, mais était-il encore aussi heureux, il y avait désormais ce souffle, ce souffle oppressé de Vincent, le maire s'éloignait vers la piscine dans une valse ivre, peu lui importaient ces pouilleux de la rue Bahama, sous leurs porches, pensait Daniel, et l'Ombre se rapprochait de l'autre côté de la clôture, on entendait ses chuintements, ses bruits, sous les lourdes branches de l'oranger, on entendait sa clameur, sa voix sinistre, vous recevez trop d'activistes noirs dans votre maison, disait à Daniel l'infirmière que Mélanie avait consultée pour les maux d'oreilles d'Augustino cet hiver, et ces filles, Jenny, Sylvie, qui sont-elles, pourquoi les accueillez-vous, Marie-Sylvie, Julio, des réfugiés, n'est-ce pas, ces radeaux qui échouent sur nos plages, qu'on les retourne à la mer; dans leur pays, ils portent le nom de traîtres, vers de terre, insidieux, les mots, les paroles, rôdaient autour de Daniel avec leurs présages, ils se distillaient, toxiques, un venin dans l'air parfumé que respirait Daniel avec allégresse, car comment n'eût-il pas pu jouir de son bonheur auprès de Mélanie, des enfants, dans cet oasis, quelque temps après les tourments des étranges années, ces années sans foi, sans espoir, avant la révélation de l'écriture, c'est cette même infirmière qui diluerait pour Vincent, tous les jours, dans l'eau chaude, dans le lait chaud du biberon, le médicament à prendre toutes les quatre heures, n'était-ce pas en changeant de position amoureuse qu'ils avaient senti la présence d'Augustino dans le lit, n'était-il pas un peu grand pour se réfugier ainsi la nuit avec eux, grâce à la présidence de Père au laboratoire de biologie marine, un commissaire noir serait élu qui remplacerait ce piètre individu répétant ses insanités près de la piscine, pensait Daniel, l'Ombre frôlait la clôture de-

vant la maison, Augustino courant sous sa cape, il y
aurait donc tous les jours cette odeur médicamenteuse
dans la chambre aux stores fermés, il n'existe pas de
remède, dit le médecin, mais le médicament absorbé
toutes les quatre heures a des propriétés préventives,
l'enfant se sentira mieux, les Étranges Années péné-
trant les cœurs, les cerveaux, de leurs poisons les
cernaient-ils encore, le biberon, la cuillère, dans le
creux de l'ustensile, le contenu du médicament serait
dilué, qui sait s'il n'y avait pas eu erreur dans l'im-
pudent diagnostic du médecin, combien ils seraient
tous émus, plus tard, pensait Daniel qui avait filmé la
naissance de son fils, de revoir ce bébé bien portant et
gai, joufflu, ce bébé qu'ils avaient fait, un accomplis-
sement de la nature, une fleur, un papillon, le monde
si beau, jusqu'à ce que Daniel et Mélanie, parmi les
images, les sons enregistrés, fussent témoins d'une
imperceptible distorsion de l'image, lentement, s'effaçait le sourire de Vincent, ce sourire en pleurs, son
souffle accéléré soudain qu'ils croyaient entendre dans
le brouillard, ce son, rugissant, long et grave annonçant pour les habitants de la terre une secousse sismique, oui, combien ils seraient émus plus tard de
revoir ce bébé joufflu, ce bébé sain qu'ils avaient fait ;
le t-shirt noir de Tanjou, le pantalon de velours côtelé,
les bottes dont le cuir n'avait pas eu le temps de s'user,
ces objets, la sœur de Jacques les tenait sur ses genoux
parmi les feuillets d'un carnet de notes sur Kafka, dans
ce carnet qu'elle avait retiré de la poche du pantalon
de velours côtelé, des mots allemands avaient été
transcrits, pour une traduction inachevée, ces mots, on
eût dit que Jacques venait à peine de les écrire, tels que
les avait ressentis Huldrych Zwingli, au temps de la
Peste, Tröst, herr got, tröst! Die krankheit wachst, we
und angst faßt min sel und lib, Réconforte-moi,
Seigneur, Réconforte-moi, le mal croît, la maladie me

terrasse, mon corps et mon âme en ont été saisis ; les
mots avaient été corrigés, par des ratures, remplacés
par d'autres mots, saisis par l'effroi, l'épouvante, la
frayeur, ô Seigneur, de l'aide, ces mots avaient-ils été
écrits, traduits, pensait la sœur, l'amie, avant l'altération complète de Jacques, pendant que Luc lui
coupait les cheveux, il avait eu cette vision du mouroir
qu'ouvrirait bientôt le pasteur Jérémy, car le cimetière
des Roses débordait de tous ces jeunes gens pour qui
le pasteur allumait chaque nuit des cierges au temple,
les veilles de prières, Tröst, herr got, tröst, ces mots,
Jacques les avait répétés en songeant à ces plaies pesti-
lentielles à l'aine, aux aisselles du poète Zwingli, au
temps de la Peste, quand les guerres de religion divi-
saient les peuples, les hommes, ignorant les uns et les
autres qu'une puce transmise par un rat à l'homme
déciderait de leur sort à eux tous, et qu'était-ce que
cette insatiable soif dans la cabine d'un bateau, comme
dans la chambre d'un hôtel de Paris où, même lorsqu'elle voyageait avec Franz et ses musiciens, elle préservait ce secret isolement dans l'espoir de pouvoir
étudier, lire seule, cet espoir de conquérir pour elle-
même un temps qui ne fût pas que du temps oisif,
désemparé, l'étourdissant de cette sensation de futilité,
de vide vertigineux, n'étaient-ils pas toujours en fête,
de pays en pays, de ville en ville, Franz lisant pendant
le dîner, le soir, à ses amis les élogieuses critiques
d'une œuvre de Schubert brillamment exécutée,
même dans la solitude d'une chambre, d'une cabine
de bateau, Renata n'entendait-elle pas cette œuvre
comme si elle eût été la sienne, ou celle de Franz,
c'était *La Jeune Fille et la Mort* ou l'extrait d'un
concerto de Stravinski, la chambre ou la cabine étaient
le prolongement de ces œuvres où les sons exprimaient soudain pour Renata une mélancolie, une
impuissance, devenues les siennes, elle était cette main

de Franz qui dirigeait un orchestre, dans une salle de concert de Paris, la crainte d'une erreur dans la partition la réveillait la nuit, mais elle n'était pas Franz dirigeant un orchestre, elle n'était que ce fond de mélancolie et d'impuissance d'où rejaillissait sa musique, quand elle se retrouvait seule, se levant pour fumer une cigarette à la fenêtre, parfois cette fenêtre, à Paris, s'ouvrait sur eux qui ne la voyaient pas, ces amants déshérités dans la rue, dont les gestes étaient exquis pour le baiser, l'amour, n'étaient-ils pas comme les amants de Rodin, eux pour qui la bordure d'une rue, d'un trottoir, à Paris, dans la ville déserte, servait de lit, ou quelques instants plus tôt, de table, lorsqu'ils avaient partagé avec leur chien un morceau de viande qu'ils avaient déchiqueté avec leur couteau, soudain, dans cette danse de l'amour, sur un trottoir, contre un mur, avant le retour des marchands de fruits et de fleurs, sous l'éclairage blême d'un lampadaire, ils étaient, dans leur pauvreté, leur indigence, la splendeur de la jeunesse; du haut de sa chambre, sous les toits, Renata voyait leur danse fauve quand pendaient à leurs pieds de grossières bottines aux lacets noirs, et pendant leurs baisers, repassait cette musique de *La Jeune Fille et la Mort,* dans le silence de la chambre, et les amants de la rue étaient comme ces amants qui avaient posé pour les corps sculptés de Rodin, pensait Renata, ils avaient de ces corps l'ardeur sauvage et la véhémence, qui sait si, comme ces beaux jeunes gens de jadis qui avaient posé pour Rodin, ils ne deviendraient pas de destitués vieillards ayant perdu leurs dents, ces modèles de Rodin, qui, de la beauté de ces mains qui les avaient sculptés, n'avaient fait qu'un pas vers la déchéance et la mort, quand *Le Baiser* les représentait éternellement beaux et jeunes, ce *Baiser* de Rodin où s'immobilisaient les corps des amants déshérités, indigents, ils étaient ce baiser de l'éternelle

jeunesse, de l'éternelle beauté, et participant de loin à
leur fugace étreinte, Renata n'entendait-elle pas la voix
de Franz lui dire qu'il ne la désirait plus, ou était-ce
sa hantise que la vieillesse fût toujours trop proche
pour une femme; de cet angle de la fenêtre où elle
fumait debout, elle entendait aussi la musique de *La
Jeune Fille et la Mort,* le chant de son impuissance, de
sa mélancolie, dans la nuit déserte peuplée de quelques halètements de plaisir; et dans ce jardin féerique
près de ses neveux Daniel et Mélanie, pourquoi pensait-elle à lui, Franz, comme à eux, ces amants déshérités, pourquoi revoyait-elle aussi l'Antillais à la porte
du casino, ou pendant sa fuite, son dos brun, ses cheveux dans lesquels il y avait, comme sur ses bras, ses
mains, une poussière, ou une patine poussiéreuse sous
la sueur, ces grains de poussière, cette poudre de
saletés et de sable adhéraient à l'indigence de l'Antillais, à sa destitution, ils étaient sa peau, son odeur, sa
fatigue aussi, car il avait commencé à dormir peu à
peu sur les plages après avoir traîné la nuit autour du
casino, lamentable ombre, ce sable, cette poussière, il
ne les avait plus enlevés de ses cheveux, de ses sourcils,
Renata le reverrait se pétrifiant doucement sous ces
croûtes de poussière, de sable, sur les plages, où par
les nuits froides il se protégerait des intempéries dans
une couverture, la pièce d'étoffe ou de laine serait
imbibée d'eau salée, elle aurait la teinte du sable, ou
cette couleur miséreuse du visage de l'Antillais lorsqu'il avait dit à Renata qu'elle était une femme inso-
lente, parfois, elle le verrait couché au milieu des rues
élégantes près du port, quand dans la somptuosité de
leurs vêtements, les gens iraient vers leurs hôtels, le
casino, il serait couché sur l'asphalte des rues dans ses
vomissures, la pièce d'étoffe ou de laine serait imbibée
d'eau, de sable et d'urine, on marcherait près de lui
sans le voir, dans ses cheveux s'accumuleraient les

grains de poussière, la croûte de saletés et de sable, Renata, en passant près de lui, éviterait de baisser les yeux vers sa déchéance, son indignité, mais le goût de cette poussière, de cette sueur, serait encore sur ses lèvres comme ces mots de haine que l'Antillais avait prononcés en appuyant son visage contre le sien, dans la tension de la lutte, de la colère, dans ce jardin auprès de Daniel et Mélanie, ne craignait-elle pas qu'il ne lui apparût soudain, sous cette poudreuse couverture brune, une pièce d'étoffe ou de laine, une pièce volée dont il se revêtait la nuit, afin que ceux qui sortaient du casino, marchant près de lui, ne pussent le reconnaître, et Mère se demanda à quel moment Mélanie viendrait sur la véranda, au premier étage de la maison, comme cela avait été prévu, son fils Vincent dans les bras, en disant avec fierté, voici mon fils, voyez ses doigts comme des pétales, voici ses petits poings qui s'ouvrent comme la corolle des fleurs, voici ma vie, n'est-ce pas ainsi que cette scène avait été prévue, pensait Mère, Mélanie serait charmante parmi les orchidées, sur la haute véranda au-dessus du jardin, Samuel, dans son costume de serveur emprunté à Julio versant le champagne dans les verres, mais ce souffle, le souffle de Vincent, Mélanie ne disait pas tout à Mère, pourquoi le souffle de Vincent était-il oppressé? Franz, l'un des maris de Renata, pensait Mère, était un compositeur et un pianiste dont Mère se souvenait encore, né à Kiev de parents et de grands-parents musiciens, il avait commencé ses études musicales à l'âge de cinq ans, mais ce n'est pas à Kiev qu'il avait vécu, car son destin n'eût-il pas été celui de ses grands-parents et des cousins de Pologne, né à Kiev, dans une famille noble et éduquée, il avait fait à treize ans ses premières tournées de concerts aux États-Unis, il était étonnant que les compositions de Franz, qui avait été élevé dans l'athéisme de ses parents, fussent religieuses, mais le mystère de l'exode de ses parents vers les États-Unis, le Canada, avait peut-être entretenu en lui ce doute, ou cet espoir fautif, qu'avec la musique un divin pouvoir s'exerçât dans sa vie, était-ce quelque espoir illimité dans son orgueil, ou plutôt ce doute qui rongeait l'âme de Mère, certains pouvaient soudain croire qu'ils étaient aimés de ce Dieu inexorable, peu de temps avant de rencontrer Renata dans une université de Chicago où il terminait ses études, Franz avait écrit une œuvre symphonique inspirée par les psaumes, ces psaumes de l'Écriture que Mère lisait non sans crainte que cette Divine Fureur ne s'abattît sur elle et les siens, Mère pensait que Renata avait peut-être aimé Franz pour son mystère, ce mystère de l'exode avec ses parents loin de Kiev, et quelle merveille fragile, cet enfant, Vincent, encore si fragile sous le duvet des cheveux, Mère en était sûre, Mélanie ne lui disait pas tout au sujet de Vincent. Et cette extrême chaleur, pendant l'après-midi, l'inclination à la torpeur que Mère avait éprouvée quand elle lisait dans le hamac, l'insuccès aussi à convaincre Mélanie de se passionner pour une carrière en politique, sénateur, gouverneur, n'eût-elle pas été très compétente, ces cruels moments d'échec quand le ciel était bleu, par une superbe journée, et pourtant d'une chaleur accablante, la nonchalance ne convenait pas au caractère de Mère, n'avait-elle pas senti cette nonchalance à trois heures de l'après-midi, pendant la sieste d'Augustino, cette nonchalance, cette inclination à la torpeur, n'était-ce pas à cause de Jenny, de sa voix jazzée pendant qu'elle endormait Augustino sur la haute véranda, qu'il dorme, le bel ange, chantait Jenny, avait-il encore trop mangé de sucre pour pouvoir fermer les yeux, Jenny lirait à Augustino une histoire de son album, mais n'avait-il pas encore trop mangé de sucre pour s'endormir, chantait Jenny, c'était la voix de Jenny qui était la cause de cette somnolence de Mère, cette voix jazzée, la chaude cadence de cette voix, et Mère avait pensé qu'un bain dans la piscine lui ferait du bien, elle y serait aussi enfin seule, elle qui ne voulait pas que l'on vît les maladroits clapotements de ses exercices de natation, et après s'être dévêtue de sa jupe-pantalon sévère, du chemisier fleuri de fleurs bleues, du chapeau de paille traditionnel dont elle se coiffait pour les déjeuners avec ses amis, aux terrasses des cafés, des restaurants, lorsque ces amis étaient des femmes, elle tentait de les orienter vers la vie politique, car les femmes, à notre époque, ne devaient-elles pas faire partie du destin d'un pays, Mère avait dérivé vers cette eau verte, rutilante, sous le ciel brûlant, revoyant l'envol oblique du héron blanc au-dessus des vagues, sur la jetée, quel calme, soudain, que ce bruit de l'eau autour de Mère, s'il n'y avait eu la voix cadencée de Jenny, racontant une histoire à Augustino, Mère eût entendu dans le silence le cri perçant des cigales et des oiseaux-chats qui commençaient dès l'aube dans les lauriers-roses, près de sa chambre, l'eau verte avait la fraîcheur d'un ruisseau comme si elle eût été seule dans un bois, quel calme, s'il n'y avait toujours eu la voix de Jenny dans l'air accablant, et s'arrêtant de nager au centre de la piscine, Mère avait été prise de désarroi en regardant les rives de marbre, comme si dans la piscine on l'eût capturée dans cette position ridicule où elle agitait les bras et les jambes dans de maladroits clapotements, qu'en eussent pensé Daniel et Mélanie s'élançant vers la faune sous-marine de la côte de Corail, n'eussent-ils pas pensé que Mère était digne de moquerie, lorsqu'on la voyait ainsi, touchant l'eau du vernis de ses ongles, dans ses clapotements, et Mère n'était plus mince comme l'était Mélanie, sa poitrine n'était-elle pas trop opulente, Mère voyait le tas de vêtements posés avec soin sur une chaise longue

du jardin, quelle dérision, pensait-elle, que faisait-elle
au centre de cette piscine, dans la fraîcheur reposante
de l'eau, à trois heures de l'après-midi, elle eût dit à
Daniel et Mélanie qu'elle savourait pleinement la vie,
par ce beau jour, ce jardin, cette piscine, parmi les
fleurs, n'étaient-ils pas comme ces allées qui s'ou-
vraient sur le paradis, le récitatif, la voix de Jenny
emplissaient l'air, sa complainte, soudain, était celle de
ses ancêtres dans les plantations de coton, Mama me
berçait moi aussi, chantait Jenny à Augustino qu'elle
endormait sur la haute véranda, Mama me disait,
cueille la rose dans les ronces, cueille la graine du
cotonnier, le fruit du café, car c'est l'heure où passe le
maître avec son fouet, mais de telles histoires n'eussent
pas dû être racontées à Augustino, pensait Mère,
Daniel et Mélanie ne précipitaient-ils pas l'éducation
de leurs enfants, Jenny, Marie-Sylvie, Julio, n'avaient-
ils pas tous grandi dans la rue, et lorsque la voix de
Jenny s'était tue sur la haute véranda, Mère avait
entendu le craquement de la chaise de bois dans
laquelle Augustino continuait d'être bercé, les soupirs
de Jenny, ses bâillements de sommeil s'éteignaient peu
à peu, nageant avec prudence, Mère avançait dans
l'eau avec ses mouvements lents, revenant vers le
centre de la piscine, dans le roulement de son désarroi,
elle n'avançait plus, pensait-elle, son mari, ses enfants,
la réalisation de leur carrière, Mère avançait-elle seule
sans eux, n'était-elle pas incapable d'action, Mère pro-
gresserait-elle encore dans la vie, se demandait-elle, au
centre de la piscine, ou ses espérances de progrès,
d'évolution personnelle ne seraient-elles désormais
que des plantes poussant dans le noir? Mère regardait
le ciel en se demandant pourquoi Mélanie demeurait
aussi longtemps près de Vincent, serait-ce cette inquiétude des vents contraires qui souffleraient sur l'océan
pendant la nuit? Il était naturel qu'une Mère fût prise

de cet attendrissement presque charnel pour son nouveau-né, mais Mélanie était trop inquiète pour cet enfant, et captive entre les rives de marbre de la piscine, Mère avait pensé à ces paroles que lui disait autrefois sa gouvernante française, Mademoiselle ne s'excite-t-elle pas trop? Mademoiselle veut se rendre intéressante, ces paroles si peu tolérantes des erreurs d'une enfant de cinq ans, Mère eût aimé les réentendre dans toute leur sévérité, ces paroles étaient justes, Mère avait toujours voulu être remarquée pour l'intelligence de ses répliques dans la maison familiale où, ne savait-elle pas tout déjà, on songeait à envoyer ses frères étudier à Yale, tandis que, même si elle n'était qu'une fillette, on parlait déjà de son futur mariage, la gouvernante avait eu raison, elle s'excitait encore trop en désirant que Daniel et Mélanie voient en elle cette femme assoiffée de vie, d'expériences, pourvu que ce fût à l'intérieur d'une vie bien réglée où on lui eût permis de dormir plus de cinq heures par nuit, n'eût-il pas fallu que la gouvernante française revînt prouver à Mère qu'elle était une vraie personne, qu'elle prît soin d'elle comme autrefois, qu'elle préparât pour elle et ses frères les collations de l'après-midi dans l'herbe, sur ces tables où Mère avait goûté à ces friandises auxquelles elle résistait encore si mal aujourd'hui, au point d'avoir été dans un journal la rédactrice d'un guide des desserts, le gâteau au chocolat aromatisé de liqueur d'abricot était l'une des suggestions de Mère, quant aux pâtisseries à base de farine, de sucre et d'œufs, Mère ne s'en délectait plus depuis que son mari l'avait réprimandée pour les abus qu'elle en avait faits, l'élasticité du régime alimentaire de Mère était peu conforme aux lois de la diététique, et pourquoi se complaisait-elle dans ces pensées sans amplitude quand sa fille n'était plus la même depuis la naissance de Vincent, Mère avait bien connu cette douleur au

bord du dégoût, cette incapacité, mais que se passait-
il donc, Mélanie ne lui confiait rien de ses malaises, et
pourquoi Mère n'avait-elle jamais revu la gouvernante
française à un retour de voyage avec ses parents, cette
absence ou ce renvoi de la gouvernante n'avait jamais
été expliqués, Mère ne lui avait jamais dit au revoir,
jamais elle ne lui avait manifesté son appréciation
après toutes ces années, mais, comme les frères pré-
maturément disparus pendant leurs études à Yale,
n'avaient-ils pas succombé à des maladies aussi bé-
nignes que la varicelle, quelque infection pulmonaire,
après une baignade dans l'eau glacée, la gouvernante
française avait repris sa lointaine route sous son
manteau de drap noir, sa valise à la main, elle était,
parmi les frères, une silhouette happée par le brouillard, vers l'autre passage où Mère ne la reverrait plus,
et c'était donc là cette musique qu'entendait Samuel
dans ses écouteurs, en revenant de l'école sur ses
patins roulants, cette musique que jouait l'orchestre
au fond du jardin, cette musique aux sonorités assour-
dissantes, dont les micros augmentaient le volume,
aux sons des tambours, des cymbales frappées l'une
contre l'autre, Samuel entendait les vagues de la mer,
apprenait ses leçons, les pincements alanguis de la
guitare secouaient ses heures d'étude, de sommeil,
mais où était Samuel depuis que Mère l'avait vu sortir
de la piscine dans le froissement de son kimono de
soie, soulevé par les bras de Jenny, Sylvie, quelle
langueur dans cette nuit aux rythmes délirants, sous
les baguettes du tambour, Mère pouvait-elle espérer
revivre, danser, en imitant les plus jeunes, mais ce ne
serait toujours qu'une imitation, quelle langueur en
cette nuit, ces allées sous les arbres, ces jardins ne
s'ouvraient-ils pas sur le paradis, avec l'ivresse de l'air,
et Renata se souvint de cette creuse sensation de soif,
latente, même en cet après-midi très chaud dans les

rues de la ville, lorsqu'elle s'était arrêtée à un bureau de change, elle écrivait un télégramme à son mari, c'était un bureau aéré donnant sur la rue parmi les badauds, un kiosque improvisé pour les touristes peut-être, où se tenait, derrière un grillage, un homme replié au visage crasseux croulant sur sa paperasse, la creuse sensation de soif n'était-elle pas venue lorsque Renata avait remarqué que l'homme ne daignait pas lever la tête vers elle, de ses amas de papiers, pourquoi eût-il fait attention à elle, même pour l'envoi d'une dépêche, quand elle n'était qu'une femme, le visage crasseux de l'homme s'enfonçait, obscure masse parmi les papiers dans la clarté d'un mur jaune trop éclairé par le soleil, l'homme lui-même, dans son apparence insignifiante, sous les poils noirs de ses joues, n'était-il pas enlisé dans la crasse de ce mur jaune, parmi les moustiques, les insectes, écrasés là pendant le jour, et soudain Renata avait entendu la voix nasillarde d'un perroquet dans sa cage, il semblait répéter pour Renata ces mots, bonjour, comment allez-vous, bonjour, la présence de l'oiseau percheur se frottant aux barreaux de sa cage en rongeant un os de son bec, son abandon, comme s'il n'eût été qu'un paquet de plumes limées oublié par son maître, et non ce splendide oiseau qu'il avait été dans le paradis de sa jungle, autrefois, sans doute était-ce la présence de l'oiseau maltraité qui avait rendu insoutenable la creuse sensation de soif, et Renata avait porté une main à son cœur comme si elle eût cessé de respirer dans l'air suffocant, le perroquet, attaché par les pattes à un fil d'acier répétait encore, bonjour, comment allez-vous, bonjour, moi, je vais bien, et Renata vit ces mots qu'elle écrivait à Claude, leur séparation ne serait plus très longue, écrivait-elle, mais qu'était-ce qu'une femme seule mesurant seule le degré de connaissances, de notions, qui ne seraient acquises que par

elle, c'était là sans doute la raison de ce parcours
disgracieux et souvent humiliant dans les limbes d'une
condition féminine si peu sûre d'elle-même, seule, la
femme se sentait infructueuse, son corps était menacé
de toutes parts, mais ces mots, elle ne les écrirait pas,
l'homme au visage crasseux croulait sur sa paperasse,
de l'autre côté de la rue, une femme chantait dans la
caverne ombreuse d'un bar, hush baby hush baby
don't cry, chaque jour, je me sens mieux, écrivait
Renata à son mari, le fils de Daniel et de Mélanie se
porte bien, mais la creuse sensation de soif ne s'éva-
nouirait-elle pas ici, dans ce jardin, par cette nuit de
fête, les musiciens de l'orchestre étaient tous si charmants, séduisants, ils étaient comme ces bateliers dans
leurs embarcations vénitiennes sur l'eau frissonnante
le soir, d'où provenaient donc ces cris que Renata
croyait encore entendre, les bouches des étudiantes
n'avaient-elles pas été bâillonnées, leurs mains liées
derrière le dos afin qu'aucun son, aucun cri ne fussent
entendus dans ces maisons proprettes d'un campus
floridien où un groupe de jeunes filles, quelques
garçons, s'appliquaient à leurs études, se divertissant
peu en cette saison des examens, comment le trou-
badour de la mort, vêtu de son complet avec cravate
comme s'il fût un homme d'affaires à la voix suave,
vint-il parmi eux tous, ce soir, ou cette nuit-là, les
charmer, les séduire des funestes mélodies de sa voix,
que pouvaient-elles craindre du trouvère amusant,
charmant, de sa voix, de ses chansons, d'une main, il
tenait sa caméra, de l'autre, sa guitare, dans la poche
de la veste de son complet, il effleure avec un plaisir
sadique la lame de son couteau, un couteau de militaire, il l'effleure d'un doigt, de la paume de sa main
qui s'y glisse, elles commencent par l'écouter, il s'en
approche, et vinrent le viol et le crime, le meurtre et
la mutilation, et pendant qu'il les violait, qu'il les tuait,

chacune, chacun, entendit sa voix, la mélodie funeste
de cette voix que scandaient les coups de couteau, les
lamentations, les gémissements, les plaintes des victimes aux lèvres bâillonnées, demain le bourreau
chantant ne se souviendra de rien, les détails sor-
dides de ses viols, de ses meurtres, ne lui reviendront
qu'avec le déroulement du film de sa caméra, comme
s'il eût rêvé cette sanglante théâtralité de ses actes et
l'emplacement, un campus d'étudiantes aux maisons
proprettes, sous les arbres, la scène où il serait l'acteur
de péripéties, de drames, plus ignobles les uns que les
autres, qui sait s'il n'avait pas vu en rêve le couteau
qui avait appartenu à un soldat, de ce couteau dans les
champs de riz, un infortuné soldat, coupable de
grands massacres lui aussi, avait ouvert le ventre des
petites filles et de leurs mères, l'assassin chantant,
tuant au rythme de sa voix veloutée un étudiant
pendant son sommeil, ne le retourna-t-il pas ensuite
sur le côté pour mieux voir ce profil soudain si pâle
dans les rayons de la lune, violant ensuite, et les tuant
toutes, cinq jeunes filles, l'assassin avait le vol accéléré
d'un ange avec son couteau qu'il plantait droit dans
les cœurs, les échines se cassaient, les cous se brisaient,
déjà frêles et longs, ces cous qui seraient longtemps
inclinés sur des livres aux pages couvertes de sang, sur
des pupitres de collégiens, des tables où s'empilaient
sous une lampe des travaux de lecture, aucun d'eux
pourtant, si ardue qu'eût été la lutte avec l'ange,
n'obtiendrait son diplôme de fin d'études, sous le
regard attendri de ses parents, de ses professeurs, ce
n'est qu'aux jours du procès que le meurtrier chantant
se souviendrait de ses actes dans de lancinants cauchemars, car la caméra minutieuse lui apporterait les
images agrandies de ses crimes, ici, une jambe qui
pend d'un lit, là, une bouche qui semble encore
respirer comme une rose, des boucles de cheveux

voilent des regards de biches aux aguets, le bouquet des jeunes vies pillées, rejetées, dans des draps, sur un parquet, près de chaises renversées, contre la table de travail, et même le café, la tasse de café absorbée à deux heures, pendant une pause, conserverait l'empreinte gourmande de la vie, l'écume du café attiédi mouillant encore la tasse, mais, pensait Renata, le cas du chansonnier-tueur se livrant au carnage des jeunes filles sur un campus floridien, n'était-il pas un cas parmi tant d'autres, car de la naissance à la mort la vie d'une femme était vouée à l'immolation, voici que les juges, examinateurs professionnels de la conscience, cherchaient à comprendre la cause de cette immolation sur un campus floridien et, pas plus que le meurtrier, ils ne comprenaient comment cela avait pu se produire, ces calamités pesant sur la conscience d'un seul homme plutôt banal, cet homme sans courtoisie qui entrait dans les maisons, les dortoirs des kibboutz, un simple chansonnier et sa guitare, ici, et la peine capitale était demandée par le jury, serait-ce la chaise électrique ou l'injection létale, comme pour le prisonnier du Texas, si séduisants, si charmants, ces jeunes gens au fond du jardin, dans l'orchestre, Renata croyait entendre ces cris, ces gémissements s'exhalant des lèvres bâillonnées, des poitrines des étudiantes lacérées au couteau, par une belle nuit de juin, si elle eût été juge, oubliant ses principes, ne l'eût-elle pas condamné, elle aussi, mais cela eût été en vain, les étudiantes n'obtiendraient pas leurs diplômes de fin d'année, et leurs visages cachés entre leurs mains, dans ces tribunaux, ces assemblées de juges, les mères inconsolables pleuraient celles qu'elles avaient enfantées, et parmi ces cris, ces plaintes, ces pleurs et ces sanglots, Renata entendait passer la liturgique musique de *La Jeune Fille et la Mort,* sur chacun des cadavres, sur ces lèvres où n'affluait plus la couleur

vermeille, s'étendait tel un drap mortuaire, la liturgique musique de Schubert, la jeune fille et la mort,
der Tod und das Mädchen, la jeune fille et la mort. Et
Franz pénétrait soudain durant la nuit dans cette
chambre secrète où s'était retirée Renata, dans un
hôtel de Paris, il semblait à l'étroit dans son costume
de chef d'orchestre, la veste, le pantalon noir, la chemise d'un blanc éblouissant, ses cheveux tombaient en
désordre sur ses yeux noirs étincelant dans l'ombre,
furieux qu'elle se fût ainsi éloignée de lui, il s'était
enivré avec ses amis, avait perdu beaucoup d'argent au
jeu, mais il était ainsi fait, expliquait-il à Renata, c'était
un homme sauvage de tempérament excessif, il bre-
douillait des excuses en disant qu'il aimait Renata, elle
le repoussait, lui disait de sortir de la chambre, der Tod
und das Mädchen, le concert de Franz avait reçu les
éloges de la critique, une ovation dans la salle, Renata
ne connaissait-elle pas les crises de son mari, après un
concert, pourquoi n'eût-elle pas eu pitié de lui, il
refermait sur elle son étreinte, c'était un sauvage,
pensait-elle, même lorsqu'il dirigeait l'orchestre avec
les nuances expressives de son art, il avait encore cet
air berbère, cette flamme noire dans le regard, s'il était
venu dans cette chambre, pensait Renata, c'est qu'il
avait entendu les cris de plaisir des amants de la rue,
le cri de la femme, debout contre un mur, un cri soutenu inondant de son écho la ville déserte dans la
brume des quais, c'est cet appel stimulant le désir,
énervant les sens comme les tourbillons d'un vent
chaud, qui avait fait accourir Franz dans son ivresse
jusqu'à la chambre de Renata, pas plus que dans la
cabine du yacht, lui avait-elle souvent dit, jamais
lorsqu'elle était seule, il n'eût dû venir la contrarier de
son insistance, mais tout à l'excitabilité de son désir,
il ne l'écoutait pas, son imagination lui ramenait,
comme à la mémoire de Renata, le cri décuplé des

amants de la rue, et si elle avait consenti au caractère sauvage de son amour pour Franz, ce soir-là, n'était-ce pas parce que l'humble manucure lui avait dit, lorsqu'elle s'apprêtait à ces soins d'élégance pour aller au concert avec Franz, le soir, qu'elle était belle, songeant à ce que Franz lui avait dit la veille, n'était-elle pas un peu vieille pour lui, elle avait pleuré, laissant couler sans honte les larmes sur ses joues, comme si elle eût livré ainsi son secret à une femme qui ne connaissait rien d'elle, qui jamais ne la reverrait dans cette ville, soudain, dans le dénuement de ces larmes, la peine occupait entièrement l'espace de la chambre secrète pendant que Franz posait son visage contre le sien, l'étourdissait de la flamme noire de ses yeux, der Tod und das Mädchen, disait-il, cette musique, bien qu'elle exprimât une telle vénération du sacré, était une musique sensuelle, de ses lèvres charnues, il embrassait le cou de Renata, elle voyait briller ses dents blanches, comment lui avait-il parlé de la syphilis de Schubert, des six messes écrites la même année que *La Jeune Fille et la Mort,* atteint d'une maladie vénérienne, rabougri, bien qu'il fût jeune, par la misère, la pauvreté, Schubert avait été rongé par de persistantes fièvres pendant ses promenades dans les jardins viennois, il avait entendu ces voix célestes qui l'aideraient à oublier le travail en lui du chancre syphilitique, der Tod und das Mädchen, disait Franz à Renata, si près d'elle, d'une voix qui se durcissait lorsqu'il parlait de ces femmes jeunes, mais déjà flétries, qu'avait peut-être fréquentées Schubert dans les maisons de débauche, en Europe, la musique de Schubert ne trahissait-elle pas cet élan sublimé vers les plaisirs de l'amour qui avaient peut-être été les seules joies de sa vie, vie d'incompréhension et de pauvreté, der Tod und das Mädchen, n'était-il pas distant soudain, parlant une autre langue afin qu'elle ne comprît pas que

ce portrait de Schubert qu'il traçait pour elle était un
peu un portrait de lui-même, elle y reconnaissait la
solitude, la pauvreté de l'exode loin de Kiev avec ses
parents, les tavernes de ces villes d'Europe où il avait
été violoniste à l'âge de douze ans, et même ces maisons de débauche où l'amour s'était pour lui associé à
la mort, le plaisir sexuel à la crainte de la syphilis,
lorsqu'il avait vu comme le jeune Schubert dans un
miroir, au-dessus de la bouche rieuse et fraîche qu'il
embrassait, le reflet de sa propre mortalité, la jeune
fille et la mort, der Tod und das Mädchen, et c'est ainsi,
ce soir-là, pensait-elle, qu'elle n'avait pu se défendre
du caractère sauvage de son amour pour Franz, qu'elle
ne l'avait pas écarté de la chambre secrète où emmê-
lant leurs destins ils avaient entendu les cris des
amants de la rue, le cri soutenu de la femme se perdant
peu à peu telle la poignante fin d'un chant dans les
brumes de la ville déserte. Et les lampes allumées dans
le jardin, la musique et les scintillements de la nuit de
fête avaient réveillé Augustino que Jenny rattrapait par
les pans de sa cape de surhomme, sous l'oranger aux
oranges amères, les cris pointus d'Augustino irritaient
les oreilles de Mère, comment, il était plus de minuit
et on ne l'avait pas encore couché, ne se sauvait-il pas
dès que Jenny contournait l'arbre dont les longues
branches ployaient sous les fruits lourds, la surveillance de Jenny auprès des enfants n'était-elle pas un
peu distraite, pensait Mère, elle jouait avec Augustino
plus qu'elle ne le surveillait, lui touchant parfois la
joue, les tempes menues sous les cheveux en sueur, il
n'irait plus dormir seul là-haut dans cette chambre,
sans ses parents, criait Augustino, non, jamais plus,
deux autres jours, deux autres nuits, il bondirait dans
l'herbe du jardin, sous sa cape flottante, depuis que
maman avait ce nouveau bébé, elle ne pensait plus à
Augustino, mais moi je t'aime toujours autant, disait

Jenny en caressant les tempes, le front d'Augustino,
tiens, tu es là, il me semble que je sens sous mes doigts
le front, les yeux d'Augustino, je crois que sa figure
chaude se presse contre ma main, est-ce bien toi,
Augustino, les cris perçants d'Augustino recommen-
çaient, je veux dormir avec elle, maman, ma maman,
criait Augustino, n'était-ce pas ainsi tous les soirs,
pensait Mère, depuis la naissance de son frère, cet
enfant refusait de monter à sa chambre le soir, et
soudain Augustino, amusé, disait à Jenny qu'elle ne le
voyait pas, car il était sous un arbre, Jenny emportait
Augustino dans le bruit de sa cape flottante, elle le
hissait très haut, à la hauteur de ses épaules, disait-elle,
afin qu'il ne songe plus à s'enfuir, Augustino poussait
encore des cris qui résonnaient aux oreilles de Mère,
même si elle se tenait loin de lui, jetant des regards
rapides vers ce sentier sous les jets d'eau qui l'eût
conduite à sa chambre et au sommeil tant mérité,
pensait-elle, les cris d'Augustino, pleins de cette
vitalité des très jeunes, pensait-elle, lui rappelaient que
son devoir était d'être debout, du moins jusqu'à la fin
de cette première nuit de fête, mais qu'y avait-il donc
de l'autre côté de la rue, au-delà du portail qui
semblait ainsi retenir l'attention de Jenny, Mère ne
voyait personne, sinon que Jenny, immobile devant la
clôture du jardin, semblait hypnotisée dans une
attitude craintive, il y a une ombre de l'autre côté de
la clôture, dit Jenny, qui était cette ombre dont la tête
sournoise se dissimulait sous une cagoule, qui était là,
et Daniel vit Jenny qui s'enfuyait avec Augustino, il se
souvint de l'Ombre de l'autre côté du mur, des chuintements hostiles dans la nuit, dès qu'ils furent seuls sur
la large véranda, Jenny reprit l'histoire qu'elle racontait à Augustino pour l'endormir dans la chaise de
bois, dors, mon ange, chantait Jenny, comme aux pieds
de Jésus, d'ici, comme me chantait Mama, nous

n'entendons plus les méchantes clameurs, sois bercé
par le chant des cigales, dors, mon ange, aux pieds de
Jésus, et tout en prononçant ces paroles, Jenny voyait
le spectre coiffé d'une cagoule dont elle avait cru sentir
le souffle sur ses épaules, tous ils dansaient, buvaient
près de la piscine, pensait-elle, quand le spectre était
là, était-ce une femme au visage bouffi et rouge qu'elle
avait vue de l'autre côté de la clôture, Augustino jouerait sous un arbre quand une main de fer se refermerait sur lui, non, Jenny n'avait rien vu, c'était ce
souvenir du passé de Mama, ce sang qu'elle voyait
partout, dans ses pensées comme dans ses rêves,
depuis qu'elle avait dénoncé le shérif, n'était-elle pas
trop visible, surtout dans cette animale sensualité que
révélaient tous ses gestes, partout on la repérait, même
lorsqu'elle berçait Augustino sur la large véranda, les
passants ne savaient-ils pas que c'était elle, cette
femme noire qui avait dénoncé le shérif, il viendrait
jusqu'ici, il sortirait de ses marécages, de sa brousse
où il tuait l'aigle et le cerf, il la reprendrait dans ses
plantations, ses terres, oh, dors, mon ange, comme aux
pieds de Jésus, et que ne viennent pas vers nous ces
méchantes clameurs, murmurait la voix de Jenny, dans
l'air du soir bruissant de sons que recouvrait de leur
tapage strident le chant des cigales, cette Ombre, qui
était-ce tendant sa main de fer vers le cou d'Augustino, dans le gonflement de sa cape pendant qu'il
courait sous l'oranger aux oranges amères, cette
Ombre, n'était-ce pas celle du shérif, les ombres re-
doutables de ses amis, marins, chasseurs, fantômes à
cagoule qui hantaient jadis les marécages des bois,
décimant le Noir, le pendant aux arbres, cadavre
boueux saignant au soleil dans une nuée de moustiques, l'Ombre s'étendait partout sous le ciel cuisant,
cette Ombre était-elle de retour, non, Jenny, bien
qu'elle tremblât encore de peur, arborait son destin

comme un étendard, n'avait-elle pas eu le courage de
dénoncer le shérif, même lorsqu'elle n'était qu'une
servante de sa maison, pour ses misérables attentats à
la pudeur sur des filles noires, et ces officiers de la loi
ne lui avaient-ils pas dit, lorsqu'elle s'était plainte,
qu'un shérif a toujours raison, Jenny ne provoquait-
elle pas à la vengeance un homme respecté par les
siens, Jenny ne regrettait rien, pensait-elle, elle avait eu
le courage de dénoncer le shérif, elle le ferait encore,
méfiez-vous de cette fille, Jenny, disait le maire, à
Daniel, à cause d'elle un shérif a été mis en prison,
mais Jenny tremblait encore de peur, car ils sortaient
des marécages, de la brousse, le fusil à la main, et
soudain une Ombre apparaissait, gigantesque, auprès
d'un enfant occupé à ses jeux, et sous l'Ombre se
dessinait le contour d'une main de fer prête à blesser,
lacérer, la main du prédateur, une main humaine qui
étranglait indifféremment le renard, le lapin, déca-
pitait l'homme, Jenny serait plus tard l'une de ces
héroïnes dont elle relisait souvent la défiante histoire,
dans son album, bien que pour les Blancs ces héroïnes
ne fussent que des vestiges, pensait Jenny, leurs
photographies dans les journaux étaient entourées
d'un trait de cendres, elles étaient de retour dans ces
limbes de la ségrégation, de l'oubli, où elles avaient
toujours vécu, n'est-ce pas Mélanie qui avait raconté
leur histoire à Jenny, née en 1823, Mary Ann Schadd
Cary avait été la première femme journaliste noire du
continent nord-américain, elle avait publié au Canada
le premier journal contre l'esclavage, elle avait fait
appel à l'héroïsme, à l'amour de la justice des Blancs,
mais sous les visages de Mary Ann Schadd Cary, la
première journaliste noire, comme sous les photographies de Crystal Bird Fauset, spécialiste des relations
raciales en 1938, leader d'un parti démocratique à
Philadelphie, ou d'Ida B. Wells Barnett, l'éditrice d'un

journal pour la liberté d'expression, de Nina Mae McKinney, première actrice noire dans les théâtres de New York, d'Ida Gray, première femme chirurgien dentiste noire à Cincinnati, pourquoi tous ces visages entourés d'un trait de cendres étaient-ils encore violentés au-delà de la mort, comme ils l'avaient été pendant leur vie, car passaient encore sur eux l'outrage et le rejet, si près encore, le souvenir de leur croisade contre le lynchage, violentés, ces visages exigeaient que l'outrage fût réparé, après tous ces ans, sous le trait de cendres, combien coulait de sang, comme dans les rêves de Jenny, même si elle était ici à l'abri sur la large véranda, endormant Augustino avec les naïves chansons de Mama, y avait-il pour elle une place dans le paradis des Blancs, à part chez Daniel et Mélanie, car l'Ombre rôdeuse était de retour, on entendait les chuintements, les mots sifflés dans des crachats, d'une femme, d'un homme, d'un enfant qui disaient de l'autre côté du portail, à travers les branches de l'oranger aux fruits acides qui seraient bientôt noircis par le soleil, ces mots, ces chuintements que Jenny entendait encore, rentrez chez vous, nous allons tous vous lyncher, mais dors, mon ange, chantait Jenny, et que ne viennent plus vers nous ces clameurs, car il est mort pour nous aussi, celui qui est mort sur la croix, et dans les soupirs, les lamentations de cette voix jazzée, Augustino fermait les yeux car c'était la nuit, et bientôt Mère vit Jenny gravir l'escalier extérieur, Augustino mollement endormi dans ses bras, lui qui avait été si turbulent toute la soirée, cela semblait irréel qu'il fût soudain sage, ses bras retombant de chaque côté du cou de Jenny, dans cette position où l'avait surpris le sommeil, Mère marcha seule vers la piscine, certes, pendant qu'elle nageait, cet après-midi, pensait-elle, il lui avait paru que les plus beaux jours de sa vie étaient ces jours d'une époque plutôt an-

cienne lorsqu'elle avait éprouvé une hâte si vive de se
lever le matin, à l'âge d'Augustino ou un peu plus
vieille, encore sur les genoux de la gouvernante française, elle entendait de la bouche de cette femme
sévère qu'elle aurait un bel avenir, elle apprenait si
bien les langues, ses parents ne l'enverraient-ils pas un
jour faire de hautes études en France, à la Sorbonne,
ou bien la gouvernante avait-elle voulu communiquer
à une petite fille riche l'espoir de ses rêves nés d'une
existence asservie, oui, avait dit la gouvernante d'une
voix très assurée soudain, Mademoiselle Esther
apprend si vite, elle pourrait aller étudier un jour dans
une grande université, dans mon pays, et ainsi, je
pourrai la revoir, mais je serai bien vieille, à ma
retraite, ou bien, comme beaucoup de vieilles personnes, je ne serai plus de ce monde, mais il ne faut
pas que Mademoiselle s'excite trop, qu'elle dérobe à
ses frères leurs collations à la crème, Mère entendait
la voix sévère de la gouvernante, serait-elle à jamais
inconsolable de cette disparition, mais ce voyage en
bateau avec ses parents ne lui avait-il pas semblé trop
long, d'une longueur suspecte, n'eût-elle pas dû
prévoir, à la lenteur de ce voyage près de ses parents,
qu'un drame, un arrachement assombrirait l'aube de
sa vie, l'idée de la gouvernante que Mère un jour serait
une femme indépendante, étudierait dans une université en France, cette idée n'avait-elle pas longtemps
nourri l'espérance de Mère, la réjouissant d'une pers-
pective de liberté inimaginable pour une femme, dans
son milieu, mais qu'était-ce que l'obtention de diplômes, il est vrai que Mère avait été passionnée par
ses études en sciences politiques, et plus tard, par ses
études d'ingénieur, mais qu'était-ce que l'obtention de
diplômes quand l'Europe serait bientôt embrasée par
la folie de dictateurs atteints de sénilité, quand des
milliers de jeunes gens s'apprêtaient à mourir pour

eux, n'était-ce pas insensé que Mère n'eût songé alors qu'à revenir en Amérique pour fonder une famille, car la vie serait toujours plus forte que la mort, longtemps elle avait porté dans son cœur ce rêve de concevoir Mélanie, Mélanie, une nouvelle naissance dans un monde purifié, ne fallait-il pas attendre que ce monde devînt mois sanglant pour un jour concevoir Mélanie, et aujourd'hui Mélanie avait plus de trente ans, elle était mère de trois fils, des études en sciences politiques, qu'était-ce que l'obtention de diplômes quand Mère, soudain, avait connu la honte de sa démission, telle l'haleine d'une lointaine décomposition sur les joies de sa vie, toujours au bord de sa conscience, le vague souvenir des cousins de Pologne l'avait attristée, eux aussi eussent souhaité venir étudier en France plutôt que de se retrouver dans un établissement d'enseignement supérieur, mais l'impondérable folie de ces hommes ne les avait-elle pas conduits près de ces marais de la Dachauer Moos où, dans des camps construits pour eux, ils avaient été déportés, exterminés, qui était Mère devant le mystère de ces drames, l'immensité de ces tragédies, n'avait-elle pas pensé, pendant qu'elle marchait avec Samuel et Augustino sur la haute jetée, au-dessus du tumulte des vagues, qu'elle n'était qu'une poussière sur laquelle souffleraient bientôt les vents éternels, mais tout était bien ainsi, cette poussière, cette vie avaient été réglées par une puissance invisible, car tout était bien ainsi, sans doute, peu à peu, cette poussière, cette vie, succomberaient à un déclin progressif, telle était la volonté de cette puissance qui réglait tous les mouvements des hommes, Mère n'était-elle pas dépourvue de réponses devant le mystère de sa vie et de celle de ses enfants et petits-enfants, comme ces visages de beaux indigènes qui, dans les tableaux de Gauguin, se tournent vers le ciel rose de leur paradis en disant, où allons-

nous, que deviendrons-nous, pourquoi sommes-nous
sur cette terre, depuis longtemps déjà, ces visages
dormeurs des îles chaudes, ces corps dénudés que frôlait de ses arômes la brise tropicale, n'étaient plus bercés par la sensualité de notre monde, là où ils étaient,
se posaient-ils encore cette question, qui sommes-
nous, où allons-nous, chacun d'eux n'était comme
Mère qu'une poussière sur laquelle soufflaient les
vents éternels, voguant vers l'horizon, et chaque
matin, chaque nuit, sur la haute jetée, le héron blanc
s'élevait d'un vol oblique en un lent et majestueux
déploiement de ses ailes, de la plate-forme d'une jetée,
d'un radeau, sur les vagues, Mère éprouvait alors
l'ineffable joie d'une vie sans frontières, illimitée,
n'était-ce pas là devant elle, il ne lui suffisait, pour ressentir cette joie, l'apaisement d'une harmonie retrouvée, que de se recueillir dans la solitude, et soudain,
que ce fût la nuit ou le jour, seule, au bord de l'océan,
il lui semblait que les dieux venaient à sa rencontre
pour lui murmurer à l'oreille ces mensonges, je te
reconnais, je sais qui tu es, moi, car je suis ou nous
sommes les auteurs de ta vie, la pensée de ces dieux
taciturnes laissait Mère à ses songeries sur la brièveté
de l'existence, la douceur de l'air qui l'enivrait de ses
fragrances sucrées comme lorsqu'elle était dans le
jardin de Daniel et de Mélanie, savourant les parfums
des oranges et des citrons mûrs, et le parfum tenace
de cet arbre que l'on avait planté pour Samuel, cet
arbre fruitier venu des autres îles et qui portait le nom
de dame de la nuit, car ses fleurs n'étaient écloses que
pendant la nuit, n'était-ce pas ce parfum qu'elle respirait maintenant, se disant qu'une exotique plante
japonaise eût donné ici une note apaisante, dans ce
décor du jardin qu'elle ne cessait de parfaire, de com-
pléter, comme l'intérieur de la maison, qui lui paraissait trop lourd, là, sur le patio, il eût fallu la parure de

quelques oiseaux de paradis, dans un vase, sur une table, et l'éclatante floraison des bougainvillées contre la porte du pavillon près de la piscine, mais qui consultait Mère dans cette maison, elle n'était qu'une poussière sur laquelle souffleraient bientôt des vents éternels, et pourtant, elle avait vu le héron blanc déployer ses larges ailes vers le soleil couchant sur la mer, et elle avait pensé, lorsque tout sera accompli, tout sera bien ainsi, tout sera bien ainsi, soudain, elle n'était plus aussi lasse qu'au début de la nuit, c'était sans doute parce qu'elle n'entendait plus les cris d'Augustino ; un étrange jeune homme venait de franchir le portail du jardin, sans que Daniel le vît entrer, qui était-il, était-ce un mendiant au sourire ambigu, sous un chapeau mexicain, sa peau était d'un brun mat, l'expression de ses yeux était vague, mais dès que ces yeux se fixaient sur vous, ils étaient d'une solliciteuse cruauté, qui était-il, pensait Mère, encore l'un de ces êtres réduits à de fourbes mendicités à qui Daniel et Mélanie offraient le gîte, bien que tous les deux n'eussent pas remarqué le personnage à l'affût parmi leurs nombreux hôtes, les habits du jeune homme étaient de la même couleur mate que sa peau, il tenait un bâton dont l'extrémité était munie d'une mince lame argentée, ce bâton, dont la pointe avait été affublée de guirlandes rouges en papier, eût pu ressembler à un coquet ornement si Mère n'eût aperçu la lame argentée qui brillait dans la nuit, sous le poids des guirlandes que remuait la brise chaude, Marie-Sylvie, que l'on appelait aussi Sylvie, longea subrepticement le mur du patio, elle remit à l'homme un paquet qu'il jeta dans une poche brune accrochée à son épaule, de cette poche entrouverte se dégageaient des effluves de victuailles pourries, de gênantes odeurs, d'un air peiné, Marie-Sylvie adressa à l'homme quelques mots auxquels il ne répondit pas, puis elle courut vers la maison en évitant d'être vue, qui était cet individu, pensait Mère, le mari de Sylvie, un frère, un ami, comme elle, réfugié au loin, celle qui s'appelait hier dans son pays Marie-Sylvie de la Toussaint avait été la seule à voir cette nuit-là ce que voulait capturer l'expression de ces yeux fixes, sous un chapeau mexicain, l'ami, le frère, lui était aussi familier que ces Blancs Cavaliers de la mort, soldats ou jeunes gens armés qui seraient bientôt tués à leur tour par les noirs escadrons qui les guettaient, sous les palmiers, dans la cité du Soleil, cité de l'endeuillement et de la tristesse quand s'entassaient sur le port, près des plages caressées par les vagues, entre deux vallées d'immondices, des sentiers d'égouts, les cadavres qu'on n'avait plus le temps de recueillir pour les enterrer, le mari, le frère, l'ami, celui qui avait pu s'évader sur un bateau, il était là tout près dans ce jardin, pensait Mère, l'expression fixe de ses yeux, Sylvie, ne l'avait-elle pas tout de suite reconnue, était celle de sa démence, il appartenait, ce frère, ce mari, cet ami, ce fantôme d'un homme, à une secte redoutée dans l'île pour ses sacrifices d'animaux, dans les cimetières, et sans un battement de cils, les yeux du jeune homme ne les avaient-ils pas tous aussitôt vus, saisis, ceux qu'il eût aimé détruire sur l'autel de ses sacrifices, sur ces pierres tombales chargées de roses, ces proies si tendres qu'il serait facile de couper, d'entamer, les perruches de Samuel et d'Augustino endormies jusqu'au matin dans la volière, sous le toit de la large véranda, les poussins, les lapins, les chats, les chiens de la maison, ces animaux domestiques qui étaient des rois quand les hommes étaient tellement à plaindre, mourant dans les égouts, sous un soleil torride, Jenny, qui sait, la seule en ce jardin, avait reconnu l'expression dévorante de ces yeux sur qui tombait le voile de la déraison, une démoniaque fixité qui n'était explicable que par le malheur, Marie-Sylvie avait reconnu le fantôme affamé du jeune chasseur qui était peut-être son mari, son frère, son ami, courbée par le chagrin, elle avait fui, car la cité du Soleil avait perdu toute sa lumière, jamais plus elle ne serait radieuse, ses enfants ne riaient plus, ne versaient plus de larmes, et elle n'avait pu faire autrement que de donner ce reste du festin encore chaud à celui qui avait un comportement équivoque, comme si elle eût voulu lui faire oublier les mauvais desseins de la nuit, ce jeune homme qui était son ami, son mari ou son frère, et qui avait soudain une terrible fixité dans ses yeux, comme sur son visage mat, Mère vit de nouveau briller la lame à l'extrémité du bâton, sous les guirlandes rouges, le jeune homme s'en alla par le portail, et Mère soupira de soulagement en se demandant si elle n'avait pas rêvé, ses pensées revenaient à la décoration du jardin, de la maison, à la préparation de desserts à la vanille pour les petits-enfants, son mari ne lui avait-il pas rapporté d'un voyage à Panama un vanillier, elle extrairait de ses fèves la précieuse essence parfumée, les fleurs jaunes de l'orchidée grimpante envahiraient bientôt les jardins, les clôtures des cours, ces parfums des épices, de la vanille, regorgeraient plus encore de leurs arômes avec la hausse de l'humidité du printemps et de la chaleur, à l'approche de l'été, ne fallait-il pas s'émerveiller qu'il y eût soixante-dix espèces de vanille et que Mère ne connût que cette plante aux racines aériennes que lui avait rapportée son mari, de Panama, les enfants appréciaient surtout les gâteaux au chocolat et à la vanille, accompagnés de framboises fraîchement cueillies, ou appréciaient-ils encore ces desserts, depuis qu'ils avaient grandi, et Mère vit deux petites filles sauter par une lucarne sous le toit de la maison, Jenny leur dit de descendre, qu'elles réveilleraient le bébé, et que faisaient-elles là, et Mère, en entendant la voix de Jenny parler fermement aux petites filles, se souvint encore de sa gouvernante, comme Mère, ces enfants obéissaient à leur mère, à leur gouvernante, dans leur tenue endimanchée, ce n'était donc que le début de la fête, pensa Mère, avec tous ces enfants se manifestant partout si tard, dans l'embrasure des portes, des fenêtres de la maison, dans leurs robes parées de bijoux, toutes aussi jolies que leurs mères, ne voyait-on pas que ces enfants étaient fortunées et déjà insolentes, promptement, toutefois, elles avaient obéi au commandement de Jenny, l'une d'elles dit que Samuel avait une fiancée qui s'appelait Veronica Lane, elle avait lu ses lettres d'amour, quelle exubérance, quelle santé, toutes ces enfants, près de Jenny, ces fleurs qui ne seraient écloses que dans la nuit, comme les fleurs de l'arbre qu'on avait planté pour Samuel, cette année, semblables à des lys blancs, Mère revit le jeune homme, ses yeux, la fixité de son sourire, ces pensées malheureuses, pourquoi, pensait-elle, était-ce à cause du vide ressenti cet après-midi, au milieu de la piscine, pendant que Jenny berçait Augustino sur la large véranda, c'était donc vrai comme le disait cette enfant, Samuel était amoureux d'une actrice qui jouait avec son père au théâtre, c'est Samuel qui avait entraîné les petites filles vers la lucarne, sous le toit de la maison, Mère l'aperçut qui balançait ses jambes sous le toit, par la lucarne, peu de temps encore après ses plongeons dans la piscine, il frissonnait sous son court kimono se soie, était-ce la fraîcheur qui tombait sur lui ou ces frissons d'un plaisir réservé, pudique, quand déferlaient dans le jardin les rires étouffés des filles, ces frissons, pensait Mère, sous le kimono de soie, les tapotements de ces doigts, de ces mains, de toutes ces petites filles sur le cou, la poitrine de Samuel, Mère n'avait-elle pas perçu la maladresse de ces premiers jeux de l'amour, de ces contacts timides, quelle douceur que cette peau de Samuel, disaient-elles en riant, dommage qu'il n'eût que onze ans, les amènerait-il avec lui sur son bateau, dimanche, et l'une des enfants avait coiffé la casquette de marin de Samuel, en disant, il est amoureux, il est amoureux, et dans la chambre aux stores baissés, Vincent dormait et sa respiration semblait calme, Mélanie, souvent, venait se pencher sur lui, gravissant l'escalier en courant, y avait-il assez de ventilation, demandait-elle, à Sylvie, à Jenny, n'était-ce pas l'heure du remède, toutes écoutaient ces tremblements de la cage thoracique de Vincent, qu'on ouvre légèrement les stores, mais très peu, une poussière végétale pouvait être fatale, et Jenny posait sa main sur l'épaule de Mélanie, retournez en bas, disait Jenny, c'est un bon petit garçon, disait Jenny, il dort, comme aux pieds de Jésus, rien ne doit paraître de ton inquiétude, eût dit Mère à Mélanie, parmi ses invités et ses amis, rien ne devait paraître, et Mélanie était d'une élégance naturelle et il lui semblait que rien ne paraissait parmi ses invités de cette grave inquiétude, donc, Samuel était amoureux de Veronica, pensait Mère, mais elle avait bien dix ans de plus que lui, elle jouait le rôle d'Ophélie, les appels téléphoniques le soir à Veronica à New York, les lettres d'amour écrites sur l'ordinateur de son père, tout, les petites filles avaient tout raconté à Mère dans le jardin, et s'adressant à elles comme à de grandes personnes, Mère avait demandé pourquoi elles éprouvaient ce besoin de trahir les secrets de Samuel, parce que nous l'aimons, avait répondu l'une d'elles qui portait la casquette de marin de Samuel, comme si elle eût été une femme, parce que je l'aime, dit-elle, et Mère vit Samuel, balançant les jambes sous le toit, égayé par ce babillage mais fermé sur son secret, Ophélie, comme il l'avait vue au théâtre, se noyant sur un lit de fleurs, Veronica jouant Ophélie avec son père dans le rôle d'Hamlet, de magiques décors s'érigeaient pour

Samuel, le château d'Elseneur, les forêts du Danemark, des dédales d'eau et de pierre, les récifs, dans ces îles, ces péninsules où naviguait Ophélie sur son radeau fleuri bordé de dunes neigeuses, ah, pourquoi vivaient-ils tous en ce pays insulaire, quand, hier, Veronica était toujours près de Samuel, au théâtre, ne venait-elle pas déjeuner à la maison, avant une répétition, une course dans les rues de New York, dans sa voiture filante, n'avait-elle pas présenté à Samuel Maximilien, l'acteur prodige de douze ans que l'on voyait sur tous les écrans, celui dont le salaire s'élevait à plus d'un million de dollars par an, et un jour cela t'arrivera à toi aussi, avait dit Veronica, plus d'un million de dollars par an, et papa avait décidé qu'ils iraient tous vivre ailleurs, Samuel, comme Veronica et Maximilien, deviendrait-il lui aussi victime de ce matérialisme accumulateur de notre temps, tous, ils iraient vivre dans une île, était-ce pour lui, Samuel, ou pour Vincent, ce souffle de Vincent, qu'ils vivaient tous ici, loin de Veronica, était-ce là les pensées de Samuel, pensait Mère, quand le verrait-on tous les soirs sur l'écran comme Maximilien, Mère n'avait-elle pas vu la photographie de Maximilien, l'acteur prodige de douze ans, sur sa table de chevet, quelle exubérance, quelle santé, tous ces enfants, aux embrasures des fenêtres, des portes, Mère ne regrettait plus de passer quelque temps avec ses enfants et ses petits-enfants, tout était bien ainsi, pensait-elle, tout était bien ainsi. Et au bras de cet homme aux cheveux grisonnants, Renata n'avait-elle pas accepté qu'elle danserait cette nuit au rythme de ces pas lents, accordant à l'inconnu sa confiance, pendant que son regard impatient de désir se poserait sur eux, ce chœur de jeunes gens dans leurs blancs habits sophistiqués, ces musiciens de l'orchestre qui continuaient d'éveiller en elle le même ravissement, la même extase douce, exaltée par la chaleur, la moiteur de l'air, n'étaient-ils pas comme cette mer d'un bleu rutilant sous le soleil, dans laquelle elle n'avait pu se baigner, cet après-midi, en sortant du bureau de change où elle avait rencontré l'homme au visage crasseux croulant sur sa paperasse contre le mur jaune de son kiosque, ils étaient cette mer bleue, étale, triomphante, vers laquelle elle ne pouvait même marcher soudain sans éprouver cette faiblesse toute nouvelle du corps, pendant une convalescence, bien qu'elle sût que la cicatrice fût refermée, que l'opération du chirurgien fût une réussite magistrale, il lui serait longtemps interdit de se baigner dans la mer, pensait-elle, comme il lui était interdit de fumer, et eux, ces musiciens de l'orchestre dans leurs blancs habits, ils étaient cet hallucinant goût de l'eau et de la fumée, du feu au bord des lèvres qui fait vaciller le regard, vers lequel tous les nerfs se tendent, ils étaient agiles quand l'homme avec qui elle dansait l'encombrait de sa lourdeur, de son emphatique présence, mais elle avait accepté qu'il en fût ainsi, elle n'avait rien dit lorsque l'homme aux cheveux grisonnants avait glissé son bras sous le sien, dirait-elle encore comme autrefois, je veux, je désire, avec ce même corps qui avait été l'habitation, jadis, de tant d'envies fébriles, bien que la réussite du médecin eût été magistrale, qu'on ne vît plus que l'étoile d'une pâle cicatrice au-dessus du poumon prélevé, n'avait-elle pas constaté, déjà, que débutait le dépérissement des forces de la vie puisqu'on lui interdisait l'accès à cette eau salée, de même qu'on lui interdisait la saveur de ces cigarettes se consumant seules au bout de ses doigts, quand les musiciens de l'orchestre, eux, tels les bateliers siffleurs, ramant dans leurs embarcations vénitiennes, seraient immuables, ou ne changeraient que pour devenir plus parfaits, plus virils, comme si on les eût recouverts de la mince couche d'or des statues avec les attributs de leur jeunesse, eux ne dépériraient pas en manœuvrant leurs rames sur les rivières, les cours d'eau, que sauraient-ils jamais de ces élancements du désir des femmes pour eux, indifférents, ils navigueraient ainsi longtemps sur les fleuves, les mers, et Renata les verrait, l'un d'entre eux, debout dans sa barque et la saluant en passant sous l'arc d'un pont de pierre ou inclinant la tête vers elle entre deux murets de brique où s'agrippaient d'épineux rosiers sauvages, mais lorsque s'éloigneraient leurs barques, sous d'autres ponts de pierre, sous la voûte d'autres murets aux rosiers, le désir de les revoir, de les avoir près d'elle ne la quitterait plus, voici que leurs cheveux ondulaient encore dans le vent, qu'une hirondelle prisonnière volait si bas comme si elle eût affleuré ces tempes, ces cheveux, immuable aussi ce ciel au-dessus d'eux, cet azur liquide où se reflétaient les fleuves et les mers vers lesquels ils navigueraient en chantant, où ils largueraient les jours de fête leurs barques pour de glorieux concours sur l'Adriatique, insouciants, feraient glisser leurs barques vers ces tortueux chemins des lagunes et des plages, au-dessus des récifs de coraux, des marécages vaseux, loin de ces temples, des forteresses et des citadelles, des cloîtres et des abbayes qui eussent pesé sur eux avec trop de poids, et ils disparaîtraient tous, avec ce même sourire, cette même grâce sans que Renata les revît, et même ce batelier, le plus charmant de tous, celui qui ramait debout et qui l'avait saluée en passant sous l'arc d'un pont de pierre, parmi les rosiers, ne laisserait derrière lui, dans le tiède sillon des eaux, que le souvenir d'une creuse sensation de soif, désormais inextinguible, et qui vit-elle, soudain, pendant qu'elle dansait mollement entre les bras d'un inconnu, ne semblait-il pas venir vers elle en marchant avec son violon sur le plancher surélevé de l'estrade, déposant avec une lenteur caressante l'instrument contre sa joue, n'avait-il pas regardé Renata de ses yeux moqueurs et enjoués, comme s'il eût dit, ne me reconnaissez-vous pas, ne suis-je pas le fils de l'une de vos amies, le garçon n'était peut-être qu'une figure familière qu'elle avait croisée dans un cercle d'amis, il avait dix-sept ans, vêtu, comme Samuel l'avait été près du bar, du bermuda blanc, ses chaussettes blanches montaient jusqu'à ses genoux, ses cheveux tombaient droits, peignés, brossés comme si une mère attentive eût soigné, lustré ces cheveux, son visage était sain et hâlé, il était peut-être comme l'un de ces fils de ses amies qu'elle n'eût pas aimé rencontrer autour d'elle, debout près de sa mère, cet adolescent adulé ne l'eût-il pas méprisée, elle qui, comme sa mère, avait tant d'années de plus que lui, mais ici, dans ce jardin sensuel, le sourire enjoué du garçon, ses yeux moqueurs cherchant les siens en posant de façon caressante son violon contre sa joue, cette surprenante apparition, tels ces bateliers dans leurs embarcations vénitiennes dans la rose lumière sur l'eau du soleil couchant, invitait Renata à de fugaces instants d'éternité et aux regrets mélancoliques, lancinants, que ces instants eussent déjà existé en un temps où elle n'avait pas hésité à garder près d'elle ce qui lui plaisait, mais n'entrait-elle pas dans une nuit sans lumière, l'homme aux cheveux grisonnants avait rapproché d'elle sa tête lourde, lourdement aussi il s'appuyait sur son épaule, elle ne voyait déjà plus le sourire enjoué du garçon qui avait repris sa place parmi les musiciens de l'orchestre, à l'autre bout de l'estrade, sans doute ne reverrait-elle jamais ce tendre enfant encore innocent, et elle pensa que ce qui l'opposait si farouchement parfois à son mari, c'est que lui, qui était juge, jugeât si durement les délits de la jeunesse, elle ne pouvait croire, comme lui sans doute, que ces petits, nés de la femme, beaux comme celui qu'elle venait de contempler, entourés de la tendresse de leur mère, fussent capables, demain, de violer et de tuer, mais lui, Claude, il savait que, sous ces doigts qui lustraient de leurs soins les belles chevelures de leurs enfants, dormaient de sinistres rêves, d'obscures perfidies, cachées de génération en génération sous des fronts purs, la première ride de cruauté, la marque d'indignes victoires se lisait sur ces lèvres minces, de ce qui avait eu l'apparence d'une fleur aux côtés de sa mère naissait l'homme, avide de tuer ces étroits liens du sang, de tendre pitié qui l'unissaient encore à une femme, Renata ne s'opposait-elle pas farouchement à tout ce que Claude énonçait dans les tribunaux ; la magistrature, la charge de juger autrui, était une affaire d'hommes, mais il lui semblait qu'une femme aurait dû s'emparer de ce pouvoir, dans la pitié qu'elle éprouvait pour ces étroits liens du sang, la chair de l'homme dont elle aurait pu extirper, comme des racines, les terribles maux, la gangrène du cœur et des sens soumis à d'antiques lois, mais n'avait-elle pas cédé comme le faisaient les autres femmes à cette tendresse féminine s'émerveillant devant l'enfant de sexe mâle, lorsque le jeune musicien avait posé sur elle son regard rieur et effronté, car il fallait peu pour qu'elle devînt, pensait-elle, identique à toutes ces autres dont elle partageait la condition, l'humilité des sentiments, cette mère lustrant des soins de ses doigts, de sa vigilance, la chevelure de ces têtes d'hommes, lorsqu'ils sont très jeunes, le teint hâlé de leur peau, tout ce qui était encore pour elle si près de la fougue des sens, mais aussi de l'amour maternel qui n'avait pas été déçu, quand, sous ce même front, ces mêmes cheveux, Claude eût deviné d'obscures perfidies, de sinistres rêves, rien de la fatalité de ces signes n'était visible pour Renata, née femme et mère, ennoblie, pensait-elle, par ce seul aspect souverain de sa condition, elle ne voyait aucune perfidie sur ces profils purs, ces profils enfantins, et Julio se penchait vers

l'oreiller soyeux, lequel était déjà tout humecté de
gouttes de larmes et de sueur, où dormait Vincent
dans le grand lit, d'un sommeil paisible après l'affole-
ment du souffle dans la pénombre de la chambre, Julio
entendait la douce exhalaison du souffle régulier de
Vincent et il pensait que Ramon, Oreste, Nina, et Edna
sa mère, eussent ainsi respiré s'ils avaient vécu, dans
ces pénombres des chambres aux stores baissés,
l'après-midi et le soir, ils eussent respiré l'odeur forte
du jasmin dont les fleurs jaunes s'égrenaient dans les
cours, les jardins, désertant leur pays, leur ville, ils
étaient partis si vite sur ces radeaux, emportés par les
bourrasques des hautes vagues, avec peu de vivres, un
gilet, une ceinture de sauvetage les eût sauvés s'ils
n'eussent été tous si pauvres et privés de guide,
apeurés par l'urgence du départ, Edna allait ceindre la
taille de Ramon, d'Oreste, d'un modeste châle, de
linges de coton, elle les chausserait de leurs souliers
blancs, soucieuse de leur dignité lorsqu'ils arriveraient
tous au port, car Dieu veillait sur eux tous, disait-elle,
on les attendait là-bas, sur cette terre de miel et de lait,
vers les rives du paradis, qu'ils embarquent sur le frêle
radeau, ils seraient ravitaillés bientôt d'eau et de
lumière, loin de la puanteur de leurs minables taudis,
là-bas, au port, sur la terre de lait et de miel, ils seraient
abreuvés, nourris, ainsi la ceinture ou le gilet de
sauvetage avaient-ils été oubliés, négligés, dans cette
litanie de prières que faisait Edna au ciel implacable
pour ses enfants, en vain, des pilotes volontaires et
hardis avaient longtemps parcouru le ciel sans les voir
ni les entendre appeler au secours, eux que le vent
arrachait aux faibles mâts de leur radeau, homeland,
terre retrouvée, elle était là-bas, leur patrie, disait
Edna, dans ce paradis verdoyant où coulaient en abondance le miel et le lait, les gardes côtiers attendaient
l'arrivée des barques et des radeaux, sur ces rivages

ensoleillés, oh, que ses enfants ne perdent pas courage, disait Edna, car Dieu était avec eux, mais pendant qu'elle priait le ciel pour les siens, empaquetait ses quelques biens, Edna, couvrant Ramon, Oreste, Nina de son châle chiffonné, les chaussant des souliers blancs qu'elle avait achetés avec tant de peine, la terre de lait et de miel brillait à l'horizon, mais nul d'entre eux ne serait sauvé, il serait trop tard lorsque Julio déroberait à un noyé flottant sur les eaux, le visage tourné vers le fond de la mer, dans le gonflement de ses hardes, la ceinture de sauvetage, quand grondait sous les épais nuages le moteur de l'hélicoptère *Homeland*, on ne retrouverait d'eux que l'un des souliers blancs qui avait appartenu à Oreste, le châle d'Edna, la poupée de Nina, car ils n'atteindraient jamais le port, ils ne seraient jamais ravitaillés ni abreuvés d'eau et de lumière, et Julio croyait entendre ces vents impétueux sur les vagues autour du radeau, ces grognements de l'eau et des vents tourbillonnant autour de lui dans les éclairs et la foudre des nuits chaudes, sous la brûlure du soleil, le jour, cette soif cuisait ses lèvres, n'avait-elle pas ce goût des mers salines qui jamais ne désaltéraient les réfugiés, celui qui par mégarde avalait de cette eau en mourait, comme Oreste, Ramon, Edna, dont le rythme cardiaque s'était tu, à d'autres silhouettes noires attachées aux faibles mâts de leurs bateaux, de leurs radeaux, cette manne éphémère d'huile et de médicaments antibiotiques que propulsaient les courageux pilotes, de leurs avions, en sillonnant le ciel, Ramon, Oreste, Nina, Edna, leur mère, n'eussent pas même survécu une heure si on les eût transportés vers les autres îles que baignait le Gulf Stream, jamais ils n'ouvriraient les yeux sur ces archipels, ces îlots des camps de prisonniers qui seraient le sort de leurs frères, la prière d'Edna avait été exaucée, ce ciel sans clémence avait

sauvé ses enfants de la lancinante soif, pensait Julio,
car la flamme d'une nuit d'orage avait consumé dans
leur envol ces mouches, ces moustiques, Ramon,
Oreste, Nina et leur mère Edna, ces poussières qui
nageaient encore à la surface des eaux, la chaussure
blanche d'Oreste, les cheveux de Ramon, le châle
effrité d'Edna, dans les mailles d'un filet de pêcheur,
la poupée de Nina et ses aveugles paupières, sous un
firmament d'acier, à d'autres ce verdoyant paradis où
coulaient en abondance le lait et le miel, Nina, Oreste,
Ramon, Nina séparée de sa poupée, ils dormaient
tous, loin des lueurs bleues du rivage, où les attendaient depuis tant de nuits, de jours, les gardes côtiers,
ils dormaient dans les eaux troubles des océans, et
c'est ainsi que Dieu avait exaucé la prière d'Edna, Edna
qui avait oublié, négligé, elle qui était si seule et privée
de guide, la ceinture, le gilet de sauvetage, car ils seraient tous propres, chaussés de leurs souliers blancs,
lorsqu'ils arriveraient au port, là-bas, dans leur neuve
patrie d'herbes et de lait, et de miel, et assis près de
Vincent sur le grand lit, écoutant la respiration de la
vie qui montait vers lui, Julio avait senti la main de
Jenny qui touchait la sienne, ce n'était pas raisonnable
que Julio continuât d'errer sur les plages, la nuit, disait
Jenny, à quoi bon épier la lumière des phares sur l'eau,
aucune barque, aucun radeau ne rentrait la nuit, dans
le scintillement des lueurs vertes, sinon les barques des
marins trafiquants, Julio attirait à lui trop de violences,
dans son vagabondage, eux ne reviendraient pas dans
ces barques, ces radeaux, que guettait-il ainsi, Ramon,
Oreste, Nina, Edna, tous, comme tant d'autres, ils
étaient morts, et désormais aux pieds de Jésus et de sa
miséricorde, et si Julio avait été sauvé, c'était pour
aider ses frères, disait Jenny, et en soulevant la tête de
Vincent sur le soyeux oreiller, Jenny vit perler les
larmes de sueur, le souffle de Vincent était oppressé,

dit-elle à Julio, ce serait bientôt l'heure du remède, c'était l'air de la nuit, cet air humide, cette moiteur de l'air, qui pénétrait les stores de la maison, le pollen des fleurs, Julio ne pouvait-il descendre dans le jardin appeler Mélanie, surtout, que le pauvre ange ne s'agite pas dans son sommeil, avec ces battements du cœur qui se précipitaient, dans sa poitrine, sous la chair qui semblait aussi délicate que les pétales des roses dont elle avait la pâleur, non, ils ne reviendraient pas, sur ces barques, ces radeaux, car les courants des tempêtes, des cyclones, dit Julio, les avaient détournés ailleurs, si loin, avec les pêcheurs perdus en mer et les aventuriers tués par les bandes rivales, des moustiques, des mouches que l'on ne distinguait plus, éteints, ensevelis sous la lumière du fanal, mais obstiné, était-ce une opiniâtreté folle, Julio irait chaque nuit attendre sur les plages, Ramon, Oreste, Nina, Edna, voulait-il en perdre le sommeil, la raison, quand ses frères avaient tant besoin de lui, dit Jenny, chaque heure, une horde de vivants espéraient qu'on les repêcherait de ces ténébreux océans dont ils n'apercevaient pas les rives, et lorsque le remède eut apaisé Vincent, Jenny revit la nonchalance de ces jours d'été quand ils étaient tous sereins, heureux, ils ne pensaient jamais à ce bonheur, comme si ce bonheur eût été éternel, et peut-être l'avait-il été, la durée de ces jours, debout à une terrasse près de la mer, Jenny, une brise chaude, l'effleurant à peine, sous le maillot de bain, voyait Augustino qui apprenait à nager avec Mélanie, Samuel, nageant sur le dos, autour d'eux, l'eau claire et sans vagues, c'était par l'un de ces jours de mer calme, délicieuse, et Jenny entendait fuser des rires et des cris de joie, était-ce hier, pensait-elle, quand Augustino, sous le regard adorateur de Mélanie, bien qu'il fût déjà trop bruyant et aimât trop le sucre, faisait ses premiers pas, le long d'une plage, dans l'herbe

d'une palmeraie, d'un parc, où Samuel jouait au
tennis, oh, était-ce hier, avant la naissance de Vincent,
le chagrin de sa mère lorsqu'elle avait entendu la
plainte de son souffle, l'air de la mer les vivifiait, ne
vivaient-ils pas toujours dehors, auprès de Jenny et de
leur mère, trop aimés, peut-être, mais ils grandiraient
vite, qu'ils s'amusent et chantent comme aux pieds de
Jésus, qu'ils dansent, car c'était l'été, et depuis un an
déjà, avec Mélanie, les enfants, Jenny n'était plus la
servante dans la maison du shérif, aucun homme
blanc ne la flétrissait, et le shérif avait dû comparaître
devant le tribunal, oh, était-ce hier, quand d'une
terrasse, dans la brise chaude de l'été, Jenny entendait
ces joyeux éclats de voix, ces rires des enfants, s'ébat-
tant dans les vagues, lorsque augmentaient les vents
de ces étés tropicaux, Vénus, la fille du pasteur, cette
enfant délurée, à l'heure où se promenaient les riches
familles avec leurs chiens, Vénus s'emparait de l'un
d'eux, par le collier, nageant longtemps seule et désin-
volte dans l'océan, Jenny écoutait l'écho ricaneur de ce
rire qui semblait fendre la vaste étendue de l'eau, du
ciel, avec des airs de triomphe, alléluia, pensait-elle,
alléluia, je serai de ceux qui n'auront rien à craindre
le jour du Jugement dernier, alléluia, alléluia, était-ce
hier quand Jenny chantait, dansait sur la terrasse dans
la brise tiède, avant que les enfants n'accourent vers
elle, si haut sur ses épaules elle promettait de les tenir,
jusqu'aux roses teintes du soleil couchant, jusqu'à ce
que leur père eût fini d'écrire dans la chambre aux
stores clos, dans le fredonnement des ventilateurs,
mais parfois venait la nuit et il n'était pas encore prêt
à voir les enfants, à se mettre à table avec eux le soir,
que pouvait-il bien écrire là-haut qui le rendait si
morose, injuste envers Samuel, oh, était-ce hier,
Vénus, cette fille du pasteur, chevauchant des chiens à
la majestueuse fourrure, des chiens blancs, des chiens

noirs élancés, l'écho ricaneur résonnant au soleil, au milieu de ces surfaces lisses de l'eau, quant tout semblait si calme, serein, soudain, dans la vie de Jenny, était-ce hier le bonheur, Vénus, la fille du pasteur nageant parmi les chiens de garde, les chiens-loups, domptant de la danse de ses bras, de ses jambes, émergeant gracieusement de l'eau, ces fauves aux dents féroces mais aux tendres yeux noirs en amande, les rires, les cris des enfants, dans l'eau autour de Mélanie, et elle, Jenny qui les levait si haut sur ses épaules, le grouillement des vagues, de toutes ces vies, quand Jenny était debout sur la terrasse, qu'ils se détendent, pensait-elle, comme aux pieds de Jésus, car surviendraient vite, telle l'explosion de ces tempêtes de fin de jour sur la mer, aux pluies violentes et serrées, ces obscurs matins de janvier quand Augustino demanderait à son père si c'était bien aujourd'hui que toute vie finirait sur la terre, les plantes, les oiseaux, et Jenny qui habillait Augustino pour aller à la maternelle entendait ces paroles d'Augustino, un homme très vieux, racontait-il, avait dit à la télévision de ne plus se préparer pour l'école, ou la maternelle, c'était une chose vaine, désormais, car un nuage de fumée se dégageait du ciel et Augustino ne reverrait plus ses parents dans cette fumée, ni sa maison, ni Jenny et Sylvie, Papa, comme d'habitude, avait demandé un peu de silence jusqu'à midi, Samuel, avant son départ pour l'école, n'avait pas oublié sa collation de fruits ni ses balles de tennis, mais en cette aube de janvier Augustino avait compris qu'une flamme souterraine embraserait, comme le feu dévore les ailes des papillons, les ailes des écoliers, leurs vêtements si courts sur leurs jambes nues, leurs cartables, les collations qu'ils apportaient le midi, une nuée d'ailes s'abattraient sur le monde, d'ailes et de sang comme Jenny en voyait en rêve, oh, qu'ils jouent parmi les chiens dans les vagues, que leur mère les embrasse de retentissants baisers entre l'eau et le ciel, car passerait le marchand de deuils, et combien de fois encore Jenny ne verrait-elle pas les siens blessés, offensés, atteints de tous les malheurs, là-bas, sur la terre rouge et sèche de Baidoa, les yeux dévorés par les mouches, ils se blottissaient en vain contre le sein vide de leur mère, leurs ombres squelettiques s'entassaient comme bientôt s'entasseraient leurs cadavres, dans des camions, des fosses communes, sur cette terre aride, sans nuages de pluie, eux qui avaient eu si soif, leur écuelle à la main, eux qui ne pouvaient fuir ou qui mouraient dans leur fuite, leur distribuerait-on aujourd'hui le maïs, le soja, qui les sauveraient, marcheraient-ils au soleil, dans cette torpeur de la soif, jusqu'à la cantine de la Croix-Rouge, engourdis par la chaleur, la faim, ils s'enroulaient comme dans un manteau de l'enveloppe de leurs os, de leur chair fripée, soudain, ils refusaient faiblement le riz que pouvaient encore leur offrir quelques mères décharnées, le bétail avait été tué, la terre des aïeux assaillie par la guerre agonisait, et parmi les rangs de ces cadavres dont pouvaient se nourrir les hyènes, déambulait un général que protégeaient ses partisans armés, il était en tenue civile, muni d'un stick au pommeau d'argent, exprimant ainsi qu'il était maître d'un pouvoir sans partage, n'attendait-il pas, pendant que pourrissaient les cadavres, avec le retour des prochaines semailles, la chute d'un dictateur ennemi dont il avait pris la place, oh, combien de fois pensait Jenny, ne verrait-elle pas ces femmes qui tendaient leur écuelle au-dessus de ces têtes, de ces yeux que dévoraient les mouches, de leurs enfants faméliques, combien de fois les siens ne seraient-ils pas entassés dans des camions puis jetés dans ces fosses communes, car ainsi coulait le sang dans ses rêves, dans une nuée d'ailes, de bouches, de cheveux, de chair

plissée, fondue dans les cendres, fuir ou mourir, eût-
elle dû se mettre en route, elle aussi, joindre quelque
équipe de secours international comme l'avait fait
Mélanie autrefois, qu'ils s'amusent, qu'ils jouent dans
les vagues, car par d'obscurs matins de janvier, soudain ils se réveilleraient dans la maison silencieuse, de
leurs lits, ils réclameraient leur mère, leur père qui ne
leur répondraient plus, un général, en passant, de son
nuage de fumée, lui, en tenue civile auprès de ses
partisans armés, muni d'un stick au pommeau d'argent, les aurait tous tués, mais sans bruit, afin qu'il fût
le maître de cet univers muet, le maître absolu d'un
pouvoir sans partage, tandis qu'à Jenny, debout à la
terrasse, le monde avait paru si beau auprès de
Mélanie et des enfants qui nageaient dans l'eau claire,
oh, qu'Augustino, Samuel crient de joie car surviendraient vite ces obscurs matins de janvier, où en se
levant ils pleureraient d'inaltérables larmes, tels ces
papillons ornés de tous les rayons du soleil, éclosions
d'or à la naissance, leurs ailes se froisseraient en
silence dans la flamme des bougies, une funeste poussière qui émanerait du ciel, qu'on écoute les joyeux
échos de leurs voix et les baisers retentissants de leur
mère, car chaque jour, pour Jenny, était empreint de
la mémoire de cette éternité heureuse qu'elle vivait
aux pieds de Jésus, ne priait-elle pas tous les jours au
temple quand son amie Vénus, la fille du pasteur, se
laissait débaucher par les hommes, suivait l'oncle
Cornélius dans les clubs mal famés de la ville, pourtant, c'était pour elle, comme pour Jenny, que Jésus
avait été supplicié sur la croix; et le bateau de Luc
tanguait dans le roulis des vagues, si près du rivage
que Luc et Maria distinguaient encore les péniches
alignées sur l'eau, les flottantes maisonnettes et leurs
balcons décorés de sirènes, de lanternes rouges et
bleues où leurs amis en fête achevaient de célébrer leur

mariage dans de joyeuses ivresses qui dureraient
jusqu'à l'aube, avant qu'ils ne reprennent inlassable-
ment la mer sur leurs embarcations, leurs voiliers, car
en se berçant dans leurs hamacs, sur leurs balcons,
touchant l'air marin en étirant leurs pieds au-dessus
de l'océan, ils chahutaient leur affranchissement de
cette terre où ils ne retourneraient jamais vivre, on ne
les délogerait pas de leurs branlantes péniches, jamais
ils ne vivraient ailleurs que sur l'eau, criaient-ils, et que
Luc et Maria les imitent et leur mariage serait une
perpétuelle féerie, mais qu'ils soient prudents, car les
patrouilleurs détruisaient à coups de fusils ces bateaux
de luxe que louaient les insulaires pour une nuit de
fête, ils sentaient de loin l'odeur du haschisch, hu-
maient la cargaison de crack, sous la forme de cubes
de glace, qui avait été insérée dans les strapontins, les
banquettes du cockpit, où se prélassaient les occu-
pants du bateau, avec de faux airs d'innocence, les
soldats de la mer n'étaient-ils pas partout, mais voici
que s'estompait dans la nuit étoilée le bateau aux
lignes nobles et fluides, pensait Paul, appuyé à la
balustrade de son balcon solitaire, Luc et Maria, ainsi,
s'étaient mariés, ils partaient sans lui, Luc et Maria, ils
franchiraient bientôt cette baie où avaient été déver-
sées les cendres de Jacques, c'était comme l'avait souhaité Jacques, un jour de fête, avec des ballons qu'ils
avaient lancés vers le ciel, une nuit à boire du champagne sur l'eau, d'une barque voisine, un pêcheur ne
les avait-il pas éclairés de sa lampe en disant, mais
nous n'avons jamais vu tant de cendres dans ce
sarcophage de la mer, le vent ne va-t-il pas les emporter d'où elles viennent, quel entêté était votre ami,
et la barque du pêcheur se rapprochant, ils avaient
encore prolongé la fête et ri de bon cœur en fumant
leurs cigarettes parfumées de haschisch, et maintenant
le bateau s'estompait dans la nuit, Paul serait seul, ah,

qu'espérait donc ce couple étourdi par sa jeunesse, son inexpérience, Luc et Maria, elle, une réfugiée cubaine, et Luc, dont les cendres seraient un jour, dans un an, dans deux ans, ne connaissait-il pas le verdict du médecin, confondues avec les cendres de Jacques, sous les eaux de la baie où cette nuit, à l'arrière de la plate-forme de baignade à même laquelle était moulé le tableau de bord du bateau, il faisait l'amour avec une femme, mais qu'ils s'aiment, qu'ils naviguent si loin, dans la paix des eaux, pensait Paul, avec leurs secrets stigmates, qu'ils bouclent, comme leur héros, dans les rafales du vent, les vagues géantes, le tour du monde en quatre-vingts jours, qu'ils rallient l'Équateur, couple léger, infidèle, qu'ils chavirent, qu'ils périssent, il ne suffisait que d'une bille pour que la coque et la dérive du bateau soient détruites, une bille, qu'ils reviennent, qu'ils fuient ces dangereux équipages, ils n'étaient pas ces vigoureux navigateurs fiers de leur passage au cap Horn, dominant tous les obstacles, eux si sains, si forts, ils n'étaient que Luc et Maria, déjà la coque de leur bateau avait été endommagée par de graves fissures, mais il y avait si longtemps que Luc rêvait sur les quais en regardant aborder du grand large les bateaux, sur ces quais où il s'immobilisait, la nuit, dans le sillon vert, phosphorescent, de ses patins, il irait en Australie avec Paul, il serait fermier, marchand de bœufs, éleveur de chevaux, chef de famille, car il fallait dérober de sa vue, comme hier de la vue de Jacques, ces taches brunes sur le visage, et toute la douleur muette que les autres ne pouvaient pas voir, moins encore ressentir, il y avait si longtemps que Luc contemplait ces élégants paquebots amarrés au port le matin, mais qu'ils s'aiment, qu'ils naviguent dans la paix des eaux, Paul les attendrait, le chat Mac sur ses genoux, en entendant le tintement des clochettes orientales, au portail du jardin, il se souviendrait des paroles de Jacques au pasteur Jérémy, venez chez moi, car la vallée des Orchidées, le paradis dont vous ne cessez de me parler, c'est ici, et eux reviendraient de ces tempêtes sur la mer, car Luc et Maria, ce n'était qu'un couple jeune, étourdi de jeunesse, deux fiancés dont l'un avait envoyé vers le ciel des ballons noirs, parmi les ballons multicolores de la fête, Luc chassant ainsi le mauvais présage, le dérobant de sa vue. Et se mouvant le long des plages dans le sillon vert, phosphorescent, de ses patins, Luc observait la nuit l'évanescente lumière des phares sur l'eau remuée par les brises du Sud; lorsque Jacques avait fermé les yeux, pensait-il, le soleil se couchait sur la mer, entre les pins, sur la plage des militaires, Paul avait repris du visage émacié, de la tête à la forme creuse, les écouteurs dont les fils étaient encore suspendus aux oreilles de Jacques, et cette grande *Messe en do mineur* que Mozart avait écrite dans la joie, l'effervescence du cœur, c'était cette céleste musique que Paul écoutait à son tour en filant sur ses patins roulants, dans les rues que bordait la mer, ce jour-là, Jacques s'était plaint d'avoir soif, c'était un jour brûlant et nul ne semblait trouver refuge de la chaleur, on eût dit que la soif qui consumait Jacques asséchait le sol des jardins, recourbant les feuilles du laurier espagnol, les fleurs éparses des frangipaniers dont, même à travers les secousses de ses vomissements, Jacques avait respiré les odeurs enivrantes, après toutes ces secousses, tous ces tremblements, sa tête retombant sur l'oreiller, il avait écouté cette céleste musique; se plaignant d'avoir soif, à l'heure où les tourterelles semblaient voler si bas au-dessus des clôtures que Mac les poursuivait de ses rêves de morsures, de ses miaulements étirés et doux, dans la chaleur, des grottes des bars où chacun recherchait l'ombre venait la musique des tambours et des trompettes, l'élégie plaintive d'une voix de femme

avant le long silence de ces après-midi où la terre
brûlait si près de l'eau, rue Bahama, rue Esmeralda,
pendant que s'assoupissaient les coqs querelleurs sur
les pelouses, c'était l'heure, pensait Paul, où s'envolaient vers le ciel aveuglant les tourterelles et les
colombes, et cette colombe captive de Jacques dont le
cou avait été orné d'un ruban rose, ouvrant sa cage,
Paul l'avait vue qui s'envolait parmi les autres, vers
l'horizon sans fin des mers bleues et scintillantes, en
songeant que s'en allait ainsi l'âme de Jacques, sans
retour, était-ce cette *Messe en do mineur* qu'il avait si
pieusement écoutée ou cet oratorio de Beethoven,
Christus am Oelberge, le Christ au mont des Oliviers,
Paul se mouvait le long des plages, dans le sillon vert,
phosphorescent, de ses patins, environné désormais,
pensait-il, de ces célestes musiques, la *Messe en do
mineur*, le Christ au mont des Oliviers, il se reprochait
de n'avoir jamais su apprécier cette musique avant ce
jour, dans quelle distraction avait-il vécu, dormant
toutes les nuits au son de ces musiques envoûtant ses
sens, comment eût-il dépensé autrement avec Luc la
fièvre de leur jeunesse, mais voici qu'à vingt ans, sans
avertissement, sans prendre garde, ils étaient vieux
d'une lépreuse vieillesse, sans qu'ils aient eu le temps
de prendre garde, pendant qu'ils jouaient à ne pas
choir de leurs planches à voile, dans les vagues ora-
geuses, ou bercés de danse dans les discothèques, les
saunas, la nuit, non, sans prendre garde, ils entraient
dans le dernier âge de la vie, cet âge du délaissement
cynique, aux traces visibles, purulentes, ils étaient
beaux, ils étaient jeunes, que ce malheur qui s'acharnait sur eux cesse ces vilénies, ces insultes à leur
innocence, que Luc et Maria s'aiment, qu'ils naviguent
loin dans la paix des eaux, qu'ils soient libres et fiers,
qu'ils entendent les battements graves des tambours
dont jouaient les Noirs dans la nuit, l'élégie plaintive

d'une voix de femme, sur les eaux, Paul se mouvait
avec eux, dans le sillon vert, phosphorescent, de ses
patins, le long de ces rues que bordait la mer, lorsque
le soleil les aurait trop hâlés, brunis d'une même
couleur sombre et ardente, comme le feu qui les
dévorait, sans doute ne pourraient-ils s'abandonner
alors qu'avec d'attendrissantes précautions, pensait
Paul, ces effleurements éviteraient le contact de la peau
vive, Luc songerait à d'autres semblables langueurs
dans les attiques, dans l'ombre des persiennes, quand
aux caresses se mêlait, pour apaiser le feu, la résine
amère de l'aloès cueilli dans le jardin, le baume de la
plante africaine, guérissant toutes les blessures, Mac
chasserait au bord de l'Atlantique, la colombe, le pi-
geon, des queues de lézards entre les dents ; l'hibiscus
continuerait de fleurir toute l'année, on entendrait le
tintement des cloches orientales lorsque Jacques rentrerait le soir, n'était-ce pas plutôt la cantate *Davidde
Penitente* qu'aimait entendre Jacques, ne savait-il pas
que dans quelques instants on le laverait, le changerait,
il demandait avec candeur, n'est-ce pas aujourd'hui
que je marcherai jusqu'à la mer, dites-le-moi, n'est-ce
pas aujourd'hui, et eux diraient, demain, ce sera demain, et nous irons ensemble jusqu'au port ; et ensemble ils iraient tous, debout ou alités, vers cette
lumière qui brillait sur la plage, entre les pins, et leurs
écouteurs adhérant à leur tête de plus en plus fine, ils
entendraient l'oratorio de Beethoven dont quelque
rustre critique jadis avait été mécontent, la structure
musicale ne manquait-elle pas de rigueur expressive,
ils entendraient l'aria des anges, le récitatif de Jésus au
mont des Oliviers, comment son Père qui était aux
cieux éloignerait-il de lui la peur de la mort, debout
ou alités, une même lumière guiderait leur troupeau
vers la nuit, ils verraient déjà les lances des soldats à
leur flanc : comment leur père éloignerait-il d'eux la

peur de la mort, mais que cesse ce malheur, pensait
Paul, cette vilénie qui s'acharnait sur eux, Luc reviendrait, déçu, de ses noces sauvages, ils partiraient vers
l'Australie, ils seraient fermiers, marchands de bœufs,
éleveurs de chevaux, chefs de famille, car ils seraient
sains, jeunes et vivants, partout heureux sur cette terre
de lait et de miel, leur paradis; la grande *Messe en do
mineur* que Mozart avait écrite dans la joie, l'effervescence du cœur, Paul écoutait à son tour cette céleste
musique louant les beautés de la terre, c'était l'heure
où s'envolaient dans le ciel aveuglant les colombes, les
tourterelles, la cage avait été ouverte; ainsi s'envolait
sans retour l'âme de Jacques, après un jour où la terre
avait été si sèche et brûlante, quand il avait demandé
plusieurs fois à ses amis, Paul et Luc, pourquoi, mon
Dieu, il avait si soif, quand s'écoulait encore dans le
jardin, sous le soleil cuisant, le mince filet d'eau de la
fontaine, puis il avait fermé les yeux, pensait Paul, car
enfin le soleil se couchait sur la mer, ils avaient tous
entendu de loin, était-ce rue Bahama, rue Esmeralda,
les sons graves des tambours, plus tard, on entendit
les notes allongées des trombones qui, sur le mont des
Oliviers, dans un oratorio de Beethoven, avaient
annoncé la mort. Mais, pensait Mère, la fête ne faisait
que commencer, avec tous ces enfants, aux embrasures
des portes, des fenêtres, les couples d'adultes se res-
serrant autour de la piscine, sous le ciel étoilé, il lui
semblait maintenant que Mélanie l'avait patiemment
écoutée, pendant leur entretien de l'après-midi sur la
balançoire, quand Augustino dormait encore, sur la
large véranda, Mère avait craint de n'être qu'une
vieille femme ennuyeuse, comme tant d'autres de ses
amies, que disait-elle à Mélanie, quand vibrait encore
dans l'air chaud un duo de Puccini qu'elles avaient
écouté ensemble, c'est si courageux d'avoir composé
cette musique, avait dit Mère, d'un ton connaisseur,

devant lequel s'inclinait sa fille, Mère avait ensuite
exprimé son enchantement devant ses plus récentes
lectures, n'était-ce pas là qu'elle avait craint plus que
tout d'ennuyer Mélanie, lorsqu'elle avait parlé des
livres d'un psychiatre japonais recommandant à ses
patients la reconnaissance envers la vie plutôt que la
dépréciation de soi-même, chacun d'eux ne pourrait-
il traduire, dans une réflexion écrite, la gratitude pour
les bienfaits reçus, cette ode bouddhiste à la vie
troublait Mère, qui avait entrepris, tels ces patients,
des relations épistolaires avec elle-même, il y avait
dans la gratitude une harmonie, un équilibre certains,
qu'avions-nous donné à nos parents, en retour de la
vie, de la fortune, voici que Mère énumérait toutes ses
chances de bonheur et celles de ses enfants, à cet
instant, pendant que Mélanie regardait sa mère en
silence, plusieurs scènes s'étaient déroulées dans
l'esprit de Mère, il lui avait semblé revivre un voyage
en Égypte avec son mari, c'était peu de temps avant
une inconfortable période de traîtrises ou d'infidélités,
quand Mère s'était enfermée dans une ombrageuse
froideur qui avait duré quelques années, jamais elle ne
parlait alors à son mari à l'heure des repas devant les
enfants, aucun deuil n'eût pu les rapprocher, à
l'inhumation de l'un de leurs parents, ne se dressaient-
ils pas l'un contre l'autre au cimetière, quelle tristesse
pour les enfants que ce spectacle de son affliction,
aujourd'hui Mère ne pensait plus comme autrefois, il
lui semblait naturel que les hommes eussent des
maîtresses, pourquoi ne pas y voir un accommode-
ment pour la femme légitime, se résignant peu à peu
à ses devoirs envers les enfants, on avait vu Mère assise
aux côtés de son mari, dans la blanche limousine, ils
allaient ensemble conduire leurs fils à l'automne vers
les collèges, les universités où ils étudiaient, Mère se
souvenait d'eux sur la banquette arrière de la limou-

sine, c'était l'idée de son mari, pas la sienne, qu'ils étudient dans ces universités coûteuses, se fardant rapidement le visage dans un miroir miniature qu'elle tenait à la hauteur de ses yeux, Mère lisait dans le regard de ses fils que reflétait la surface du miroir le capricieux dédain qu'ils éprouvaient pour leur mère depuis que son mari la trompait, c'était elle, pourtant, qui, chaque année, les avait vêtus de leurs élégants lainages verts sous leurs blazers bleu marine, avant de les rendre aux gymnases de ces collèges ou de ces universités où ils excellaient dans tous les sports, était-ce en pensant aux deux garçons, sur la banquette arrière, qu'elle écrirait pour elle-même, comme le prescrivait le psychiatre japonais à ses patients dépressifs, son ode à la vie, sa gratitude d'avoir reçu de la vie tant de bienfaits, mais jamais ses fils ne la consoleraient de sa honte, son ode à la vie allait vers Mélanie, son seul enfant, lui semblait-il parfois, dommage qu'elle fût partie en Afrique, peu de temps après le voyage sur le Nil, et l'enterrement de sa grand-mère, en cette période de malédiction où Mère avait été d'une ombrageuse froideur, dommage que Mélanie eût songé elle aussi à se marier, à avoir des enfants, certes, il fallait remercier Dieu pour les bienfaits reçus, que Puccini eût composé *Madame Butterfly,* perçu avec le drame de la femme, le pitoyable drame des bourgeois dont Mère faisait partie, elle qui avait perdu l'amour de sa gouvernante française, ensuite celui de son mari, pour quelque affaire de libertinage, un chirurgien esthétique de sa renommée, quelle faiblesse chez cet homme autrement impeccable, la reconnaissance plutôt que la colère, plutôt que la dépréciation de soi-même, le chercheur japonais ne dénonçait-il pas les maux blasés de l'Occident, la culpabilité, la dépression, les rhumes, les grippes de nos vies quotidiennes dont nous finissons par mourir, disait-il, le nirvana sur la terre, on ne pouvait l'atteindre que par le bien, dans un cycle de multiples renaissances, Mère revivrait-elle encore cette même vie, reverrait-elle dans son miroir les regards durs de ses fils, assis sur la banquette arrière de la limousine blanche, se disant qu'ai-je fait pour mériter cet enfer, était-ce ce duo de l'opéra de Puccini qui lui rappelait ces instants, lorsque ses fils l'avaient jugée ; bien qu'elle fût très profane, Mère était une adepte du bouddhisme, pensait-elle, ce voyage en Égypte avec son mari lui semblait soudain l'un de ces bienfaits reçus de la vie, ces temples devant lesquels était amarré leur bateau de croisière, les tombes des princes, les eaux paisibles du Nil, cette nuit qu'ils avaient passée ensemble sur le bateau quand Mère avait encore l'illusion d'être une femme aimée, convoitée, quand tombait peu à peu sur les temples des dieux la nuit, son silence, leur bateau sillonnait le fleuve, ne semblaient-ils pas encore s'aimer, apprécier l'un et l'autre les reposantes heures de la sieste, dans le sifflement des moteurs du bateau, c'était sur les eaux du Nil, égarés dans ces fastueuses capitales d'un passé millénaire, ils entendaient, la nuit, la plainte monocorde des appels à la prière des muezzins, de ces tombes princières en ruine des anciennes civilisations ne semblaient émerger pour Mère qu'une foule d'esclaves, figures de femmes qui faisaient la lessive, maigres paysans penchés sous les lueurs du rouge soleil vers leurs labours, près de ces chemins de terre, de ces collines de sable où ils cultivaient le riz, la canne à sucre, obéissant à cet imperturbable cycle des renaissances qui les mèneraient au nirvana des humbles, jadis constructeurs de pyramides, ils avaient inscrit sur les murs des temples, des pyramides, les offrandes de leur sueur, de leur sang, encore aux pieds de ces couronnes qu'ils avaient servies, ils transportaient aujourd'hui des pierres sur les eaux congestion-

nées des fleuves, déchargeaient leurs lots de pierres sur
les quais pour leurs maîtres brutaux, qu'eût fait Mère
si elle eût été cette femme faisant la lessive parmi ses
enfants, cet homme épuisé déchargeant des pierres
toute la journée sur un quai, était-ce pendant une
escale à Esna, aux abords du désert, que Mère avait
éprouvé ses premiers doutes, toute femme encore
jeune et belle n'attirait-elle pas le regard de son mari,
une inflexion gênée dans sa voix avait trahi son
impatience, n'était-il pas un homme constamment en
présence de jolies femmes dans sa profession, disait-
il, qu'on le laissât tranquille avec ces scrupules, il était
un homme, et Mère avait su qu'elle vivrait, après ces
heures reposantes de la sieste dans un bateau de
croisière, cette phase affligeante, pensait-elle, compro-
mettante pour les siens, car que dirait-elle à Mélanie,
au retour de sa mission en Afrique, comment appren-
drait-elle aux garçons que leur père ne serait pas avec
eux, cet été, pour les vacances, était-ce un duo, dans
un opéra de Puccini, qui vibrait encore dans l'air
chaud, qui la ramenait si loin, la musique des compositeurs italiens ne produisait-elle pas toujours ces
lancinantes remémorations dans l'âme de Mère, silen-
cieusement, Mélanie avait écouté sa mère, les mains
croisées sur ses genoux, sur la balançoire, ce n'est que
plus tard, pensait Mère, que tendant la main dans l'air
chaud, humide, Mélanie avait eu un mouvement
brusque envers sa mère, comme si Mère fût devenue
la vieille femme ennuyeuse qu'elle ne voulait pas être,
celle qui ressemblait à ses amies, à l'heure du thé,
femmes jacassantes et oisives fumant à la fin du jour
dans leurs chaises longues, dans ces jardins qu'entre-
tenaient leurs serviteurs, était-ce vrai qu'elle ne fût à
cet instant, pour sa fille, que cette fleur fanée que l'on
jette sur un trottoir, et que ses pétales n'eussent plus
qu'à se décomposer, se flétrir, avec les réminiscences,

les fantômes de la vie disparue, le lancinant souvenir d'un duo dans un opéra de Puccini, *Madame Butterfly*, *La Tosca*, tout n'appartenait-il pas à Mère, les pyramides de la Haute-Égypte comme les audaces harmoniques de Puccini, les dogmes du bouddhisme, la musique religieuse de Vivaldi, ils étaient innombrables ces bienfaits que Mère avait reçus de la vie, le grand thérapeute japonais l'eût exhortée à commencer son hymne à la vie par les prénoms de Daniel et Mélanie, ses enfants adorés, les prénoms de ses fils Édouard et Jean seraient ensuite écrits sur le papier, mais combien était embarrassant le souvenir de leur présence sur la banquette arrière d'une limousine, Mère n'était-elle pas très satisfaite aussi qu'ils fussent tous les deux en bonne santé et réussissent si bien, oui, Mélanie l'avait écoutée avec patience sur la balançoire, ne manifestant un peu d'inquiétude, de nervosité, qu'à l'approche du mauvais temps, car les vents contraires se levaient sur l'Atlantique, mais était-ce une appréhension que Mère n'osait s'avouer, n'y avait-il pas, avec le mouvement de Mélanie, sa main tendue vers l'air chaud et humide, soudain, dans l'éclat de ses yeux bruns sous la coiffure petit page, dans le profil volontaire, un peu de son père, un soupçon de lui pesant encore sur Mère, à travers sa fille, comme si elle ne fût encore que cette fleur fanée que l'on jette sur un trottoir, une femme à qui l'on ment, car Mélanie ne lui disait pas tout au sujet de Vincent, pourquoi l'amour de Mère pour sa fille était-il teinté de cette ombre, le souffle d'une nouvelle vie, et peut-être, longtemps, y en aurait-il toujours une nouvelle, le souffle de Vincent, mais ils étaient innombrables ces bienfaits que Mère avait reçus de la vie, innombrables, avec l'apparition de tous ces enfants aux embrasures des portes, des fenêtres, la fête, les nuits de fête ne faisaient que commencer, et n'était-ce pas toujours ainsi, pensait Mère, les an-

ciennes générations ne se résignaient pas sans peine ni
répugnance à l'arrivée des nouvelles, car les pétales de
celles qui avaient été des fleurs se décomposaient, se
flétrissaient, et Sylvie entendait battre dans le creux de
sa main ouverte le cœur de la perruche, c'était la perruche d'Augustino dont le plumage orange autour des
yeux et du bec était nuancé d'une couleur rosée, vole,
mon ange, il faut voler, disait Sylvie, l'oiseau tressaillait
faiblement des ailes mais ne se soulevait plus, les
pulsations s'éteignaient dans la main de Sylvie, le plumage orange que nuançait désormais une couleur
rosée comme le cœur sous le plumage étaient glacés,
on eût dit qu'ils se raidissaient sous une pluie de gel,
et Marie-Sylvie de la Toussaint voyait l'ombre de son
frère au portail du jardin, qu'il parte avec le festin
encore chaud, mais ne revienne jamais, qu'on le pour-
suive loin de ces régions, pensait-elle, implorant aussi
Dieu qu'Il eût pitié de l'homme qu'on appelait dans
son village Celui-qui-ne-dort-jamais, car son frère
avait eu la charge de veiller jour et nuit sur ces rives
de la mer où poindrait l'ennemi dans des rafales de
mitraillettes, que de sanglots, que de larmes, quand, à
l'aube, Augustino, en courant dans l'herbe vers ses
perruches, ses poussins, verrait la poussinière, la volière vides, des monceaux de plumes orange et bleues
que nuançait la couleur rosée, collant aux loges des
cages, de la lame argentée à l'extrémité du bâton se
détacheraient leurs ailes, leurs plumes blondes, et on
entendrait dans le silence des rues, la nuit, ce bâton
du frère dément de Sylvie, martelant le fer des grilles,
des grillages, de sa lame argentée sous les guirlandes,
car lourde de sang était l'ombre de Celui-qui-ne-dort-
jamais, du Veilleur des morts sur les rives de la cité du
Soleil, cambré sous son chapeau mexicain dans la paix
d'un cimetière, il broyait désormais entre ses incisives,
dans des rires sots, le cœur des oiseaux, leur chair

tendre, les fibres des lapins et des porcelets qu'il avait sacrifiés, ne se souvenant plus de ce temps de quiétude où il avait été, dans le village de Dieu-Est-Bon près de l'océan, avec Marie-Sylvie, ses frères, pêcheur et saunier ingénu, s'étendant la nuit sur les plages, un enfant pieux dans le village de Dieu-Est-Bon où il allait à l'école des prêtres, n'était-ce pas l'un de ces prêtres qui avait été leur sauveur, venant à leur rescousse dans son bateau à moteur, Marie-Sylvie de la Toussaint avait entendu son nom dans la rafale des mitraillettes, venez avec moi, avait crié le prêtre, la mer est votre seul refuge, ils iraient ainsi vers les îles Bahamas, ils succomberaient tous, ceux qui ne partaient pas, sous les machettes, les sabres, sous le feu des mitraillettes, déjà l'odeur putride des cadavres que déterraient les chiens et les porcs faméliques empuantissait le village de Dieu-Est-Bon, était-ce la faim ou la soif sur le bateau qui avait ainsi ulcéré l'esprit de Celui-qui-ne-dort-jamais, où était-ce la dysenterie qui avait emporté trois de ses frères, il les revoyait se traînant dans le sable, maculés d'excréments, délirant de soif, la soif aussi douloureuse que les crampes de leurs rouges diarrhées, ou n'avait-il soudain aucune mémoire d'eux tous, la peau de Celui-qui-ne-dort-jamais, pensait Sylvie, cette peau mate, sous le large chapeau mexicain, était d'un tissu animal comme celui de ces bêtes qu'il pourchassait et mangeait, c'était un vieux cuir que tannait le soleil, la lame y avait dessiné quelques lésions, cette lame à l'extrémité d'un bâton d'où se détachaient l'aile d'un poussin, une plume blonde dans les élans d'un rituel macabre célébré dans un cimetière, que de larmes demain à l'aube quand Augustino verrait les cages vides, que dirait Sylvie à sa mère, avant le réveil d'Augustino, Jenny et Sylvie répareraient tout, car au matin de Pâques elles achèteraient chez le marchand les oiseaux les plus recherchés de

l'île, la perruche, l'oiseau-mouche, elles lisseraient de
leurs doigts l'aile du colibri topaze, de l'ibis rouge, du
couroucou de Cuba, les pélicans et les paons au plumage vert séjourneraient dans le jardin auprès des
poissons de l'étang, car les larmes des enfants sont des
outrages à Dieu, disait le prêtre qui avait été leur
sauveur, et désormais, la mer, la mer seule serait leur
refuge, mais dans le village de Dieu-Est-Bon, combien
de corps assassinés n'avaient-ils pas été retirés de la
lagune, combien de rebelles avaient été exécutés, victimes offertes et ballottées par les eaux qui affluaient
avec les vagues de la mer, car vite il fallait courir à la
mer, s'embarquer dans des bateaux pour s'écrouler
sous la ligne du tir vrombissant de la plage, était-ce la
fièvre d'une maladie contagieuse qui avait ainsi ulcéré
l'esprit de son frère, était-ce la faim ou la soif, Marie-
Sylvie, elle, se souvenait de la voix du prêtre prononçant son nom, Marie-Sylvie de la Toussaint, dans la
rafale des mitraillettes qui les assiégeaient de toutes
parts, de loin, ils verraient leurs chèvres, leurs moutons, blessés sur des coteaux d'herbe jaune, on aurait
assassiné leurs parents et leurs grands-parents dans
leur maison, sur cette mer sanglante, aux rives de la
cité jadis lumineuse, ils avaient longtemps navigué,
Marie-Sylvie, écoutant les battements du cœur d'Augustino, n'était-il pas aussi petit dans les bras de Sylvie,
entre ses mains, que la perruche, le lapin d'Augustin,
son petit frère, sous les rafales des mitraillettes, ce
cœur avait-il cessé de battre, Marie-Sylvie n'osait
ouvrir sa main de peur d'y voir ruisseler le sang, mais
vivant, Augustin était vivant, c'est ainsi que le prendraient dans leurs bras les gardes côtiers, lorsqu'ils
échoueraient sur leur rivage, ô paradis de miel et de
lait, Augustin est souriant et plein de vie, sa sœur le
tiendrait sur sa poitrine comme s'il eût été porté
jusqu'à elle de son berceau, dans ses langes, Augustin

aurait miraculeusement survécu, et se frayait vers lui,
au-dessus du cordage du bateau, le paradis, une terre
de lait et de miel, car tout serait réparé, pensait Sylvie,
le deuil et la tristesse, Jenny et Sylvie achèteraient chez
le marchand d'oiseaux le colibri topaze, la perruche
au plumage orange et bleu, l'ibis rouge, le paradisier,
le couroucou de Cuba, et plus tard lorsque les soldats
de la junte auraient fini de piller et de massacrer le
village de Dieu-Est-Bon, que pourriraient au soleil les
carcasses de ses dernières chèvres et de ses derniers
moutons, Marie-Sylvie entendrait cette voix sur la
mer, serait-ce la voix du prêtre qui les avait sauvés ou
celle du frère dément martelant de la lame de son
bâton les grilles, les grillages des maisons, dans le
silence des rues, la nuit, Marie-Sylvie de la Toussaint,
dirait la voix, maintenant que tout a été saccagé,
détruit, retourne avec ton frère dans le village de Dieu-
Est-Bon, retourne avec Celui-qui-ne-dort-jamais dans
ton pays. Et Mélanie vit sa mère qui marchait seule
près de la piscine dans le scintillement des lampes du
jardin, leur entretien de l'après-midi sur la balançoire,
pensait Mélanie, n'avait-il pas été assombri par
l'acquisition du tableau grec, pendant une visite chez
l'antiquaire, Mère n'avait-elle pas insinué que Mélanie
manquait de goût, de discernement, en achetant ce
tableau, je ne comprends pas, avait-elle dit, toujours
aussi sévère envers sa fille, pourquoi tu as choisi ce
tableau quand il existe tant d'œuvres d'art qui ins-
pirent la sérénité, le sujet du tableau est désolant, et
puis le peintre n'était-il pas inconnu, sa signature, en
lettres grecques, illisible, certes, il s'agissait d'un
tableau naïf et bouleversant, mais valait-il la peine
qu'on le vît désormais sur les murs de la maison de
Daniel et de Mélanie, était-ce l'approche de la vieillesse
de Mère qui compliquait tout, pensait Mélanie, où
était leur douce complicité d'autrefois lorsqu'elles

marchaient ensemble, main dans la main, allaient visiter le Louvre, voyageaient ensemble dans les plus belles villes du monde, tous les musées, disait Mère, il faut voir tous les musées, jamais elles ne se séparaient en été, quand ses frères, eux, étaient envoyés dans des pensions en Suisse ou dans des camps de vacances où ils pratiquaient l'équitation, les sports nautiques, puis s'emparant de ses lunettes, Mère avait étudié le tableau de plus près, en soupirant d'un air peiné, ah, ces pauvres femmes, ces pauvres femmes, mais quand cela se passait-il, demanda-t-elle soudain d'un ton plus tranchant à Mélanie, était-ce à l'époque de l'invasion des Turcs en Grèce ou lors de l'intervention de l'armée égyptienne, et, silencieuse, Mélanie avait regardé le tableau, ses yeux semblaient rivés à la scène qu'il représentait, sept, huit, dix femmes, elles étaient si nombreuses, ces femmes que représentait le tableau du peintre grec, toutes étaient debout, en rang, et appuyées contre un muret de pierre, chacune serrant dans un châle son nourrisson, sur sa poitrine, attendait son tour contre le fond de la ville en flammes, sous un ciel en fumée, pour se précipiter dans un ravin avec son enfant en bas âge, c'était cette scène insupportablement réelle, en temps d'occupation, qui avait dépité Mère, pensait Mélanie, comme si Mère n'eût pas été une mère elle aussi, comme chacune de ces femmes fuyant l'insurrection, les mutineries, c'était au temps, dit Mère, des guerres qui se succédaient entre la Grèce et la Serbie, tant d'autres occupations suivraient de nos jours, les pauvres femmes, elles sont toutes si jeunes, se préparant à mourir avec leur premier enfant, sans lutte, leurs formes oscillent une à une vers le ravin, et l'enfant n'en sait rien, confiant, il ne sentira même pas sa chute, son crâne sera vite écrasé contre les branches du ravin, les cailloux, Mère récitait ces paroles, pensait Mélanie, comme une leçon

apprise par cœur, elle ne les ressentait pas, car le sujet
du tableau déplaisait à son goût, à son sens du beau,
le brasier du ciel et de la ville en feu lui semblait trop
pourpre, d'un rouge foncé vulgaire, et les pauvres
femmes se précipitant dans le ravin, Mère ne pouvait
qu'en avoir pitié, leur devoir de mères, dit-elle, n'eût-
il pas été d'affronter la survie coûte que coûte, Mélanie
voyait sous le ciel en fumée derrière le muret de pierre
où les femmes étaient debout, en rang, les terres pillées
des humbles paysannes, les marchands avaient déserté
le port, dans les rues en ruine, les boutiques étaient
fermées, comment eussent-elles pu nourrir leurs enfants, quand les notables, le haut clergé, comme pendant toute insurrection, toute mutinerie, étaient partis
avec leurs biens qu'ils négociaient, le monde et ce
joyau qu'était la Grèce n'avait-il pas toujours été à eux
et à leur cavalerie, mais ces réflexions, Mélanie savait
désormais qu'elle ne les partageait plus avec sa mère,
car Mère était dépitée par la scène authentique du
tableau, c'était trop affligeant, dit-elle encore à Mélanie, et où Mélanie avait-elle l'intention de mettre ce
tableau, et ce duo dans un opéra de Puccini, ce duo
qu'elles écoutaient ensemble, assises l'une près de
l'autre sur la balançoire, pendant la sieste d'Augustino, ce duo, ces voix n'étaient-ils pas de merveilleux
bienfaits reçus de la vie, disait Mère, Mélanie songeait-
elle parfois à tout ce qu'elle avait reçu de la vie, car la
vie, disait Mère, était un bienfait, Mère avait lu un
psychiatre japonais qui exhortait ses patients dépressifs à la gratitude, à la reconnaissance, et Mélanie vit
le ciel en fumée, et Vincent, Augustino, Samuel, pen-
dus à son cou, dans les plis de sa robe, le nuage, en
passant par-dessus la république d'Ukraine, dans les
cheveux des petits enfants qu'il avait transformés en
une multitude d'enfants chauves et leucémiques, tout
près de la fosse des morts, le nuage de plutonium

planant sur l'Atlantique avec les vents contraires, une infinitésimale goutte, en ce matin de janvier, et Augustino rentrerait de ses jeux à la maternelle sans ses boucles blondes, sans aucun sourcil, aucun cil, la terreur de ce regard nu, sous la paupière, cette indicible peur que lirait Mélanie dans le regard de ses fils l'eût déjà précipitée à son tour dans le ravin, car l'occupant était proche et on avait entendu le son de sa cavalerie, tôt en ce matin de janvier, quand les enfants étaient encore dans leur lit, était-ce l'approche de la vieillesse ou les lancinantes remémorations que produisait dans l'âme de Mère la musique des compositeurs italiens, Mère n'était plus attentive comme autrefois aux préoccupations de Mélanie, la musique, comme les œuvres d'art dans un musée, ne semblaient avoir été créées que pour son amusement, frivole, accaparée par les sorties et les distractions, elle niait l'apocalypse de l'infinitésimale goutte de plutonium au-dessus de la république d'Ukraine, planant avec les vents contraires sur l'Atlantique, dans les cheveux d'Augustino, le souffle de Vincent dont elle était peut-être la cause, le souffle court de Vincent qu'elle avait suspendu, cette goutte de plutonium, et ce regard nu, sous la paupière sans cils, comment Mélanie le soutiendrait-elle un seul instant, les jeunes paysannes du tableau avaient longtemps vécu dans un paradis d'eau bleue et de ciel, faisant la cueillette du coton, dans l'abondance des fruits et des légumes de la terre, elles n'auraient jamais cru, pensait Mélanie, manquer un jour de fruits frais et de raisins secs, jusqu'à ce que l'une d'elles vît cette flamme dans le ciel, c'était au-dessus du port du Pirée, elle courut en avertir ses sœurs et ses amies et elles prirent avec elles leurs enfants, souvent, elles se tiendraient ainsi ensemble près du ravin, penchées vers la fosse des morts, pendant chaque occupation, bulgare, italienne ou allemande, elles verraient chaque fois cet incendie dans le ciel, attirées, sans larmes, vers le ravin, car tout était perdu, tout était perdu, Mélanie vit sa mère qui marchait seule dans le scintillement des lampes du jardin, sur les tables, elle regrettait d'avoir exprimé un mouvement d'impatience envers elle, l'après-midi quand se levaient les vents contraires sur l'océan, Mère qui n'avait peut-être encore que quelques années à vivre, pensait Mélanie, détestait, dans l'achat du tableau chez l'antiquaire, le rappel de sa propre fin, c'était une faute de discernement, de goût, de la part de Mélanie d'avoir choisi ce tableau, d'en avoir discuté avec Mère à l'heure où dormait Augustino sur la large véranda et où roucoulaient les oiseaux, lorsque Mère aspirait surtout à faire entendre à Mélanie sa musique, un duo d'amour dans un opéra, Mélanie avait de son père la force, l'indépendance de caractère, mais aussi l'insensibilité, pensait-elle, et ce duo dans un opéra de Puccini hantait maintenant son âme, Mélanie admirait son père, issu d'un milieu modeste, il n'avait jamais eu l'arrogance de la classe dirigeante, bien que, peu à peu, par sa dureté de caractère, il se mît à ressembler à ceux qu'il n'aimait pas, qu'eût-il été sans la générosité de Mère, et qu'eût été Mélanie, Mère était-elle coupable du nuage de radiation planant sur l'Atlantique, autour des cheveux d'Augustino, du souffle de Vincent, pauvre Mère, pensa Mélanie, qu'elle préserve la candeur de ceux que le temps lentement userait sans dommages et laisserait peut-être intacts, près d'un livre, d'une musique de chevet, Mélanie n'était plus du temps de sa mère, du temps de l'exode et des cousins de Pologne, du grand-oncle Samuel fusillé contre les baraques de l'enfer, dont Samuel portait le nom, elle était de l'époque de la guerre de janvier, quand le président d'un pays parlait à la radio, à la télévision, avant que les enfants ne fussent réveillés dans leurs lits, en ces temps de guerres spontanées et d'exodes écologiques, les villes, les villages de la république d'Ukraine devenaient chauves, comme leurs enfants, les feuilles de leurs arbres, les touristes venaient de loin pour voir ces villes, ces villages fantômes où, dans leurs isbas, des paysans irradiés leur offraient à boire de la vodka près d'un feu de cheminée dont la flamme semblait brûler la neige, dont on voyait l'étendue, de l'habitation de sapin, cette cité, cette neige étaient pourtant bien mortes, comme l'étaient les paysans et la vodka avec laquelle ils se réchauffaient, car sans le commerce des touristes, qui les eût secourus, on l'appelait la cité morte de Tchernobyl, les touristes y venaient avec leurs guides, on ne voyait plus rien du nuage fatal qui avait contaminé les porcs et les vaches, et au printemps, en été, dans la cité morte de Tchernobyl, nouvelle divinité du tourisme, chacun qui était décédé continuait de manger comme hier des citrouilles, des pommes de terre, dans les festivités d'une vie champêtre qui était morte elle aussi, et on s'invitait mutuellement dans les isbas en se moquant de ce risque de radiation si élevé que tout dans la cité était chauve et mort, tels ces arbres sans sève, sans feuilles sous la neige ou sous le soleil, en été comme en hiver, mais, pensait Mélanie, pourquoi Mère eût-elle été coupable de ces vents contraires sur l'Atlantique, de l'existence de cette goutte de plutonium se mêlant à l'air, à l'eau, à la lumière au-dessus de la république d'Ukraine ? Mélanie fut rassurée lorsqu'elle vit que Mère faisait la conversation avec un ami architecte de la famille, n'était-elle pas sur le point de concevoir une nouvelle décoration pour la maison et pour le jardin, et qu'était-ce que ce pavillon près d'une fontaine sous les lauriers-roses, un luxe, à la rumeur des voix s'ajoutaient les applaudissements qui accueillaient le plongeon hardi de Samuel, de la fenêtre du grenier, dans la piscine, les rires cristallins, de filles très jeunes, fusaient vers Samuel de tous les côtés du jardin, de la véranda, c'était pour lui cette fête, pensa Mélanie, tout serait fête pour Samuel, son bateau amarré à la marina, le kimono de soie qu'il avait reçu de la mère de Jermaine et que tendrait Jenny sur ses épaules ruisselantes, cette fête, ce banquet, ne serait-ce pas qu'il fût toujours heureux, pensait Mélanie, parfois, au sortir de l'eau, de la piscine, des vagues de l'océan, dans l'éclaboussement des parfums de l'eau, de l'air, il pressait son corps contre le sien, en silence, mais voici que ses joues brunes rougissaient plus facilement, elle caressait le dos long de Samuel qui avait encore grandi, Samuel si beau, le jour, Daniel, la nuit, bien qu'il fallût empêcher Augustino de venir dans le grand lit, jusqu'au matin, longtemps les jeunes paysannes du ravin que représentait le tableau grec avaient vécu dans un paradis de lumière et d'eau bleue, jamais privées de fruits frais, et avaient senti comme Mélanie l'exaltation, le bonheur de la sensualité de vivre, auprès de leur mari, de leurs enfants, dans leurs champs, pendant que paissaient leurs troupeaux, elles s'étaient grisées des parfums de l'eucalyptus, comme Mélanie, elles avaient contemplé la mer rutilante dans la lumière du soleil couchant quand s'exhalaient de leurs corps de vertigineux désirs d'amour et de vie, avant que ce nuage, cette flamme, cette combustion dans un ciel d'été ne les figeât toutes près du ravin, leurs nouveau-nés devenus aussi lourds que des fardeaux de plomb, sur leur poitrine, avant que Mélanie ne s'aperçût que se levaient sur l'Atlantique les vents contraires, mais de tous les côtés du jardin, des vérandas, fusaient vers Samuel d'allègres sons de voix, pensait Mélanie, et ne lui avait-on pas promis que Vincent serait plus robuste dans quelques mois, Mélanie n'aurait que des enfants sains et forts, avec quelle impatience ils attendraient tous les pre-

miers pas de Vincent sur la plage où se poseraient les
aigrettes, Mélanie lirait jeudi sa communication aux
femmes militantes de la ville, Julio avait besoin d'un
nouveau costume, Jenny accompagnerait Augustino
chez le dentiste, l'après-midi, ce duo dans un opéra de
Puccini hantait l'âme de Mélanie, en ce siècle naissant,
quand Mélanie entendrait-elle dans une salle de concert de New York, de Baltimore, les œuvres d'Anna
Amélia Puccini, toutes ces Anna Amélia oubliées, les
œuvres d'Anna Amélia Mendelssohn dont son frère
Felix avait parfois usurpé les compositions, car le père
d'Anna Amélia n'eût pas aimé que les œuvres de sa
fille fussent exécutées en public, qui sait si Anna
Amélia n'avait pas été, comme Vivaldi, une violoniste
virtuose, un chef d'orchestre soumis aux obligations
de ses charges, elle avait été maître de chapelle dans
les couvents, les monastères, de rigides institutions
accueillant l'orphelin, on l'avait contrainte à la compo-
sition rapide de la musique des offices divins, à la
sirupeuse musique des vêpres, plus puissante, elle
avait été une abbesse écrivant au XIIe siècle une musique toute liturgique, une princesse de Prusse exi-
geant que ses compositions fussent jouées à la cour où
elle avait écrit des marches, des pièces de musique
pour ses défilés, pauvre, elle avait emporté avec elle
dans l'ensevelissement des fosses et des ravins, où dormaient ses œuvres de même que ses enfants, sa
musique encore dissonante des tremblements de son
temps, du galop des chevaux noirs de la peste et du
choléra sur des villes entières, mais en quelque siècle
nouveau, dans une salle de concert de Baltimore, de
New York, Mélanie entendrait les œuvres d'Amélia, un
fragment retrouvé dans un monastère, un couvent, un
fragment si ténu qu'elle l'entendrait à peine, ouvrant
une encyclopédie des arts, Mélanie verrait le nom
d'Anna Amélia parmi les six mille noms de musi-

ciennes, compositrices, bien que le père d'Amélia Anna Mendelssohn n'eût pas aimé que les œuvres de sa fille fussent exécutées en public, que son frère Felix en usurpât la pérennité, soudain, ce fragment serait un symbole d'échos meurtris et de ruptures, qui sait si Anna Amélia n'avait pas été comme Vivaldi une violoniste virtuose, de ses cinquante compositions écrites depuis l'enfance dans les monastères, les couvents où elle avait été maître de chapelle, presque toutes avaient été emportées avec elle et avec ses enfants dans l'ensevelissement des fosses et des ravins, où dénuée de tout par les charges, les obligations, elle avait aussi jeté son âme, pensait Mélanie, c'était ce duo de Puccini qui hantait Mélanie quand fusaient autour d'elle des rires et de joyeux sons de voix, et cette voix d'alto de Vénus fredonnant des rythmes qu'elle avait chantés à l'église le matin, c'était une voix irrespectueuse, un peu ivre, s'élevant, solitaire, de l'estrade, pendant une pause des musiciens de l'orchestre, Mélanie écoutait les modulations syncopées de cette voix si peu respectueuse de la musique écrite par les Blancs et elle pensait que ce chant était d'une irrépressible colère entre les dents serrées de Vénus, n'y entendait-elle pas sonner les chaînes de l'esclavage, et sur le fond du ciel étoilé on y voyait aussi brûler les maisons de la communauté noire de la ville du Bois-des-Rosiers, car un député qu'aucun témoin ne vit sortir de sa voiture, pendant l'incendie, avait donné l'ordre d'effacer cette ville et ses épineux rosiers, longtemps, dans les bosquets, parmi les fleurs odorantes, Sylvester et son chien Polly, et Sarah, la mère de Sylvester, tous ils s'étaient enfuis par les bois, les forêts, pendant que brûlaient leurs maisons, regardant entre les branches, apeurés, l'assaut du feu et des hommes dans la ville du Bois-des-Rosiers, une meute d'hommes et leurs chiens reniflaient leurs pas, dans les sentiers, Sylvester et son chien Polly, Sarah, tous ils verraient à travers le voile troué des feuillages de l'hiver, dans le froid, s'effondrer les planches de leurs cabanes, s'évanouir dans la fumée leur ville, sous les projectiles, les chargements de poudre, un député avait donné l'ordre d'acquérir toutes ces munitions, bien qu'il restât très calme dans sa voiture à attendre la fin du massacre en fumant ses cigares, et tout près d'eux, Sylvester et son chien Polly, sa mère, Sarah, virent cet homme noir que l'on recherchait, accusé d'avoir parlé à une femme blanche, les halètements des chiens de la meute, la meute des hommes remplissaient la nuit, et sous le ciel étoilé et froid, Sylvester vit l'homme fouetté contre un arbre, parmi les arbustes épineux, on le fouettait avec une corde tout en lui demandant de confesser ses crimes, à quelle heure avait-il adressé la parole à cette femme, était-ce dans sa demeure, les muscles du visage de l'homme, dans la nuit, avaient été lacérés, les tendons de son cou déchirés sous les fils de crin de la corde, sous les ceintures de cuir des hommes, soudain aucun muscle, aucun tendon ne frémissait plus, les bois, les forêts hurlaient du cri des hommes et de leurs bêtes, autour de l'homme attaché à un arbre, l'un tenait un fusil, l'autre une corde, bien qu'aucun muscle, aucun tendon ne frémît plus sur ce visage, dans la nuit, cette nuit-là, Sylvester et son chien Polly, Sarah, sa mère, tous, ils avaient vu brûler leur ville, cachés, enfouis dans les bois, les bosquets, et longtemps encore ils se souvenaient, pendant que s'élevait cette voix de Vénus irrespectueuse de la musique des Blancs, pensait Mélanie, ce chant d'une irrépressible colère secouant encore les chaînes de l'esclavage, les cendres du criminel incendie dans la ville du Bois-des-Rosiers, les modulations syncopées de la voix de Vénus hantaient l'âme de Mélanie, serait-ce demain, ce soir, que les descendants de Sylvester, de Sarah, sortis des bois, demanderaient à leur tour, avec le fouet et la corde, justice, réparation, s'élevait de la voix de Vénus, lascive, rieuse, sur l'estrade, un irrépressible chant de colère. Et eux seuls étaient encore assis autour d'une même table, dans le scintillement des lampes, le vent de la nuit relevant la nappe sous leurs doigts agiles et nerveux pendant qu'ils commentaient leurs travaux, des traductions de Dante, de Virgile, un ouvrage en vers ou en prose que l'un ou l'autre avait écrit, le temps, la renommée littéraire de Charles, Adrien et Jean-Mathieu ne les avaient-ils pas rendus vénérables, pensait Daniel, ils avaient atteint, tous les trois, sans doute les plus hauts niveaux de l'acuité de la conscience, l'existence et ses trivialités ne leur semblaient-elles pas une armure de lourdeur qu'ils déposeraient sans lutte aux portes de l'éternité, et que pensaient-ils, eux si à l'aise avec ces mots qu'ils avaient élus, dans leurs œuvres multiples, que pensaient-ils de Daniel, de cette nouvelle génération d'écrivains s'appropriant avec désinvolture le langage qu'ils défaisaient et reconstruisaient à leur manière? Le manuscrit des *Étranges Années* avait été refusé, l'avait-il été, pensait Daniel, dans cette maison d'édition new-yorkaise, par un transcendant cercle de poètes ne comprenant rien à la cohabitation chaotique des hommes avec le passé, ces hommes nouveaux, mais que le passé de leurs pères avait usés avant la naissance, pensait Daniel, ces jeunes gens pourtant aussi à la recherche du paradis, comme l'était Daniel, éclatant de vie et de sensualité, Charles disait qu'il fallait admirer l'exubérance de la jeunesse qui elle seule avait raison, Charles, Adrien et Jean-Mathieu, disait Charles avec humour, chacun d'entre eux ne ressemblait-il pas à ce vieux Schopenhauer se préparant à quitter le monde, ce Schopenhauer dont ils avaient la tête et l'œil méfiant, car rien n'était plus triste que cette vieillesse intrai-

table, irritable, que tout faisait souffrir, même ces
moustiques mourant dans le feu des lampes, qu'ils
chassaient de la main, piquant à travers la fine sueur
de leurs nuques, ces moustiques qui transmettaient à
la peau délicate, presque transparente, les microbes de
la fièvre et du paludisme, n'était-ce pas étonnant que
ce qui avait été un paradis devînt avec les suscep-
tibilités et les intolérances de l'âge un purgatoire, et de
la lueur pénétrante et jaune de ses yeux, Daniel
regardait ces trois silhouettes d'hommes frêles sur le
fond d'un ciel bleu sombre dans la nuit, où l'on
entendait, comme s'il se fût rapproché, le chant des
vagues, était-ce ici désormais, disait Charles à Adrien,
le lieu de tous les élancements vers l'amour perdu, les
regrets de toute une vie comme le décrivaient ces vers
de Dante, dans *Purgatorio*, « Alors les sons d'une
cloche lointaine blessent d'amour le pèlerin nouvel,
comme pleurant la clarté qui se meurt », e che lo novo
peregrin d'amore, punge, s'e' ode squilla di lontano,
che paia il giorno pianger che si more, récitait Charles,
d'une voix lyrique, et était-ce ainsi, comme l'imaginait
Daniel, pensait-il, que chacun de ces trois poètes
concevait pour lui-même la Divine Comédie dont il
était habité, chacun soupçonnant que l'enfer menaçait
de l'expulser de la chambre retirée où il pensait et
écrivait dès l'aube, quel mal y avait-il à écrire dans sa
chambre, disait Charles, si le monde, la terre étaient à
leur déclin, ce jeune homme, Daniel, n'en croyait rien,
mais c'était pourtant la vérité, tout s'évanouirait,
disparaîtrait dans les teintes bleutées de l'eau, Charles,
Adrien, Jean-Mathieu, comme Virgile, Dante Alighieri,
avaient joué leur rôle, ils avaient écrit des essais et des
traités, mais d'année en année, lorsqu'on les photographiait tous ensemble, debout dans un décor de
rochers près de la mer, ne manquait-il pas souvent
quelqu'un, cette année, c'était Jacques, il y a à peine

un an, il était là, aux côtés d'Adrien, vêtu, malgré la chaleur, d'un pantalon de velours gris côtelé et chaussant ses hautes bottes, soudain, la place était vacante, où était désormais cette figure souriante qui avait posé pour Caroline et dont l'expression variait si vite de la douceur à une moqueuse insolence, Adrien, Charles, Jean-Mathieu n'entendaient plus que les sons de lointaines cloches sur la mer, Caroline les avait rassemblés les uns près des autres, en rang d'écoliers, afin de les photographier chaque année, et soudain l'espace qu'avait occupé Jacques était vide, ses cendres avaient été dispersées dans le vent, chacun d'eux, disait Adrien, n'achevait-il pas de jouer son rôle autour d'une table, pendant un banquet, bien que, le temps de ce rôle, on ne les eût jamais invités, comme Dante, Virgile, à modifier les errances politiques de leur ville natale ni de leur pays, on les avait livrés seuls aux périls de leur imagination débordante comme à la folie des puissants de ce monde, qu'espéraient-ils donc maintenant, tous les trois, chacun d'eux n'osait-il pas croire en secret qu'il était attendu ailleurs, où, comme en ces longs après-midi où ils conversaient ensemble à l'ombre des parasols ou jouaient aux échecs dans la tiédeur humide des vérandas, sous les moustiquaires, ils discuteraient demain dans ce club sélect des immortels des problèmes linguistiques qui les préoccupaient ou de tel sonnet que Dante avait écrit pour Béatrice, la vision de Béatrice apparue à Dante lorsqu'il était enfant, n'était-elle pas, dans toute sa brillance, la grande Ombre de Dieu poursuivant jusqu'à la fin le poète, eux qui n'avaient pas connu Béatrice, qui n'avaient jamais éprouvé avec tant de force une virginale passion, n'avaient-ils pas écrit que de la terre des ombres, sans lumière et sans phare, leurs mots, comme eux-mêmes, risquaient de s'évanouir avec Jacques dans ces teintes bleutées de l'eau, du ciel qui

les avaient tant ravis, car comme en cette nuit de fête
tout se distillait dans l'air parfumé, la voix noire de
Vénus sur l'estrade, parmi les musiciens, chantant,
que ma joie demeure, comme les propos racistes de
ceux qui l'écoutaient en déambulant avec arrogance
près de la piscine, de même que les vers sublimes d'un
poète, e che lo novo peregrin d'amore, toute parole se
distillait dans l'air parfumé, des vagues émanait dans
la nuit une fumée bleue qui avait été le corps de
Jacques, son corps fait d'eau, de sel, lequel, parmi eux,
serait bientôt un peu de cendre sous un arbre en fleur,
et n'avaient-ils pas tous les trois entendu aussi, lorsque les écouteurs avaient été enlevés des oreilles de
Jacques, de la forme creuse de sa tête, cette messe que
Mozart avait écrite dans la joie, l'effervescence du
cœur, cette céleste musique, quand s'envolaient les
colombes et les tourterelles, plus tard, un oratorio de
Beethoven, sans doute seraient-ils encore quelque
temps ensemble comme ils l'étaient ici ce soir, cette
nuit, auprès de Daniel, sa femme Mélanie si charmante, et leurs enfants, demain à l'ombre des parasols
avec leurs livres quand il ferait chaud sur les plages,
ou dans la tiédeur humide des vérandas où ils joue-
raient aux échecs, ils seraient si curieux de se retrouver
tous dans un même éden, sous les mêmes palmiers,
dans la même brise marine, respirant cet air délicieux,
Charles, Adrien, Jean-Mathieu verraient Virgile et
Dante dont ils avaient été les biographes et les
chantres, on entendrait des uns et des autres les plus
beaux vers de leur épopée poétique, Jean-Mathieu,
comme Virgile avant de rencontrer Mécène à Rome,
avait eu une jeunesse pauvre dans le port de Halifax,
ou Charles, Adrien, Jean-Mathieu seraient-ils consi-
dérés par leurs maîtres sublimes comme des poètes
novices que n'avait pas encore polis le cycle des éter-
nités, auraient-ils encore le souvenir des vers qu'ils

avaient écrits ? Une ville montagneuse d'Italie apparaî-
trait à Jean-Mathieu, surgie de l'apesanteur, il avait
dégusté une boisson alcoolisée à midi, au soleil, quelle
saveur, ce cinzano ou ce vermouth, quand aujourd'hui
il lui était défendu de boire, tant d'échos, de bruits
d'eau et de voix dans cette ville où il était venu en train
de Milan, n'avait-il pas mal dormi la veille, puis
venaient ces matins de franche lumière chassant la
blême lueur des lampadaires la nuit, une famille san-
glotait dans les fumées d'un car, devant la gare, un
prêtre crachait dans un prompt jet de salive le cœur
de sa pomme, quel sens accorder à ces mots, dans le
nouveau règne, dans cette île où peut-être toutes les
langues seraient oubliées, le cinzano à midi au soleil,
l'abbé obèse crachant le cœur d'une pomme, ou ce
serait la même ville et les volets seraient clos, un chien,
un vendeur de crayons, dans un coin d'ombre, en les
regardant pendant qu'il écrivait, d'une terrasse, Jean-
Mathieu avait entendu cette question, dans son esprit,
quel est mon âge, n'était-il pas infiniment trop tôt à
cette époque pour se poser cette question, où allait le
chien, son compagnon, le vendeur de crayons, le carré
d'ombre, de même que les traces d'un cercle de
pigeons voltigeant à ses pieds, ces images, un instant
confinées par la pensée de Jean-Mathieu, lui semblaient vivantes comme autrefois, au-dessus de la ville
montagneuse, une main fermait les volets, dans le
silence du soir, seul à la terrasse de ce café, parmi les
cimes neigeuses, Jean-Mathieu se demandait ce qu'il
faisait ici, après avoir lu les lettres du matin, il n'y
aurait aucun courrier à l'hôtel jusqu'au lendemain,
aucune pluie sur ces cimes, aujourd'hui ou demain,
quand Jean-Mathieu ne sortait jamais sans son
parapluie, et déjà son verre était vide, le chien maigre,
le vendeur de crayons avaient disparu, que manquait-
il donc en ce lieu qui l'accablât tant, quelque atmos-

phère de piété cachée ne l'étouffait-elle pas, qui sait si
ne sortiraient pas soudain des églises, de leurs panneaux de verre, une délégation de saints et d'apôtres
vêtus de vert, comme l'herbe des collines, non, la nuit
tombait, demain Jean-Mathieu escaladerait la montagne, quel âge avait-il, quel sot de s'être posé cette
question quand le lendemain il escaladerait une montagne, se disait maintenant Jean-Mathieu qui voyait
clairement le jeune homme d'autrefois dans son
paysage montagneux délaissé, il avait, comme aujour-
d'hui, le crâne dégarni et l'énigmatique sourire à fos-
settes, il portait un pantalon et un veston boutonné
sur une cravate, la peau de son visage était fraîche et
rose, quel sot d'avoir pensé ce jour-là aux problèmes
de l'âge, parmi les délégations des saints, des apôtres
verts des églises, le cercle des pigeons voltigeant à ses
pieds, le jeune homme était désormais dans un vitrail
où il inspirait à celui qui le visitait une violente
émotion, quel air vivifiant il avait respiré dans la montagne, quel air vivifiant il respirait encore du balcon
de son appartement, près de la mer, dès l'aube, le ciel
dispersant sur l'eau sa forte lumière, léger et reposé
après la douche matinale, dans son short kaki, Jean-
Mathieu écrirait longuement devant sa fenêtre, il
déjeunerait plus tard avec Caroline, écrirait l'après-
midi à ses anciens étudiants en poésie anglaise, oh, il
faudrait attendre quand même jusqu'au lendemain la
distribution du courrier, cette boisson gazeuse qu'il
boirait serait insipide, longtemps le verre miroiterait
au soleil de ses inavouables, languissantes soifs pendant que de l'œil malicieux et vif de son appareil,
Caroline l'entraînerait encore vers quelque projet de
livre collectif, ma chère, dirait-il à Caroline, et sa voix
serait raisonnable, il ne me reste plus assez de temps
pour écrire ce livre avec vous, bien que l'idée ne me
déplaise pas du tout, que voulez-vous, il faudra bien

partir, partir, dirait-elle, impérieuse, mais, mon ami, il
n'en est pas question, j'ai besoin de vous pour ce livre,
vous connaissez tous ces poètes que j'ai photographiés
lorsqu'ils étaient jeunes, vous seul pouvez écrire sur
eux, nous seuls, dirait Jean-Mathieu, avec calme, car,
ma chère, nous étions là ensemble, vous, votre appareil
et moi, et il détournerait le regard vers le splendide
été hivernal des fleurs sur la terrasse, l'eau couleur
émeraude du golfe du Mexique, tout cela est encore à
nous, dirait-il simplement, pendant qu'il se sentirait
captif de l'opération de cet œil de Caroline sur lui, cet
œil, ou cet appareil enregistrant tout de ce qu'il eût
préféré ne plus voir en lui-même, ce visage d'une
vieillesse soignée d'écrivain, de poète, fallait-il vraiment le confier à la pellicule pour l'avenir, un parapluie, un chapeau l'eussent avantagé, mais voici que
cet œil malicieux et vif le confondait avec les fleurs de
la terrasse comme avec l'eau scintillante dans une
capture où il était dépossédé et passif, ne bougeant
plus, hypnotisé, il songerait qu'il aimait encore cette
femme, Caroline, bien qu'elle lui parût trop nerveuse
et d'une inépuisable énergie sous son chapeau de
paille ; dans cette lumière de l'hiver toujours un peu
froide, elle lui commanderait de se tenir tranquille
pendant qu'elle prendrait dans son sac un meilleur
appareil photographique, cette fois, l'image serait
filtrée, nuancée, dirait-elle, le soleil était si puissant ce
jour-là, Jean-Mathieu n'eût-il pas été satisfait de n'être
qu'un point d'ombre, dans un pan de lumière, et à
chacune des prises de Caroline, le regard soudé à
l'appareil, il reverrait les visages de ces amis, compagnons qui n'étaient plus désormais que des photographies dans les livres, empreintes d'hommes et de
femmes sur le papier noir et blanc de la page d'un
livre, d'un album, ces poètes qu'on avait appelés les
modernes, seraient-ils déjà d'une époque antérieure et

révolue parce qu'ils étaient, plusieurs d'entre eux, parmi les défunts, oh, que la vie avait été brève, les uns avaient été des héros de guerre, de remarquables médecins sur les champs de bataille, d'autres avaient fondé des mouvements contestataires de poésie en Amérique du Nord, l'un avait fréquenté les plus grands poètes de son temps, certains avaient été critiques d'art, leurs vies s'écoulant entre Paris et New York, d'autres avaient été détruits par le cancer, la dépression ou le suicide, que la vie était brève, léger et reposé après la douche du matin, dans son short kaki, Jean-Mathieu écrirait longuement devant sa fenêtre, ne connaissait-il pas l'ordre immuable de ses jours, la vie était irrésistiblement longue lorsqu'elle était harmonieuse et sereine, il attendrait avec la même impatience le courrier jusqu'au lendemain, en achevant un poème, il écrirait comme autrefois, parmi les cimes neigeuses, pourquoi ce malaise, que manque-t-il donc en ce lieu, Adrien n'avait-il pas mis son roi en échec sur l'échiquier, c'était la chaleur suffocante qui avait distrait Jean-Mathieu, la situation de la reine était provisoire, Adrien était d'une telle vélocité d'esprit lorsqu'il jouait aux échecs, comme lorsqu'il écrivait des vers, Jean-Mathieu serait demain plus alerte, c'était embarrassant tout de même d'avoir été battu par l'adversaire, un roi mis en échec, chacun était si irascible à l'approche des langueurs des étés brûlants, ne serait-ce pas préférable de se séparer bientôt, tous les trois, Jean-Mathieu rêvait du climat fortifiant des Alpes maritimes, Adrien jouerait au tennis tout l'été avec Suzanne, oh, la superbe indépendance de ce couple, Charles, dédaigneux de la mondanité des nuits de fête, auprès de ses amis, n'ayant plus de goût pour ces plaisirs, se réfugierait, pour écrire, dans un monastère ; la situation de la reine était peu stable, c'est ainsi que Jean-Mathieu avait été battu par Adrien, la situation était provisoire avec Charles qui avait les nerfs à vif depuis quelque temps, que signifiaient ces éclats d'énervement de Charles, était-ce la moiteur de l'air dans les chambres où chacun écrivait tout le jour, ou la suffocante chaleur derrière les stores, le vent fou des cyclones sur l'Atlantique, Charles ne supportait plus la mer, les îles, ces vastes étendues liquides étaient désormais, à ses yeux, sources de douleurs, de tribulations, ou était-ce sa vision changée par un trouble secret qui clôturait ainsi son image de la mer, ne plus la voir, disait-il, ne plus la voir, avait-il écrit dans l'un de ses poèmes, les mers, les océans avaient perdu leur souveraineté, leur titanesque grandeur, en ouvrant sa fenêtre, le matin, que voyait-on qui n'avait pas gagné le large, pitoyables objets que les flots des mers n'avaient pas secourus, ils étaient là, sur nos rives, englués dans le sable mouillé des plages, tels des jouets d'enfant dans une baignoire vide, c'étaient des pneus gonflables que l'eau avait rongés, une bouée de sauvetage jaune encore nouée au mât enfui, toute une incertaine flottille à la dérive avec ses radeaux, ses embarcations de bois ou de caoutchouc dont les formes étaient celles de petits cercueils, parfois, une rame, parmi ces tubes et ces tristes assemblages, apparaissait sur la grève, implorant le souvenir du bras humain qui l'avait fait naviguer seule jusqu'ici, sur ces rivages où des bateaux mal construits, d'informes choses, avaient survécu plus longtemps qu'une multitude d'hommes, de femmes et d'enfants voguant avec eux contre les récifs, dans les franges des coraux, en ouvrant sa fenêtre, le matin, que voyait-on qui n'avait pas gagné le large, la robe d'une fillette pendait à des planches pourries, la bouée de sauvetage jaune et étincelante comme un soleil, encore au sommet de son mât, était cette croix du pèlerin noyé, surgissant des eaux, ainsi, était-ce vrai, pensait Jean-Mathieu, que cette mer, comme l'écrivait Charles qui avait les nerfs à vif, souffrait de maux de tête, que cet océan que contemplait Jean-Mathieu en écrivant le matin était une mer dont nous devrions avoir honte, ou était-ce la vision de Charles qui était clôturée par tant d'écueils, par ces embuscades brouillant sa vue, sa pensée, le poète avait aussi écrit dans les mêmes accès d'un délire prophétique que la messe de ses funérailles serait chantée dans cette cathédrale de New York où il avait reçu des honneurs, Charles était-il à ce point tourmenté par une mort inéluctable quand Jean-Mathieu consacrait si peu de temps à cette pensée, à quoi bon, n'y perdait-on pas sa disponibilité, sa noblesse de cœur, quand Jean-Mathieu, incorrigiblement sociable, sortait encore tous les jours pour déjeuner, de même, Adrien et Suzanne, avec le vigoureux entrain qui caractérisait leur lien jusqu'à la vieillesse, s'aimaient du même attendrissant amour, écrivaient et publiaient leurs livres ensemble, marchaient main dans la main, dès que brillait le soleil sur l'eau, vers la piscine, le court de tennis, leurs pieds élancés et brunis par le soleil prêts à la course du matin dans leurs sandales de cuir, quelle fraîcheur de l'eau et du ciel quand Jean-Mathieu se levait si tôt pour la conquête d'un jour uniforme et paisible, pourquoi, en ce paradis harmonieux, ordonné comme devait l'être le ciel, Charles avait-il toujours les nerfs agités, la faute en était sans doute à ces fréquentes visites dans les monastères, au Mexique, en Irlande, à ces retraites forcenées, dans l'épuration de ses écrits, la vie spirituelle, où était le gracieux ami de Jean-Mathieu que Caroline avait photographié à l'époque des premiers livres de Charles, il semblait sourire de son fin sourire résigné à Jean-Mathieu sur l'empreinte en noir et blanc, dans ce livre que Jean-Mathieu avait édité, il y a longtemps, avec les photographies de Caroline, on y voyait Charles tournant le

dos à un piano, une partition musicale, dans une salle
d'étude ou de musique, sous les poutres d'une maison
ancienne, ô adolescent racé qu'adoraient l'ensemble
des dieux, était-ce ce même garçon qui se comparait
aujourd'hui au vieux Schopenhauer, lui qui n'avait pas
eu à subir, comme Virgile et Jean-Mathieu, les aberra-
tions de la vie matérielle, Jean-Mathieu devenu chef de
famille presque la même année où il apprenait à lire
dans un humble quartier de Halifax, mais quelle douce
lumière avait baigné son enfance, par ces matins bru-
meux sur le port, issu d'une riche famille de courtiers,
s'imprégnant tôt comme Dante de lectures philo-
sophiques, Charles, longtemps, n'avait pas eu à se
préoccuper de son sort, autonome dans sa pensée, il
avait grandi parmi les serviteurs de ses parents dans
leur vaste demeure, il n'avait pas été cet enfant mendiant au bord des routes, moins encore cet ouvrier
chômeur lors d'une dépression mondiale dans laquelle
Jean-Mathieu s'était débattu comme dans la vase,
solitaire et mystique parmi les siens, de sa chambre
isolée sous les poutres, n'avait-il pas eu de la vie, ô
Charles aimé des dieux, pensait Jean-Mathieu, une
approche sérieuse, intellectuelle, théologique, bien
qu'il fût seul et malheureux, Charles était un moraliste
de naissance, fuyant toute décadence, il ne recherchait
pas sur la terre son bonheur, se mettant tôt au labeur
de son immense production littéraire, évitant cette
vase, cette boue, qui, en pesant sur les manières des
pauvres gens, impriment en eux des manières si
frustes, à Charles, Béatrice, la «dame bienheureuse et
belle», à lui, l'art, Jean-Mathieu, avant l'écriture,
l'enseignement tardif dans les universités, avait eu ces
rudes mains de l'ouvrier, du chômeur des années de
privations, ce visage aux traits ravagés sous une casquette, ce jeune visage des mineurs détériorés que
Caroline avait photographiés pendant une ère d'ex-

trême ralentissement économique, lesquelles, ces ères d'anxiété, de combat, ne devaient plus revenir, pensait Jean-Mathieu, n'avait-il pas enfin acquis le droit à une vie sans ces soucis, une vie ordonnée, c'était ennuyeux, ce roi mis en échec par Adrien, demain, Jean-Mathieu serait plus vigilant. Mais en cette nuit de fête, tout se distillait dans l'air parfumé, le chant ivre de Vénus qui avait enlevé ses espadrilles et dansait pieds nus sur l'estrade, parmi les musiciens, comme ces rires cristallins qui fusaient vers Samuel, de tous les côtés du jardin, des vérandas, serait-ce demain, dès son réveil, pensait Samuel, debout près de sa mère, son kimono de soie couvrant à peine ses épaules ruisselantes de l'eau de la piscine, qu'il viendrait en hâte vers eux, réveillant Julio prostré de chagrin sur la plage, en disant à Jenny et Sylvie, Augustino, voici l'arche des animaux sans maîtres, et l'officier mécanicien dans une base militaire, qui avait recueilli Augustin des bras tremblants de Sylvie, dirait à Samuel, oui, c'est bien le radeau que nous attendons depuis plusieurs jours, nous l'avons distingué cette nuit dans l'éclat des phares, c'est bien l'arche des animaux dont les maîtres sont détenus dans ces campements ceints de grillages, comme Augustin que nous n'avons qu'à laver et à nourrir, ils sont sauvés, leur peau, leur fourrure sont striées par la brûlure du soleil, du sel, mais ils ont franchi la zone périphérique où, soudain, s'immobilisent dans des tourbillons les barques qui sombrent si près des côtes que nous voyons les yeux pleins de larmes des naufragés, des bateaux où nous tendons vers eux les couvertures, l'eau et le riz, en vain, gémissent-ils, nous n'irons pas plus loin, voici l'offrande de nos vies, la fin de l'exode, Samuel réveillerait Julio, vont-ils amerrir, sont-ils arrivés, demandait Julio, l'officier ne les a-t-il pas reconnus parmi les autres, un second radeau s'était perdu à l'horizon, sous les

nuages, ce jour-là, était-ce ce radeau qui n'avait pu
remonter Santa Fe, ainsi appelait-on la zone des eaux
de la mort, si proche des côtes et des docks qu'on y
voyait, disait l'officier, les yeux, les visages de ceux qui
seraient bientôt asphyxiés par l'immersion des vagues,
l'officier ne les avait-il pas reconnus parmi les autres,
Oreste, Nina, Ramon, sa mère Edna, ils étaient là,
quelques instants plus tôt, et soudain on ne les avait
plus vus, ni leur mât fait de draps et de chiffons que
remuaient les vents, cette zone de Santa Fe si près des
rives avait déjà avalé tant de vies, aventure exaltante et
triste, disait l'officier, Augustin s'était-il remis des
enflures que lui avait causées le soleil, à mille milles de
chez lui, l'officier mécanicien avait tenu dans ses bras
le petit corps enflé et boursouflé d'Augustin, qui avait
faim et soif, en pensant à sa fille Casey, à la maison,
téléphonant à sa femme, le soir, venu si loin, à mille
milles de sa demeure, il lui annoncerait qu'il avait
sauvé Casey aujourd'hui, quand l'enfant, la pauvre
enfant se remettrait-elle de ses enflures, de ses bour-
souflures car un limpide amour ne l'avait-il pas guidé
jusqu'à Santa Fe, ces eaux de tant de ruines d'où les
doubles visages de Casey et d'Augustin n'en seraient
plus qu'un, soudain, et Julio dirait à Samuel, ils sont
encore là-bas, sur ce radeau qu'aplatissent des nuages
à l'horizon, ma mère, Ramon, quant à Oreste, Nina,
Julio croyait les avoir oubliés, ne les revoyait-il pas
dans une armoire de vêtements, couchés en travers des
tablettes d'un meuble, du réfrigérateur, où Julio les
avait abrités de la chaleur torride, dès demain Samuel
dirait à Julio de se réveiller, qu'était-ce que ce sommeil
inquiet sur les plages quand coulerait aujourd'hui sur
l'eau lisse, parmi les bateaux de pêche, le radeau des
bêtes, quelques-uns de leurs maîtres ne viendraient-ils
pas plus tard à leur rencontre, dans des chenils, des
campements, où seraient installées leurs cages, parmi

les mangroves aux fleurs rouges, sous le ciel bleu, arriverait l'arche des animaux qu'attendaient Samuel et Augustino depuis plusieurs jours, le canari, le chaton blanc, ils seraient plus que neuf dans cette traversée, avec un faon appelé Aiguille de pin et un porcelet nommé Charlotte, survivants de la pénible odyssée, dès le soir, ils bondiraient de reconnaissance sur le parquet de linoléum de leur prison, certains souffriraient d'hémorragie interne, de membres cassés, ils seraient réhabilités par des vétérinaires, dans leurs refuges, le chihuahua aux côtés du doberman géant, le canari et le chaton blanc, ce serait l'arche de Noé de Samuel, d'Augustino, qu'était-ce que ce sommeil inquiet de Julio sur les plages, la nuit, allègrement soudain, encore vêtus de leurs hardes des radeaux, étourdis par la cadence des vagues, ils iraient, avec leurs enveloppes de cellophane à la main, montrer qu'ils étaient les propriétaires d'un vieux chien déshydraté sous son pelage rêche, l'une reconnaîtrait Toki, Kikita, oserait-on leur interdire de les reprendre, ils retourneraient plutôt en mer, Linda, Toki, s'en iraient, contents, retenus à leur maître par une corde bleue, un collier portant leur nom, sans lieu ni destination, errant d'un centre de transit à un campement près de la mer ceint de grillages, mais ils ne seraient plus seuls, oubliés comme dans des cauchemars, ces cauchemars de Julio sur les plages, dans une armoire, une tablette, dans un réfrigérateur afin qu'ils fussent loin de la chaleur torride, de l'anéantissement de ses fièvres, de ses dangers en mer, ils ne seraient plus seuls comme Oreste, Ramon, Nina, enchevêtrés aux puissantes racines des mangroves, sous les arbres en fleurs des lagunes, des forêts de palétuviers, dans le limon des eaux calmes, égarés si loin dans le feuillage, la végétation du sol salin, dans le rougeoiement des fleurs, quand volaient au-dessus d'eux les pélicans au vol lent et les aigles, protégés des ouragans par ce mur volatil des mangroves, comme la panthère, le crabe, le dauphin sauvage, n'enfouissaient-ils pas eux aussi dans la baie leurs puissantes racines, les boucles de leurs cheveux dans les algues, les plantes sophistiquées des océans, à leur tour ne se métamorphosaient-ils pas en cette microscopique nourriture des fonds de la mer pour les oiseaux de proie, le jaguar, le requin, enlacés si loin aux racines mouvantes des forêts de mangroves, ils allaient par le canal parmi les insectes, les dauphins, les tortues, dans ce canal des eaux d'où montaient des vapeurs de mercure qui avaient tué le cerf, empoisonné l'aigle royal, égarés si loin dans le feuillage du sol marin, Julio depuis longtemps ne les voyait plus, qui eût pu sortir de ces impénétrables forêts de mangroves, de palétuviers, aucune barque, aucun radeau, bien qu'on les eût aperçus tous, Nina, Ramon, Oreste, et leur mère Edna, si près des côtes de la zone de Santa Fe, les mangroves ne semblaient-elles pas s'allumer la nuit, pour Julio, de leurs signaux rougeâtres de menace, de danger, avertissant celui qui était prostré sur une plage, un quai, au guet, qu'ici parmi les mangroves filtrant l'eau fraîche de la pluie, de l'eau salée était filtrée la vie de Ramon, Oreste, Nina, Edna, dont la barque s'était échouée si près du rivage, dans cette baie fleurie et sableuse de Santa Fe. Et Renata levait la tête, le redoutant encore, l'Antillais avait peut-être décidé de la suivre jusqu'ici, de la cerner en cette nuit de fête, quand elle vit Mélanie et Samuel qui marchaient vers elle, quelle sensation de fraîcheur de les retrouver, n'était-ce pas comme cet espoir de nager bientôt dans l'eau verte, étale, par un jour de mer sans vagues, ils étaient là près d'elle, sous les amandiers, pourquoi, demandait Mélanie, avoir choisi cette maison isolée dans la végétation grimpante de la ville quand l'attendait ici un pavillon sous les lauriers-roses, Renata por-

tait une cigarette à ses lèvres, Mélanie ne lui semblait-
elle pas encore fragile, si peu de temps après la naissance de son fils, cette nuit de fête, ces nuits, disait-on,
ici, l'éloigneraient du lancinement de sa convalescence, combien Renata aimait soudain être près d'eux,
Mélanie, Samuel, loin des limbes insulaires de sa
condition de femme seule, dans une maison louée, où,
près du lit, sur une table, le cadran indiquait qu'il était
neuf heures et qu'un homme venait de rentrer avec
elle, qu'il respirait d'un souffle aigre sur sa nuque,
après une nuit au jeu où il avait tout perdu, une nuit
d'ivresse et de colère, cette humiliation dont Renata
ne parlerait pas à Mélanie qui était une femme heureuse, le froid contact du briquet, de l'étui d'or, la
fumée légère de sa cigarette dans l'air que parfumait
le jasmin, n'étaient-ils pas, ces dérisoires objets de sa
soif, plus que toute humaine présence, bienfaisants,
apaisants, elle renoncerait à eux à son retour, dès
demain, cette nuit, car ils étaient les objets d'une perte
ou d'une irrécupérable satiété, elle savait tout cela que
ne cessait de lui répéter son mari, et Samuel avait
tellement grandi pendant l'hiver, dit Mélanie, que sur
la pointe des pieds il se hissait jusqu'aux épaules de sa
mère, son plongeon avait été audacieux, mais n'était-
ce pas le temps de dormir quelques heures, Samuel
avait beaucoup grandi, répéta Mélanie qui voyait les
tours de communication, les ponts et les raffineries de
pétrole bombardés de Bagdad, songeant comment elle
le dirait aux femmes militantes, combien la guerre de
janvier reculait déjà dans les mémoires, car tels ces
arbres que déplacent les tornades, les drames du
monde ne se déplaçaient-ils pas à la même irascible
vitesse, soudain l'île, le paradis, n'étaient-ils pas aussi
stratégiques que la ville de Bagdad pour ces vacanciers
européens qui ajournaient d'y résider, imaginant partout, dans les rues, comme s'ils eussent été des lierres

grimpants, le long des murs, sous les feuilles de palmiers, recroquevillés sur les plages, des gisants à la dérive, plus désagréables encore à contempler, les dégâts de tous ces radeaux, pensaient-ils, sur ces rivages des mers où jadis ils se prélassaient avec tant de commodités, sous l'indulgente lumière du soleil, Samuel avait beaucoup grandi, dit Renata, qui regardait Samuel rythmer des mouvements de sa jolie tête, d'une souple danse à peine perceptible comme la danse d'un serpent sous l'eau, le chant de Vénus, sa musique, sa voix qui déchiraient l'air, la nuit, de leurs transes, de leurs incantations pieuses et déchaînées, lamentations de joie et de fureur que Renata croyait entendre jaillir du fond d'elle-même, pendant que chantait Vénus, dansant pieds nus sur l'estrade, parmi les musiciens, et c'est cette musique que reflétait aussi Samuel, de la discrète répétition de ses gestes, de ses mouvements, on pouvait s'attendre à ce qu'il devînt, peu à peu, comme Vénus, endiablé, emporté par cette musique, dansant pieds nus, il avait tant de fois vu Vénus chanter pour les Blancs, à leurs fêtes, leurs mariages, dans leurs magasins à Noël, pour leurs enfants, dans leurs églises et leurs temples, cette même danse déroulée s'emparait docilement de Samuel qui se laissait prendre à son rythme, et n'était-ce pas le retour de cette sensation de fraîcheur que Renata avait éprouvée en admirant le violoniste adolescent, sur l'estrade, elle admirait en Mélanie et Samuel leur pure résistance à être ce qu'elle ne serait pas demain, des êtres, de merveilleuses créatures de l'avenir comme le violoniste adolescent, cette résistance de Samuel, de Mélanie aux pires laideurs de la vie, à ses maux les plus effroyables, était une résistance qui semblait aussi bien modelée dans la chair que dans le granit de leurs pensées, car ne devaient-ils pas apprendre déjà à résister à tout ce qui pourrait offenser cette pureté,

mais si aigus, si sensiblement les mêmes qu'ils fussent
tous les deux, la fermeté, plus que la douceur, ne les
aiderait-elle pas davantage à vivre avec cette foi qu'ils
avaient instaurée en eux-mêmes, de même que les
vagues de la mer se déposant presque à leurs pieds,
sous les volets des fenêtres, dans les herbes du jardin,
une vague chaude, la voix de Vénus, le tressaillement
de cette voix, semblait se répandre autour d'eux avec
le feu tiède des lampes, la nuit irisée autour de leurs
profils, de leurs visages si pareils, eux idéalement
parfaits pour une fructueuse survivance seraient là,
sur cette terre, lorsqu'elle n'y serait plus, sinon, une
image dans leurs souvenirs, ils la prolongeraient
jusqu'à leur resplendissante immortalité mortelle, et
dans leurs souvenirs, que serait Renata, une parente
de passage par une nuit de fête, dont ils eussent connu
davantage la dignité dans l'épreuve que la fissure, car
ne leur avait-elle pas affirmé à tous qu'elle était guérie,
souhaitant que ce fût la vérité, mais depuis qu'elle était
avec eux, elle ne doutait plus que cela fût vrai, et
Mélanie dit à Renata que Vincent dormait dans cette
chambre du haut, sans bruit, elles pourraient monter
le voir, n'y avait-il pas encore trop d'humidité dans
l'air, demandait soudain Mélanie avec inquiétude, et
Renata ne voyait rien transparaître de l'inquiétude de
Mélanie tant Mélanie était élogieuse à propos du
nouveau-né, de sa force, de son charme, déjà, les
doigts de Vincent s'ouvrant comme des pétales, l'expression exquise de son sourire, n'avait-il pas les traits
de son père, ses longs cils, les yeux étaient encore
d'une singulière couleur, ni bruns ni pers, ses grands-
parents italiens l'adoraient, mais l'air n'était-il pas
chargé d'une malsaine humidité ce soir, observait
Mélanie, ou était-ce cette fatigue comme lorsqu'elle
avait dû s'étendre l'après-midi, sans doute l'avait-elle
fait pour s'allonger quelques instants près de Vincent,

dans la complaisance de son amour, caressant parfois
le duvet de ses cheveux, les doigts, ces pétales, tout cela
qui était l'œuvre et la vie de Mélanie, elle avait écrit à
Renata que l'enfant était bien portant, déjà exception-
nellement vigoureux, et dans la chambre où dormait
Vincent, Renata et Mélanie s'étaient penchées sur
l'enfant, et Mélanie avait pensé que cela était vrai, oui
son enfant était beau et en bonne santé, sa respiration
était régulière dans son sommeil, Mélanie, Jenny et
Sylvie qui veillaient tour à tour sur Vincent s'étaient
peut-être alarmées trop tôt pour quelque symptôme
sans fondement, Vincent, Mélanie, Samuel, Augustino,
leur père, tous ils prolongeraient Renata quand elle ne
serait plus sur cette terre, et il avait paru à Renata que
cette pensée n'était pas sans bonheur ni gloire, puis
n'avait-elle pas pensé que Mélanie, qui, comme elle,
était femme, était déjà mutilée, même si de cela rien
ne paraissait, telle cette poétesse d'origine brésilienne,
pensait Renata, disparue, dont elle avait loué la maison, une femme ne naissait pas pour durer, s'im-
planter, Mélanie, contrairement à son mari, à ses fils,
n'était pas de permanente solidité sur cette terre,
comme Renata, c'était un être de fissures, de même
condition, de même servitude même si elle avait
donné la vie, et Renata ressentait pour Mélanie cette
tendresse qu'éprouvent parfois les animaux entre eux,
elle dit soudain, ma chère Mélanie, voyant la main de
Mélanie qui effleurait le front, les yeux de Vincent, le
duvet de ses cheveux, car Mélanie avait trahi l'intérieure fissure, la défaillance de la femme, en mention-
nant ce qui les concernait vivement toutes les deux,
dit-elle, une compilation, un rapport, lesquels avaient
été publiés dans un journal d'une université américaine, des viols commis sur des femmes de cinq à
quatre-vingts ans dans l'ancienne Yougoslavie, pendant l'hiver, des étudiantes, des femmes qui étudiaient

le droit, possédaient dans leurs ordinateurs les confessions des victimes de ces viols, de ces agressions, il y aurait un tribunal de guerre, voici que l'on fouillait ces archives encore si récentes dans leurs atrocités, dit Mélanie, un tribunal de guerre comme on n'en avait pas vu depuis des années, et Renata avait choqué Mélanie en lui disant que le travail, la recherche de la vérité des étudiantes en droit et des avocates volontaires était admirable, mais que pour ces cinq mille meurtres et viols les assassins ne seraient jamais punis, ces sanglantes archives dormiraient parmi d'incommensurables autres archives des cruautés de l'histoire, et ces assassins, ces violeurs, jamais on ne les verrait devant des tribunaux organisés par des femmes, ils continueraient de violer, de tuer, tout espoir de persécution serait vain, car mutilées à jamais les femmes, les petites filles, à peine venues au monde, s'il fallait se les représenter à l'esprit par une image, tenaient entre leurs mains pour les offrir leurs seins, leur utérus, tous ces organes prêts à la torture et au viol, à la mutilation des hommes, ou elles étaient vouées à des disparitions de tout ordre, abaissées dans leur silence, par un viol, un crime, elles tenaient en naissant entre leurs mains ces organes de leur vie comme de leur destruction, souvent c'était leur esprit humilié qui disparaissait avant leur corps, par le viol, la torture, en ce nouveau siècle, dit Mélanie, toutes les pistes seront retrouvées, Mélanie irait avec ses fils à la réunion de ce tribunal international, elle entendrait la voix des victimes, elle verrait les assassins incarcérés, non, dit Renata, rien de tout cela ne peut arriver, nos archives seront toujours saignantes de notre sang, un sang, des organes toujours neufs, de plus en plus neufs et jeunes, les droits de la personne seront de plus en plus respectés, dit Mélanie, de cela Mélanie était sûre, et dans son sommeil l'un des doigts de Vincent enlaçait les doigts de Mélanie, les femmes, les hommes, les enfants, dit Mélanie, à l'avenir n'auront plus à subir de si graves atteintes à leurs droits moraux, non, car des femmes gouverneraient qui changeraient la mentalité des hommes, aujourd'hui, la femme vivait dans son pays comme dans un pays totalitaire, mais cela changerait demain, dit Mélanie, lorsque les hommes sont tués, pendant une guerre, dit Renata, leurs veuves sont alors le bétail des hommes survivants, elles sont là pour être tuées et violées, dans des casernes militaires au Pérou, pendant des mois, elles sont torturées à l'électricité ou on tente de les noyer, on les détient sans inculpation dès qu'il y a un coup militaire dans beaucoup de pays, elles sont délibérément maltraitées et détenues dans de terribles conditions, les prisonnières politiques sont battues, on les attache, avant de les exécuter, je ne vois pas la fin de ces viols, de ces violations, pour la femme et ses enfants, dit Renata, lorsque je plaide pour une femme, je sais qu'elle est née et mourra dans la douleur, même dans les cas d'infanticide que j'ai eu à affronter, je doute, j'ai douté de la culpabilité des femmes, bien qu'elles puissent tuer et maltraiter les autres elles aussi, je douterai toujours de leur réelle culpabilité, nous connaissons les plus dangereuses, les plus criminelles, encore recherchées aux États-Unis, au Canada, au Mexique, Montserrat, Bertha, Sharon, Valérie, elles avaient tué le portier d'un hôtel pour le voler, elles étaient toxicomanes, elles s'étaient échappées des instituts correctionnels, des prisons où pourtant elles semblaient progresser dans la voie du bien, elles avaient obtenu le grade de gardiennes, mais mensongère et hypocrite était leur personnalité, elles étaient perverses, disait-on, psychotiques souvent, comme Bertha, du Guatemala, dans la fraude, la vente de la cocaïne, elle travaillait pour un homme, c'étaient là les représailles de vies misérables, dit Renata, il

eût fallu connaître le récit de chacune, descendre
jusqu'aux racines du vrai malheur de leur enfance,
avant l'escalade de tous ces crimes, elles avaient été des
petites filles violées par un père, un frère, blindées
contre leurs assaillants, leur âme, leur esprit s'étaient
évaporés, c'étaient là, tous ces crimes, leur accumu-
lation, les signes de cette disparition de l'esprit, de
l'âme, disparitions si communes, chacune de ces
femmes avait été victime de sévices sexuels, d'abus,
d'un acte de torture qui l'avait souillée, Renata doutait
de la culpabilité de chacune de ces femmes, il lui
arrivait souvent de ne pas pouvoir dormir la nuit, en
pensant à cette mère infanticide, Laura, condamnée par
le juge à la chaise électrique, Laura, la mère de celui
que l'on appelait Bonbon sucré, devait mourir, il était
rare qu'une femme fût condamnée à la peine capitale,
mais Laura Nadora avait tué le petit Bonbon sucré, son
crime avait été prémédité, disait le juge, Laura Nadora
avait entendu ces mots au tribunal, à neuf heures
vingt-cinq le matin, après une nuit d'angoisse et de
peur, dans sa cellule, Laura Nadora, vous êtes condamnée à mort, sortez d'ici, criminelle, avait-elle
entendu aussi pendant qu'elle murmurait d'une voix
chancelante, les yeux exorbités d'effroi, Votre Honneur, écoutez-moi, luttant contre ceux qui la mainte-
naient sous leur garde, elle avait dit plusieurs fois, il
faut que le juge m'écoute, il faut que je lui parle,
comme si, dans ce pitoyable appel, elle eût attendu le
secours d'un confesseur, d'un ami, en terre étrangère,
elle n'avait d'abord pas compris ce que lui disait le
juge, Bonbon sucré avait été fouetté, battu, jusqu'à la
mort, c'est la faute de cet homme, s'était-elle écriée,
de cet homme et de la cocaïne, mais c'est lui qui l'a
enterré sur la plage, crime haineux et cruel, avait com-
menté le juge, crime sans pardon pour une mère,
quand Laura Nadora continuait de crier qu'elle était

innocente, elle n'était pas innocente du crime dont on l'avait accusée, dit-elle, mais qu'on l'écoute, un homme l'avait entraînée dans toutes ces ignominies, un homme qui ne voulait pas de son enfant, les yeux exorbités par la peur dans le visage de la jeune femme cubaine voyaient, au-delà du juge, de sa sentence, de la salle du tribunal, de cette grandiose hostilité qui lui serait fatale, l'acte de damnation, de torture, commis dans l'obscurité de sa vie, il y avait longtemps qu'on l'avait blessée, il était inconcevable qu'immigrée dans ce pays pour connaître la liberté, qu'un juge sans pitié qui ne parlait pas sa langue, mais la langue de la liberté, la langue de l'abondance, qu'un homme de bonne foi, et sans doute chrétien, l'envoyât ainsi à la chaise électrique, elle portait ce jour-là une robe d'un tissu à fleurs, elle avait lavé et coiffé ses cheveux, elle avait prié, dans son égarement mental, mais ne savait-on pas qu'elle avait besoin d'aide, son petit garçon de lui pardonner car elle avait perdu la raison, mais surtout que son fils préservât sa vie, lui qui était mort par accident, pensait-elle, car elle se sentait lâche et effrayée, Bonbon sucré qui suçait toujours un bonbon, on lui offrait des bonbons toute la journée, n'ayant pas le temps de s'occuper de lui, Bonbon sucré, qui était mort des coups qu'il avait reçus, posait encore sur la main de sa mère sa main collante de chocolat, ses joues étaient maculées de sang, bien qu'il fût trop petit pour parler, il disait à sa mère que tout irait bien, car il était l'ange de l'amour, et venait de mourir l'ange de la vengeance, et Laura ne se souvenait plus de lui, était-il enterré sous le sable d'une plage, sous les lagunes de la mer; il avait fui, ne demeurait près d'elle qu'un bon petit garçon, non celui qu'elle n'avait jamais désiré, mais un autre, son seul défaut, il aimait trop les sucreries, il en était toujours barbouillé, et maintenant il disait à sa mère qu'avec ses cheveux propres, sa robe d'un tissu à fleurs mauves, tout irait bien, tout irait bien, condamnée à mourir sur la chaise électrique, avait dit le juge, et elle n'avait pu le croire, répétant jusqu'à ce qu'on l'eût ramenée dans sa cellule qu'il y avait eu une erreur, qu'elle n'était pas coupable, qu'on lui permît de parler seule au juge, mais ce juge était un homme, dit Renata, c'était la mort, pour l'accusée, que ce juge fût un homme, sans aucun doute, elle mourrait sur la chaise électrique, dans ce pays, à l'étranger, en exil, où, au prix de ses propres crimes contre elle-même, et de l'innocence de son enfant, elle était venue conquérir sa liberté, et elle mourrait en pensant que cela ne pouvait lui arriver qu'à elle ; c'était un cauchemar, et le sourire de Dieu qu'elle avait invoqué lui ouvrirait le ciel, car dans son âme disparue, tuée, peu à peu avec le deuil de son enfant s'éveillait une âme naïve, il fallut, pensait-elle, que Dieu existât, comme on le lui avait appris dans son enfance, pour que le crime de l'injustice, sa mort, la sentence capitale, fussent réparés, dit Renata, et Mélanie entendait cette voix basse et un peu rauque à son oreille, pendant qu'elle marchait dans les allées du jardin, et elle pensait à Augustino qui aimait aussi le sucre, à Vincent qui dormait paisiblement là-haut, Augustino était son fils, et Bonbon sucré qui n'avait pas même un nom à lui, né pour être exterminé, le fils de Laura, une mère infanticide, une mère coupable, pensait Mélanie, aucun viol, dans l'enfance de Laura, aucune blessure n'eût justifié la hideur de son geste, coupable, profondément coupable était cette femme, pensait Mélanie, relevant son front volontaire dans la nuit. Et il y a une ombre, de l'autre côté du portail, de la clôture du jardin, dit Jenny, s'enfuyant avec Augustino vers la maison, ne voyez-vous pas cette ombre dont la tête sournoise se dissimule sous une cagoule, n'entendez-vous pas ces chuintements de haine, Daniel se

souvint de cette ombre grise pendant qu'il était assis
près de Charles, posant, comme Charles, ses mains sur
la nappe blanche, dans le scintillement des lampes,
l'athlétique Adrien, de carrure plus large que ses
compagnons, s'était levé pour rejoindre Suzanne, de
même taille que lui, ne devaient-ils pas se lever tôt
demain, ils iraient au court de tennis, dit Suzanne,
entente immuable, il y avait entre eux une entente
immuable, pensait Jean-Mathieu qui regardait près de
lui la chaise abandonnée, d'une blancheur reluisante,
avec la nappe et des fleurs blanches dans un vase, sur
la table, dans la nuit, cette immaculée blancheur le
frappait soudain, l'ample chaise du jardin qu'Adrien
venait de quitter, tout de ce côté-ci du jardin était
blanc, mais je veux parler à ce jeune auteur de son
manuscrit, disait Adrien à Suzanne, la forme, je veux
lui parler de la forme, quelques corrections seraient
nécessaires, ce manuscrit devrait s'intituler *Les Abords
de la rivière Éternité*, les eaux noires des rivières et des
fleuves de Dante y sont très présentes, ces cercles de
l'Enfer renferment les esprits maudits, les calamités,
tutti son pien di spirti maladetti, prononça-t-il d'une
voix puissante et dramatique, tutti son pien di spirti,
oui, mais il faut aussi quérir notre fils à l'aéroport, dit-
il à Suzanne, sur le ton de la complicité intime,
soudain, nous savons tous les deux combien ce garçon
est distrait, il a sans doute déjà oublié l'heure d'arrivée
de son vol, non, il n'oubliera pas, dit Suzanne, il est
distrait, c'est vrai, mais c'est un excellent mathémati-
cien, est-ce une vie, les mathématiques, dit Adrien, oui,
quelques corrections seraient indispensables, ajouta
Adrien, il faut que je parle à Daniel de ses *Étranges
Années*, et Daniel voyait ce couple uni que formaient
Adrien et Suzanne en songeant, un jour, nous serons
ainsi, Mélanie et moi, aurons-nous tendance à nous
disputer, où seront les enfants, *Les Abords de la rivière*

Éternité, ce titre ne serait-il pas plus pertinent, demandait Adrien à Daniel, *Les Abords de la rivière Éternité,* et Daniel voyait les ombres, l'Ombre au visage cramoisi dissimulé sous une cagoule, le long de la clôture du jardin, du portail, autour de Jenny, Sylvie, ces ombres dont les visages sont cramoisis comme les monstres rougis à la flamme froide de l'Inferno, celui de Dante, ou était-ce celui de Daniel, non, dit-il à Adrien, ces monstres n'étaient pas là-bas si loin aux abords de la rivière Éternité, de façon abstraite, ils étaient ici, près de nous, je ne vois rien, j'avoue que je ne vois rien, dit Adrien en haussant les épaules, et Daniel pensait à cet insigne indélébile dont lui avait parlé Julio, sur le bateau de Samuel, l'Ombre et ses chuintements, pensait Daniel, tutti son pien di spirti maladetti, ces ombres grimpaient aux murs de la maison, vers la chambre où dormait Vincent, avec les ouragans de l'enfer de Dante, le bateau de Samuel avait été peint de cette peinture rouge de leur haine, ce bateau fendait les vagues, par de beaux matins en-soleillés, avec un enfant à son bord, le cercle de Dante, le cercle des damnés soulevait aussi les vagues, autour du bateau de Samuel qui était heureux, innocent et n'en savait rien, ni son frère Augustino, sous sa cape de surhomme, mais sans doute, comme l'avait écrit Daniel, qu'à ces étages, ces cercles de l'Inferno circu-laient dans les vagues noires des âmes innocentes, ces vagues et des rivières et des fleuves de la mer Éternité, le manuscrit des *Étranges Années* débordait de ces âmes dérangeantes, n'était-ce pas un peu gênant de les revoir tous, avait dit Adrien à Daniel, était-ce même de bon goût de se souvenir d'eux, d'elles, mais Daniel était un écrivain de son siècle, il avait, bien qu'il fût encore très jeune, une longue mémoire, n'était-ce pas un cœur trop tendre, vulnérable, aucune protection, disait Adrien, entre Daniel et son cercle de damnés quand, avec son talent, son extraordinaire famille, la vie n'eût à être pour lui que bien agréable, sensuelle et douce, pourquoi pas, demanda Adrien, mais le malheureux avait une conscience, lui qui possédait tout pour être si bien, n'était-ce pas désolant, demain, le court de tennis à huit heures, il fallait être prêt, avait dit Adrien à Suzanne, hélas, le manuscrit des *Étranges Années* débordait d'eux tous, de ceux qui avaient été refusés aux portes de l'enfer, car plusieurs âmes n'y entraient pas, disait Daniel, dans son livre, ces âmes, ces esprits refusés respiraient éternellement un air d'une irrespirable substance, Daniel n'avait-il pas décrit ces êtres comme s'il les eût connus, dans un bunker, une femme et ses enfants avaient été empoisonnés, qu'avaient-ils fait pour être menés là, par un parent damné, mort avec eux aussi, dans le bunker, ces cadavres d'enfants bien vêtus, d'involontaires suicidés, que faire des enfants de Goebbels comme du chien de Hitler, leur enfer n'avait-il pas été de naître entre les mains de leurs bourreaux, nul n'avait pitié des âmes innocentes nées de la damnation, un nourrisson, un jeune enfant, pouvaient-ils être coupables de la destruction de populations entières ? Et pourtant, dans le jugement des hommes, ils l'étaient, c'étaient d'eux tous, et n'étaient-ils pas multitudes comme ces multitudes de Dante, refoulées aux portes de l'enfer, que Daniel arrachait des plaintes et des cris, car il était à craindre, avait-il écrit, qu'interdites au seuil de l'enfer comme du paradis qui jamais n'avait pu être conquis, ces âmes, celles du chien, des enfants témoins de ces atroces événements, ne reviennent, dans leur déception, qu'on ne se mît à les croiser aujourd'hui parmi ces ombres vengeresses, initiées avant leur naissance sur la terre au crime, empoisonnées avant leur croissance, ces âmes, ces corps, avait écrit Daniel, n'étaient-ils pas les corps, les

âmes ruinés dont parlait Dante, mais par quelle
malédiction peut-être d'ordre divin ces âmes avaient-
elles ainsi porté la calamité, elles qui étaient innocentes, car autour du bateau de Samuel, fendant les
vagues, d'autres vagues noires prenaient le large,
l'estuaire, le golfe en étaient envahis, ces âmes étaient
ces mêmes anges de jadis étouffant sous les eaux
ternies des marais, des marécages, dans la stagnation
des étangs boueux, innocentes, elles réclamaient le
droit à l'innocence de ne jamais avoir voulu naître,
leurs plaintes étaient celles de l'éternelle soif dans cet
air d'une irrespirable substance, ces cercles renfer-
mant les esprits maudits dont les plaintes étaient celles
de chiens qui aboient, tutti son pien di spiriti maladetti, enfants de pères et de mères damnés, dans ce
cercle des vagues où ils s'étaient noyés, de là-bas, si
loin, jamais ne leur apparaissait le rivage, et jamais
leur soif ne serait assouvie, cet écrivain moderne,
comment le qualifier, se demandait Julien, cet écrivain,
Daniel, avait sans doute écrit ses *Étranges Années* sous
l'influence de quelque pernicieux produit, l'héroïne,
peut-être, une ambulance ne l'avait-elle pas recueilli,
le dos brisé, dans son véhicule, sur un pont près de
Brooklyn, pensait Jean-Mathieu, scrutant, sous ses
lunettes, cette lueur jaune dans les yeux de Daniel,
sauvé par l'écriture, il avait écrit cette apothéose des
profondeurs noires, à eux l'art, la béatitude, car nous
allons partir, Daniel nous remplacera, et la part essentielle de la vie n'est-elle pas le songe, le rêve, siégeant
au sénat des immortels, Jean-Mathieu verrait Gertrude Stein, entre Virgile et Dante, à la table du banquet, Caroline et Suzanne y seraient aussi, écoutant les
louanges de leurs mérites sur terre, femmes écrivains,
femmes d'écrivains, quel martyre, pensait Jean-
Mathieu, poètes, traductrices, avait-on bien lu leurs
livres, seraient-elles dans la sphère du soleil ou de la

lune, autour d'elles l'auguste lumière serait désormais sans ombres, Caroline avait été l'une des premières femmes de sa génération à savoir piloter un avion, elle avait dû renoncer à l'architecture pendant la dépression, elles siégeraient toutes à la place de ces saints et de ces saintes des églises de Dante, aux côtés du lion, du léopard nimbés de feu, elles auraient le pas élastique de Suzanne en franchissant ces anneaux du soleil, leurs rayons, qui, dit-on, nous aveuglent, chacun danserait dans une joie de plus en plus exubérante, come, da più letizia pinti e tratti, Gertrude Stein ressemblerait à ce portrait qu'en avait peint Picasso, ses teintes automnales seraient les mêmes, Picasso avait souvent interrompu ce portrait, questionnant son modèle, le reprenant, peignant et brossant sa toile, le pâle visage de l'écrivain sous le bandeau noir des cheveux avait l'intensité religieuse d'un Greco, Picasso qui vivait alors dans la misère aimait ces couleurs du soleil, ces teintes d'une lumière embrasée puis refroidie, signes d'une maturité intérieure, Jean-Mathieu conservait sur sa table de travail une reproduction du portrait de Picasso lui inspirant chaque matin ses lois de rigueur, l'attente du soleil en automne, en hiver, l'Envahisseur, l'Occupant était à la porte mais l'écrivain avait été imperturbable dans son appartement de la rue de Fleurus, l'art, le langage, les lettres triompheraient de tout, semblait-elle dire aux peintres qui la visitaient, et quoi de plus vrai, pensait Jean-Mathieu, ils triompheraient de ces odieux et mesquins désordres des hommes, des débauches et des corruptions de leurs guerres, come, da più, letizia pinti e tratti, que leur danse soit joyeuse et exubérante, Gertrude Stein siégerait au sénat des immortels, entre Virgile et Dante, Suzanne et Caroline y seraient aussi, qu'était-ce qu'une vie d'homme sans la part essentielle du songe et du rêve, ainsi s'en allaient et se dispersaient dans l'air les âmes ruinées, pensait Daniel, ces âmes repoussées aux portes de l'Enfer de Dante, aux portes des cités épidémiques, la multitude des orphelins contagieux dont les mères étaient déjà décédées rôdait sans soins, sans gîte, dans les villes de NewYork, San Juan, Porto Rico, que faire de tant d'orphelins condamnés, morts entre les vivants, tels le chien assassiné, les rigides cadavres d'enfants dans leurs beaux costumes dans un bunker, ils n'attiraient plus la pitié des hommes, on voyait leurs fantômes squelettiques aux fenêtres des maisons, ils seraient innombrables et le seuil des hôpitaux leur serait fermé, qui assurerait leur subsistance sur une terre surpeuplée où seule croissait la faim, confondus avec ces autres silhouettes que décimaient les famines, ils ne seraient ni nourris ni vêtus, le coton, le sucre, l'asperge, l'arachide, ne seraient pas pour eux, ces bannis, que leurs formes cadavériques fondent au soleil, parmi les cailloux, les poubelles des bidonvilles, car ils étaient les damnés de la terre, et se désintégraient les âmes de ces orphelins dans l'air empesté de tous les désastres, pensait Daniel, combien, déjà, n'avaient-ils pas péri, en cette nuit de fête ; sous l'influence de l'héroïne, du cannabis, Daniel avait dû écrire ces prophéties insensées, pensait Jean-Mathieu, c'était un fils choyé de son père, Joseph n'était-il pas le président du laboratoire de biologie marine, Daniel avait entrepris des études scientifiques à NewYork avant sa chute dans la drogue, c'est le passé de Joseph qui avait terrassé Daniel, pourtant, le garçon de bonne famille à l'avenir prometteur, comment a-t-il vu, a-t-il su ce qu'était le secret de Joseph pour tous, l'immatriculation sur le bras de son père, peut-être, bien que Joseph n'eût jamais parlé du passé à aucun de ses enfants, oh, qu'ils ne sachent rien non plus du grand-oncle Samuel fusillé dans le ghetto, mais ils avaient su,

Daniel avait eu l'intuition de tout, soudain, pendant ses expériences avec les drogues fortes, Mélanie l'avait vu qui hurlait, debout sur un rocher, près de l'océan, pendant des vacances sur la côte atlantique du Maine, que criait-il, dans l'égarement de son extase, qu'il était debout sur l'une de ces têtes décharnées de Dachau, debout sur ces crânes, ces visages livides surgissant des mers, des océans, hurlant, possédé, debout sur la tête ensanglantée du grand-oncle Samuel, un accident de voiture où Daniel avait failli mourir l'avait guéri de son intoxication, bien sûr, le manuscrit des *Étranges Années* n'avait pas été écrit sans un certain courage, pensait Jean-Mathieu, songeant qu'il serait temps de rentrer chez lui, tous ces jeunes gens de l'orchestre n'étaient-ils pas trop bruyants, bien que ce fût de leur âge, on ne pouvait rien lui reprocher, à quelle heure passerait demain le courrier, ces jeunes gens sont plutôt gentils et bien élevés, mais je n'aimerais pas leur montrer que j'ai besoin d'une canne pour rentrer chez moi, je vais sortir par le portail sans être remarqué, ce qui est bien, c'est que Mélanie songe sérieusement à devenir politicienne, il y aura un nouveau parti, elle pourrait être élue, c'est une femme intelligente, pensait Jean-Mathieu, s'appuyant, pour sortir, sur sa canne, serait-elle dans la sphère du soleil ou de la lune, dans un flot continu de lumière, plutôt celle du soleil que celle de la lune, Gertrude Stein siégeant parmi les immortels, et cette fois, Suzanne, sans Adrien, que pouvaient-ils se dire l'un à l'autre d'un air si réfléchi, était-ce vrai qu'ils étaient encore amoureux, ces esthètes, comment accepteraient-ils les flétrissures de la vieillesse, son inertie, sa lente paralysie cérébrale, ces boutons, ces germes, souillant la beauté de leurs corps, une décrépitude devant laquelle nous n'avons aucun choix, auront-ils comme d'autres un pacte, un pacte secret, une inavouable convention dont ils ne

pourront parler à leurs enfants, mais les parents n'ont-
ils pas le droit de se taire, pourquoi faudrait-il tout
leur dire, autrefois, les parents régnaient avec plus
d'autorité sur leur famille, ces *Étranges Années* de
Daniel ne déteignaient-elles pas leurs colorations
foncées sur vous, Daniel n'écrivait-il pas avec du
chlore sur l'étoffe, la couche de protection de ses
lecteurs, le chien de Hitler, bien sûr, il fallait l'inno-
center de même que l'enfant Mussolini, faute de
preuve, mais ce garçon était sans doute un peu fou,
pensait Jean-Mathieu, tout en saluant gracieusement
Mélanie, madame, quelle inoubliable soirée, dit-il, en
regardant dans la direction de la rue qui était sombre
et déserte, il est si tard, nous allons bientôt entendre
le chant des tourterelles et des colombes, et Veronica
Lane sera ma fiancée, pensait Samuel qui dansait près
de Vénus, sur l'estrade, ils seraient mariés au fond de
l'Atlantique dans leurs costumes de plongeurs, à
vingt-quatre pieds sous la surface des mers, comme
ces autres époux des mers, Rachel et Pierre, d'autres
mariages sous-marins suivraient près de la statue des
mers, le Christ des rochers, sculpté par les marins dans
le bois, une statue volante comme ils le seraient eux-
mêmes, Samuel et Veronica, parmi les rochers et les
poissons, la faune bleue active et frémissante, les
araignées rayées, sautant du flotteur de la planche à
voile ou du bateau de Samuel, en plongeant si loin avec
leurs tuyaux d'air, leurs lampes étanches, leurs harnais
et leurs ceintures de plomb, tels Rachel et Pierre, sous
leurs masques, chaussés de palmes, ils seraient réunis,
Samuel et Veronica, quand reviendrait-elle de New
York, noces humides et chaudes, ils auraient beaucoup
d'enfants qu'ils promèneraient dans une voiture
confortablement assise sur des patins roulants aux
translucides réverbérations, comme les patins de
Samuel sur l'asphalte, la nuit, un parapluie contre le

soleil, le jour, au-dessus de leurs têtes, sans jamais cesser de patiner, de rouler dans l'incessant bourdonnement des mouches et des abeilles, Samuel, Veronica, et Samuel avait aussi chanté des psaumes de sa voix d'alto avec Vénus dans la chorale de l'école, et était-ce vrai ce que disaient ses parents, qu'aucune compensation, aucune, n'eût soulagé ceux qui avaient perdu leurs maisons, leurs temples, leurs églises dans le village de Bois-des-Rosiers, longtemps après, Sylvester, sa mère et son chien Polly, abattus derrière les arbres, un fusil sur les tempes, de la porte entrouverte, on entendait leurs prières, venez danser, disait Vénus, car ici est notre demeure, on entendait aussi des rires creux, des grincements de dents, noces humides et chaudes parmi les scarabées, les grenouilles, Samuel et Veronica, au même instant, des astronautes commençaient leurs jours de vol, peut-être un chercheur, Joseph, le grand-père de Samuel, lancé dans la station spatiale, effectuerait-il sur lui-même des expériences pour le compte des médecins de son laboratoire, comment s'adaptait donc l'organisme humain à l'espace, ne fallait-il pas introduire une sonde pour connaître le rythme cardiaque, pendant ces jours de vol sans pesanteur, des souris partiraient avec eux, menus animaux en orbite, comment réagiraient-ils aux analyses que leur feraient subir les équipages américains, soviétiques, aucune promesse d'atterrir avec de pareils vaisseaux, pourtant, on atterrirait sur Mars par migrations, chacun de si loin se souviendrait du doux monde, de la douce terre, après plusieurs années de vol, les pilotes des navettes auraient soudain le mal de la terre, bientôt mariés, Samuel et Veronica, à vingt-quatre pieds sous la surface de l'océan, comme Rachel et Pierre, eux-mêmes statue volante, comme le Christ des rochers étendant vers le ciel ses bras sous leurs masques, car en ces nuits de fête, quand se distillaient dans l'air parfumé les fleurs du jasmin, du mimosa, Vénus chantait, que ma joie demeure, quelle sensation de fraîcheur de les retrouver tous, pensait Renata, Daniel, Mélanie, Samuel qui avait tellement grandi pendant l'hiver, Daniel, Mélanie, ce couple lumineux qui ne connaissait pas encore les pénibles constatations du tiraillement, du déchirement, quelle fraîcheur, n'était-ce pas comme l'espoir de nager bientôt dans l'eau verte, avide d'eau, de pluie, sur son corps brûlant, pourquoi n'eût-elle pas retardé son départ, n'était-elle pas soudain très sensible à cet écart dans leurs idées, entre elle et Claude, le mystère de cette femme inconnue qui avait écrit une œuvre, sous la végétation grimpante de la maison louée, ne devait-il pas lui être révélé, les écrits d'une femme étaient souvent impénétrables, chacune imposant à l'audace de ses sentiments de révolte le blindage acquis d'une éducation archaïque, quel désarroi, pourtant, quel vertige de se coucher et de se lever seule ici, sans volupté, privée de forces dans ces limbes insulaires, le cadran indiquant que ce serait bientôt l'aube, le matin, et qu'elle n'en serait pas moins seule, entendant la voix de Claude, le soir, combien de fois ne lui parlerait-il pas sur un ton de reproche, ses cigarettes, cet étui d'or, objets d'une irrécupérable satiété, ô fumée légère dans l'air que parfumait le jasmin, objets apaisants, bienfaisants, comme le serait l'eau verte de l'océan sur la peau embrasée d'un feu doux dans la molle chaleur, lorsqu'elle marcherait vers la plage, s'imprégnant d'air moite, de chaleur et du vague désir d'être ailleurs, évadée, dissoute dans la vie de cette autre partie si loin, fantôme d'une existence de femme sur lequel avait soufflé le vent, bien que, disait-on, elle eût écrit des vers admirables, dans la solitude de cette végétation touffue, abondante, disparue en ces lieux comme elle le serait ailleurs, elle avait psalmodié la plainte de son âme, elle avait appris l'hébreu, le grec ancien, elle avait écrit «dans cette chambre où règnent la tension, le désordre, la discorde, derrière cette porte, mon esprit illuminé se retire», son esprit s'était-il emmuré dans la réclusion, qui avait-elle attendu, aimé, contre quel homme, quel amour, s'était-elle défendue seule avec la tension de son esprit habité et fervent, elle n'avait pu vivre sans attendre, espérer, l'étude du grec ancien, de la langue hébraïque, avait été ses trésors enfouis dans l'engour- dissement de la chaleur, et peu à peu de l'abandon, comme Renata, elle avait eu peur de cette sentinelle derrière la porte, elle avait sursauté lorsque quelqu'un avait éternué dans la rue, la nuit, à quelques pas, si près, il y avait toujours une ombre, la noire sentinelle derrière la porte, la présence opaque soudain de l'An- tillais effondré contre une clôture de bois, sur un trottoir, comme cette autre femme qui, elle aussi, avait écrit des vers que nul n'avait pu déchiffrer, dans le centre de déportation d'un ghetto, elle n'avait laissé que quelques mots lisibles, à l'aide, à l'aide, avant d'être menée vers un train, ce train irait à Treblinka, ici, je me retire avec mon esprit illuminé, on ne lirait aucun de ses vers, dans cette chambre où règnent la tension, la discorde, derrière la porte, à l'aide, cette existence n'avait été qu'un fantôme sur lequel avait soufflé un vent de démence, et plutôt que de s'enfuir au Brésil où elle était morte, la femme inconnue qui avait écrit des vers admirables avait été séquestrée par un frère, un ami, au nom de la foi chrétienne, du silence, de l'oppression, dans un hôpital psychiatrique où soudain elle n'avait plus écrit, hébétée, étourdie, entre les murs de sa cellule blanche, en hébreu, en grec ancien, elle avait tenté d'esquisser des lettres sur ces murs, à l'aide, elle avait psalmodié la plainte de son âme, dans la chambre du désordre où parmi tant de cris, de lamentations, sa voix s'était perdue, il y avait autour des femmes, même lorsqu'elles venaient à peine de naître, ces mystères de leur disparition, en Inde, en Chine, leurs mères les couchaient encore par deux dans ces trous de la terre qui seraient leurs tombeaux, ces mêmes mères les avaient doucement étranglées de boulettes de riz, et voici que reposaient, emmêlées, des poupées sous leur chevelure de lin, ces gerbes coupées de leurs vies, avec leurs mains jointes sous le voile de la terre salie et poussiéreuse, improductives, sans dot, leurs mères les avaient tenues contre elles, comme si elles les eussent allaitées d'un lait assassin, dernier sevrage des constrictions de leur gorge, les tenant si près de leurs seins, qui entendit les mots que prononçaient ces mères à leurs filles, en s'étouffant, pleurant, ô improductives, s'étouffant, pleurant avec leurs filles pendant que s'enfonçaient les boulettes de riz, ces mères dont les doigts étaient des ciseaux taillant dans la bouche, la gorge de leurs enfants, cisaillant les veines de ces gosiers d'oiselets, ces mêmes mères, assistées du même complice, dans d'autres pays, abandonnaient les passagers de leur fourgonnette, au bord d'une plage, une fille, un garçon, des bambins, avec une pelle, un seau, depuis longtemps déjà, quand bientôt tomberait la nuit, ils attendaient le retour de la voiture neuve, son profil surbaissé et luisant, cette femme, au volant de la voiture, qui était leur mère, pendant le voyage si long de la maison à cette plage loin de leur ville, ils avaient dormi en sécurité, le verrou à la portière, et soudain, ils étaient seuls, auprès de leur seaux, de leurs pelles, sur le sable d'une plage, la fourgonnette roulant très vite sur d'autres routes, sans leur mère qui était au volant, que deviendraient-ils, la nuit murmurante de sons hostiles les enveloppait, une mère, Laura, une mère qui ne pouvait jamais être dissociée de son

crime, la mère de Bonbon sucré ou des orphelins
d'une plage, une femme menacée de disparaître, d'être
enlevée par le ravisseur, les avait trahis, abandonnés
ou tués, certaines de ces femmes se souvenaient de
leur disparition, de leur enlèvement, écolières, dansant
à la corde, dans les parcs, un garçon, presque un
homme, ne les avait-il pas invitées à venir s'étendre
près de lui, dans l'herbe, par ces jours de mai, quand
la terre était parfumée, elles se souvenaient de leur disparition de ce parc, de ce jardin, parfois, elles avaient
été enlevées, comme par la brise du soir, du lit où elles
faisaient une sieste, elles n'avaient été qu'à peine
déflorées, puis remises dans leurs lits où viendraient
les découvrir leur mère, et panser leurs blessures, oh,
la plaidoirie à son retour, la plaidoirie de Renata serait
infatigable, pour ces vies, victimes ou criminelles,
seule, avec Claude, elle serait infatigable, disait Renata
à Mélanie, et voyant les deux femmes si proches dans
leur discussion passionnée, la main de Renata gardant
dans la sienne la main de Mélanie, dans un élan de
protection, comme si Mélanie eût été parmi ces jeunes
filles, encore, qu'elle venait de décrire, emportées de
leurs lits, pendant une sieste, par quelque séducteur
prévenant entré par une fenêtre, descendu d'un pan
de mur, Mère se souvint de la solitude de ses réflexions, l'après-midi, dans la piscine, les épaules nues
de Renata sous la veste de satin, la façon dont cette
femme orgueilleuse et belle attirait autour d'elle les
hommes jeunes déplaisait à Mère soudain, et surtout
l'influence, même discrète, que Renata semblait exer-
cer sur Mélanie qui l'écoutait avec une attention respectueuse, si toutefois elles discutaient de politique ou
de maternité avec Mélanie, la fille de Mère finirait par
s'emporter, car on ne pouvait plus aborder ces sujets
avec Mélanie, serait-elle encore enceinte, aurait-elle un
quatrième enfant, comme avait demandé Mère à

Mélanie cet après-midi sur la balançoire, que Mère fût
préservée de tous ces petits-enfants, n'y en avait-il pas
beaucoup à visiter déjà, élever, éduquer, quand Mère
était souvent seule avec les inconstances de son mari,
quand Mélanie avait tant à faire, elle, si douée, il est
vrai, comme l'avait expliqué l'ami architecte à Mère,
qu'un bassin eût été une charmante idée près du
pavillon sous les lauriers-roses, Mère se souvenait-elle
d'un château, le château de Marconnay dans la vallée
de la Loire, des détails de cette architecture des XVᵉ et
XVIᵉ siècles, la vallée de la Loire, dit Mère, ses châteaux,
ses caves, la culture des escargots et des champignons
savoureux, les pommes séchées que l'on cuit sur un
feu de bois, la ferveur gastronomique de Mère s'éveillait avec ses souvenirs, il y a bien longtemps j'ai vu ce
château, c'était en compagnie de ma gouvernante
française, disait Mère à l'architecte, le fin érudit
écoutait Mère, répétant, ah, vous y étiez, vous y étiez
déjà dans la vallée de la Loire, mais l'émotion de Mère,
lorsqu'elle parlait de sa gouvernante française, ne le
touchait pas, les yeux de Mère se posèrent de nouveau
avec tristesse sur Mélanie et Renata, sous les amandiers noirs, Samuel qui dansait près de Vénus, il y a
quelques heures seulement Mélanie ne se fâchait-elle
pas avec Mère, pour quelque observation de Mère
disant qu'elle n'approuvait pas, cette observation
n'était-elle surtout pas d'ordre moral, que des mannequins exhibent en bikini leur état de grossesse
avancée sur les couvertures des magazines comme à la
télévision, autrefois, les mannequins se retiraient de la
vie publique lorsqu'elles attendaient des enfants,
qu'était-ce que cet étalage sur les couvertures des magazines, des publications périodiques illustrées de
ces corps que déformait la maternité, mais voici que
ces jeunes femmes s'exhibaient avec ostentation parfois au septième mois de leur grossesse, leurs mains

exposant l'indécence de leurs ventres arrondis, nues
ou en bikini, qu'était-ce que cette mode de faire des
enfants, de les étaler avant leur naissance, dans ce
commerce de l'habillement, les couturiers n'eussent
pas dû permettre à ces jeunes femmes de s'humilier
ainsi, disait Mère, et pourquoi ces jeunes femmes de-
vraient-elles interrompre leur carrière, avait répliqué
Mélanie à sa mère, ne s'étaient-elles pas fâchées, dis-
putées, quelques instants, les enfants de ces mères
évoluées, avait dit Mélanie, sa fille n'était-elle pas un
peu idéaliste, pensait Mère, ces enfants verraient le
jour dans un monde désarmé pour eux qu'attendaient
leurs mères avec tant de fierté, telles qu'on les voyait
sur les pages couvertures des magazines, les grandes
puissances signaient des accords de paix, jamais plus
on ne contemplerait régulièrement le génocide par les
armes nucléaires, et pendant que Mélanie parlait à sa
mère, Mère n'avait-elle pas imaginé ces techniciens de
la mort sous le camouflage de leurs gants, de leurs
tabliers, des laboratoires, soigneusement, ils démantelaient les bombes qu'ils avaient faites, ces bombes qui
étaient leurs enfants à eux et qu'ils désignaient avec
des termes tendres, ils les mettraient au lit après les
avoir connues au berceau, disaient-ils tristement, ils
supprimeraient le matériel atomique, l'arsenal de la
destruction, dans les ascenseurs de ces laboratoires,
l'arrêt d'une musique avait longtemps annoncé
l'ultimatum, l'urgence sans recours, les techniciens
démantelaient leurs jouets, des convois armés trans-
porteraient les bombes mortes par des routes si-
nueuses, où seraient-elles ensevelies, inhumées, si près
du sable, de la terre, on plaçait la cargaison explosive,
on les mettait au lit non sans regret, se tairait toute
musique dans les ascenseurs, quatre jeunes femmes
rayonnantes exhibaient leurs ventres arrondis sur les
pages couvertures des magazines, des journaux, où

seraient-elles inhumées, ces bombes défuntes, sous
quelles collines, quelles montagnes, sous le sable de
quel désert californien, ces enfants verraient le jour
dans un monde uni, désarmé, et Mère avait fait part
de ses stupides observations à sa fille, et il y avait eu
soudain cette mésentente entre elles, oui, Mère avait
été heureuse dans le pays de la Loire, c'était, il y a
longtemps déjà, dit-elle, à l'ami architecte de la famille,
c'était auprès de sa gouvernante française. Et s'appuyant sur sa canne, Jean-Mathieu s'avança vers la rue
sombre et déserte, Daniel et Mélanie sont tout à fait
adorables, pensait-il, qu'était-ce que cette rumeur de
voitures et ces éclats de voix provenant des avenues
principales, les fêtes commençaient, ces fêtes si
bruyantes et carnavalesques pour un vieil homme,
partout, trop de bruit, d'agitation, les sensations per-
çues par l'oreille sont amplifiées par nos bruits in-
ternes, ces ondes, en nous, quand le poète eût toujours
aimé vivre dans le silence, boulevard de l'Atlantique,
trop de bruit, les moteurs des bateaux, des voitures,
tous ces vrombissements, Jean-Mathieu avait oublié
que les fêtes commençaient si tôt cette année, il
suffisait d'éviter les avenues principales, d'aller vers le
port, bien sûr, Daniel et Mélanie avaient eu autrefois
plusieurs raisons de se réjouir, en arrivant ici, c'était
le paradis, nous étions gouvernés par la liberté et la
poésie, ou les deux à la fois, l'île était l'Athènes de
notre maire socratique, l'Athènes de Platon, nous
étions la cité du libéralisme avec Martin, son compagnon Johann, partout, sur les terrasses, les poètes
lisaient leurs œuvres, l'artistique Johann fondait des
galeries d'art, les cheveux des jeunes gens ondulaient
jusqu'à la taille, ils n'étaient pas toujours propres,
dormaient sur les plages, la nuit, cette Athènes, en
Amérique, cet îlot de paix avait séduit Daniel et
Mélanie, c'était comme eux, de leur âge, le «perpétuel

devenir», c'était ici, disait Martin, lorsqu'il tomba
malade, un poète lui succéda, Lamberto, tout aussi
imaginatif et résolu, c'était un gourmand qui aimait la
bonne chère, les femmes, avec eux, le courant des idées
s'agrandissait, quelques femmes, quelques magistrats
noirs furent élus, l'Athènes de Martin, l'île épicurienne
de Lamberto, et soudain, ils sont venus, on ne sait
comment ils ont pu se glisser parmi nous, on ne les
vit pas d'abord, on les entendit à peine, ah, il est trop
tard désormais, pour penser être encore utile à la
société, qui veut entendre les protestations d'un vieil
homme, un jour, qui sait, on les entendra peut-être,
une main posée sur sa canne, Jean-Mathieu s'arrêta
pour regarder l'océan dont il se rapprochait, ce pauvre
Martin, pensa-t-il, en retenant son souffle, quand je le
vis à l'hôpital, ces tumeurs, ces choses dans la tête,
disait-il, dans la cité du «perpétuel devenir», et soudain, le voici tout en blanc dans sa robe de chambre,
Johann à ses côtés, Martin demanda un verre d'eau à
Johann, le temps qu'il revînt de la salle de bains,
Martin n'était plus avec nous, Martin avait toujours
dit qu'il n'y croyait pas, à ces choses qui le rongeaient
comme des vers, il n'y croyait pas, à la mort, disait-il,
il serait demain la première lueur de l'aube, car, vous
verrez, aucune lueur ne se perd, Jean-Mathieu avait
marché trop vite dans la rue sombre, déserte, évitant
ces bruits, si près, provenant des avenues principales,
déjà on entendait le son des tambours, ce pauvre
Martin, il avait dit, il faut danser avec la mort, ce
pauvre Martin, pensait Jean-Mathieu, en s'appuyant
sur sa canne, il avait toujours ignoré que les vautours
étaient parmi nous. Et le t-shirt noir de Tanjou, le
pantalon de velours côtelé, les bottes dont le cuir
n'avait pas eu le temps de s'user, ces objets, la sœur de
Jacques les avait mis en bon ordre, de même que le
carnet de notes sur Kafka, la traduction inachevée

d'un poème de Huldrych Zwingli dont l'un des vers, Gsund, herr got, gsund!, donnait de l'espoir, la santé, mon Dieu, la santé, Ich mein, ich ker schon widrumb her, serait-ce le retour de la santé, je ne suis plus atteint, ces objets, ces mots, ne devait-elle pas les remettre en bon ordre, ces vers ne s'adressaient-ils pas à elle désormais, Gsund, herr got, gsund!, de ces objets qu'elle avait si longtemps tenus sur ses genoux, le maillot noir de Tanjou, le pantalon de velours côtelé, les bottes dont le cuir n'avait pas eu le temps de s'user, hors d'atteinte, car elle était saine et vivante, elle était Jacques, traduisant ces mots de sa résurrection, sortant vainqueur de l'humiliant passage, elle était Jacques, écrivant dans son carnet, Gsund, herr got, gsund!, la santé, mon Dieu, serais-je hors d'atteinte, elle était ce regard dirigé vers le carnet, cette main in- dustrieuse qui écrivait, oh, la santé, mon Dieu, serait- ce le retour de la santé, car après l'humiliant passage, l'altération complète du corps, qu'y avait-il eu sou- dain ; l'amélioration, le perfectionnement d'une vie, une lueur, une lumière solaire dans la nuit, chacun des objets avait été remis en bon ordre, pensait la sœur, l'amie, par ces matins, ces aubes bientôt renaissantes autour de Jacques, il y aurait entre eux ce lien harmo- nieux, toute colère ne s'était-elle pas évanouie avec ses cendres, Gsund, la santé, mon Dieu, toute colère ne s'était-elle pas évanouie entre eux lorsque Jacques avait indiqué à sa sœur, en rêve, ce lieu où se trouvait une clef, n'était-ce pas dans ce tiroir qu'elle rangeait les affaires des enfants pour l'école, en automne, leurs écharpes, leurs bonnets de laine, qu'elle ouvrît vite ce casier du tiroir, il n'y aurait plus là de mise au secret mais que le bon ordre, et quelle radieuse impression produisait sur l'œil ce qu'elle y découvrit, c'étaient des ouvrages de peinture que lui léguait son frère, des tableaux imprécis peut-être mais qui diffusaient une

clarté rose, quelle radieuse impression ces tableaux
produisaient sur l'âme, en les regardant, n'avait-elle
pas repris courage, de cette clarté rose se dégageaient
les pâles dessins de leurs visages d'enfants, en ce temps
où ils avaient été doux, l'un envers l'autre, sans colère,
avant que Jacques ne fût méprisé par les siens, il lui
avait semblé soudain sentir du réconfort dans la
présence de son frère, n'était-il pas debout près d'elle
lui indiquant la voie, là, prends cette clef, ouvre ce
casier, ces tableaux sont pour toi, la lumière de l'aube
l'avait réveillée, avait-elle dormi, qu'avait-elle rêvé, de
ces objets, le t-shirt de Tanjou, le pantalon de velours
côtelé, les bottes dont le cuir n'avait pas eu le temps
de s'user, ces objets, elle les avait mis en bon ordre,
Gsund, la santé, herr got, gsund!, elle était hors de leur
atteinte, elle devenait cette main industrieuse de
Jacques, ce regard dirigé vers le carnet, et la lumière
de l'aube brillait sous ses paupières. Marie-Sylvie
retournera dans son pays, Jenny sera médecin dans
cette brousse des marais stagnants où les maîtres
blancs ne tuent plus leurs esclaves dans leurs plantations, pensait Mélanie, car Jenny a eu le courage de
dénoncer le shérif, et Mélanie, elle, serait seule avec
Vincent, seule, sans Jenny et Sylvie, que serait Mélanie
auprès de Vincent, penchée sur lui, dans le grand lit,
serait-ce ce soir, demain, demanderait-elle chaque
jour à Daniel, l'irruption des vents, tous les deux penchés sur Vincent, quand les secoueraient des masses
d'air venues de toutes les directions, si près de Vincent,
de son souffle accéléré soudain, dans la chambre des
vents tourbillonnaires, dans la chambre venteuse, mais
l'air serait pur, sans cesse nettoyé, dans la chambre
résonnante de tous les orages, de toutes les tempêtes
tropicales, parfois, il leur faudrait accourir avec l'enfant dans une couverture, vers la tente à oxygène, mais
ne fallait-il pas remercier le ciel que Vincent fût né au

paradis, et pas dans quelque région infernale du Mozambique, Daniel et Mélanie appartenaient à cette Association des enfants rescapés, eux aussi s'appelaient Vincent, Augustino, Samuel, sauvons les enfants qui ne peuvent plus être sauvés, pensait Mélanie, car il est trop tard, car ils sont devenus à huit ans, parfois plus petits, des officiers, des commandants des guérilleros qui ont appris à exécuter, à piller, dans la guérilla des adultes, on pourrait croire une assemblée dans une école, Vincent qui dormait dans le grand lit ne serait pas parmi eux en Angola, au Cambodge, les enfants-soldats n'aiment-ils pas la guerre, kidnappés sans rançon dans leur famille, dans leur village, ils perpétuent les atrocités de leurs aînés, dociles au commandement, on disait d'eux qu'ils apprenaient vite, parfois, ils revenaient chez eux pour piller ces mêmes villages dont on les avait séparés, les enfants-soldats faisaient d'excellents assassins avec leurs pistolets-mitrailleurs, on leur disait, tue, ton père, ta mère, découpe-les comme tu le ferais avec ton couteau d'un oignon, et ils obéissaient, la récompense, des cigarettes, un vêtement, quelques misérables provisions, ils allaient au combat parmi les rebelles, les patriotes, mais de quel pays, le Mozambique, l'Afghanistan, dans les camps, parmi leurs fusils, on eût dit l'assemblée de candides écoliers, ils étaient kidnappés, volés à leur mère, ils mouraient par milliers sur le front, d'inanition aussi, ils connaissaient l'arme AK-47, ils pouvaient prendre d'assaut l'ennemi, que faire d'eux ensuite même lorsqu'ils étaient retrouvés par quelque association bénévole, dans quelques mois, Vincent ferait ses premiers pas sur la plage, l'arme AK-47 dont parlerait Mélanie dans sa conférence, le Mozambique, le Cambodge, serait-ce ce soir, demain, pensait Mélanie, l'irruption des vents dans la chambre, ces vents fouettant les stores, les persiennes, le grondement de ces vents, la note funèbre et longue de leur course sous les nuages noirs, ils circuleraient dans la chambre, et dans toutes les directions, soudain, même les jours de soleil, ce giclement des eaux et des pluies contre le toit, mais Vincent serait près d'elle, dans le grand lit, là-bas, sous la tente à oxygène, elle veillerait sur son sommeil avec Daniel, les infirmières, nuit et jour, ils ne dormiraient pas, ne mangeraient plus, suspendus au souffle de Vincent qui serait sauvé, dans la chambre résonnante de tous les orages, quand Jenny et Sylvie seraient au loin, quand Mélanie serait seule, mais qu'y a-t-il, pourquoi cette soudaine tristesse, demandait Renata en prenant la main de Mélanie dans la sienne, et Mélanie dit qu'elle s'inquiétait pour Jean-Mathieu, il avait refusé que son mari le raccompagnât chez lui, les rues sont sombres et désertes à cette heure, mais ce sont des nuits de fête, disait Suzanne à Adrien, à plus tard, la réclusion, mon ami, c'est que nous sortons tous les soirs, dit Adrien, et même la nuit, je tombe de sommeil l'après-midi sur mes dictionnaires, soupirait Adrien, avec notre fils qui arrivera demain, cet écologiste enragé, il ne nous sera plus permis de fumer, moins encore de boire, pas même un martini à cinq heures, ce n'est pourtant pas l'enseignement qu'il a reçu de nous, j'aurais préféré un fils libertin, disait Suzanne, allons, reprenait Adrien en modérant les élans de Suzanne, elle lui paraissait souvent exaltée, trop passionnée, allons, je sais que tu préfères la compagnie de tes filles, c'est qu'elles sont plus intéressantes, dit Suzanne, avec conviction, ce sont de jeunes journalistes que l'on remarque déjà à New York, je dois dire un mot à Daniel, avant de partir, dit Adrien, comment ce garçon nous décrira-t-il dans ses livres, peut-être a-t-il l'intention de nous placer quelque part, parmi les ombres aux abords de la rivière Éternité, notre barque n'est pas prête pour un tel départ, dit Suzanne, en riant, il faut dire à ce garçon que nous avons une longue vie devant nous, bien des réceptions et des sorties, quel enfant, je lui confierais bien quelques-unes de mes folies de jeunesse. Surtout, il ne faut rien lui confier, dit Adrien, il a déjà trop de mémoire, mais n'est-ce pas troublant que de si jeunes gens se mettent à écrire des livres, n'avons-nous pas débuté plus tard? Non, dit Suzanne, nous avions nous aussi trente ans à l'époque, je l'inviterai à déjeuner, dit Suzanne, et mes récits amusants pourront tempérer les feux des rives de son enfer; Mélanie entendit le rire de Suzanne dans la nuit, le jour n'est pas encore levé, pensait Jean-Mathieu, c'est l'heure où les malades se débattent contre leurs maux, je pourrais peut-être rendre visite à Frédéric, n'est-ce pas ici, tout près du port? C'est ennuyeux, ces bruits de fond, là-bas, telle une clameur de la foule, et Jean-Mathieu marchait vers les sentiers dont on ne voyait que les palmiers géants aux troncs à demi déracinés par les tempêtes, ne semblaient-ils pas dériver sur l'eau, pensait Jean-Mathieu, la maison de Frédéric était enfouie sous les palmiers, Edouardo, me voici de retour, dit Jean-Mathieu, en frappant quelques coups à la porte de la maison peinte en jaune, je viens pour une courte visite, Jean-Mathieu suivait Edouardo dans la chambre de Frédéric, mon cher Fred, j'ai su que tu ne dormais pas, nous avions rendez-vous hier sur le toit d'un café, avec Adrien et Suzanne, je crois que tu as oublié de venir nous rejoindre, n'était-ce pas il y a un mois, ce rendez-vous, dit Frédéric, allons, viens t'asseoir sur le lit, Jean-Mathieu, Edouardo a acheté un téléviseur, un nouveau baladeur aussi, veux-tu écouter le concerto de Grieg, Edouardo délaisse son emploi de jardinier pour s'occuper de moi, pourquoi tant se préoccuper de moi? C'est que tu oublies tes rendez-vous, dit Jean-Mathieu, Edouardo te les rappelle, bien sûr, mais tu n'oublies jamais le concerto de Grieg ni une seule image de ton téléviseur, Edouardo entraînait Jean-Mathieu vers le corridor, que puis-je faire, dit-il, Frédéric refuse de se nourrir convenablement, il a encore maigri, Fred perd du poids, pensait Jean-Mathieu, en venant vers son ami étendu sur son lit, devant son téléviseur, tu as de plus en plus la forme d'une sculpture de Giacometti, Fred, lui fit-il remarquer, je vois que tu étais tout habillé pour sortir, comme si tu voulais passer la nuit avec nous, nous avons même vu Charles, lui qui sort si peu, et Daniel, Mélanie sont tout à fait adorables. J'ai oublié de me rendre chez eux, dit Frédéric, les yeux fixés sur l'écran de son téléviseur, Edouardo m'avait écrit une note, pourtant, j'ai tout oublié, c'était il y a une semaine, lundi dernier, sur le toit d'un café? demanda Frédéric, d'une voix angoissée soudain, c'est bien la quatrième fois que j'oublie une invitation depuis trois jours. Les gens sont tous déguisés et, déjà dans la rue, nous entendons les tambours, oui, je les entends, dit Frédéric, et Jean-Mathieu dit que ce serait harassant cette ouverture des fêtes, il fallait craindre le vandalisme, et tout ce bruit, tout ce bruit, répétait-il, et te voici tellement efflanqué, dit Jean-Mathieu à Frédéric, que ta ceinture ne retient plus ton pantalon, et j'ai aussi des vertiges, dit Frédéric, oh, si Edouardo n'était pas là, oh, que deviendrais-je? La phrase restait inachevée, dans l'air odorant, Frédéric respirait l'air frais du soir, de la nuit, sur les orangers, les citronniers, je suis si bien ici, dit-il, sa voix était cassée par l'usage du tabac, quelle torture, dit Frédéric, toutes ces heures à répéter les *Pièces lyriques* de Grieg, que je jouais à douze ans en concert, et le concerto de Mendelssohn, ayons pitié de ces fronts des enfants prodiges contre leurs pianos, leurs violons, quant à moi, j'ai bien fait de tout abandonner, mon frère cadet, comme mes camarades de classe, tous ils étaient si jaloux, quelle torture, toutes ces heures d'exercices, les *Pièces lyriques* de Grieg, le concerto de Mendelssohn, maintenant, il faut regarder l'écran en silence, mes amis, où est située cette rue, dites-moi, comment se rendre chez Daniel et Mélanie? Et Charles est-il déjà dans un monastère, a-t-il oublié que nous avons été amis pendant près d'un siècle, a-t-il oublié ces portraits que j'ai faits de lui, en Grèce, en Allemagne, c'est vrai, dit Jean-Mathieu, près d'un demi-siècle, c'est vrai, quel vieux combattant ne se souvient pas de ses blessures, dit Frédéric, Charles fut ma blessure de guerre, ma défaite dans le combat, c'est un génie, Charles, moi je fus un jeune virtuose, le front écrasé contre le clavier de mon piano, ayons pitié de ces garçons et filles effondrés de fatigue sur leurs instruments de musique, Charles, pourquoi ne vit-il plus avec moi? Ma musique, il n'aime plus ma musique, peut-être, ou le son de mon téléviseur toute la nuit. C'est un célibataire et un ascète, il ne peut vivre avec personne, dit Jean-Mathieu, et l'amour de Dieu est un combat, dit Frédéric, en hochant la tête, sa tête semblait garnie de plumes duveteuses et blanches comme celles d'un oiseau, Dieu, un combat contre la froideur, je l'ai toujours dit à Charles, Dieu est trop froid pour moi, je croyais que tu étais athée, Fred, dit Jean-Mathieu, que vient faire Dieu dans tout cela, nous parlions de Charles, Dieu et Charles se ressemblent, dit Frédéric, Edouardo t'a-t-il montré mon livre, une merveille, c'est encore Charles qui a eu l'idée de rassembler mes écrits, un cadeau de Charles, une merveille en laquelle j'avais peu de foi, un si beau livre sous sa couverture d'un bleu de nuit, et tous ces dessins, tous ces portraits, ai-je vraiment fait tout cela, il est essentiel de vivre et de créer, même si, comme moi, soudain, tout est oublié, même si j'oublie tout, tu sais, Jean-Mathieu, ces portraits, ces dessins, j'en suis

vraiment l'auteur, même si souvent j'oublie tout, Dieu,
si froid soit-Il, dit Jean-Mathieu, bien que je préfère ne
pas parler de Lui, que vient-Il faire dans notre conversation encore, Dieu ne t'a privé d'aucun de ses
dons, la musique, la peinture, comme Charles, oh, si
tu avais voulu, tu aurais pu être le poète de ta génération, oui, mais l'écriture, toutes ces heures d'exercices, même lors du récital des *Pièces lyriques* de Grieg,
déjà, je n'en pouvais plus, que faisait mon frère, il
jouait au ballon, il allait au bal avec les filles, lorsque
j'eus seize ans, j'eus la preuve formelle de la froideur
de Dieu, Il fit passer devant moi, qui déchaînait l'en-
thousiasme du public, cet interprète qui, lui, ne travaillait pas, quelles que fussent les difficultés d'exécution, il jouait avec une facilité démoniaque, c'était le
Paganini du piano, il s'appelait lui aussi Frédéric, il
n'avait pas même atteint l'âge de la puberté, je m'éton-
nais que ses doigts d'enfant puissent toucher les notes,
mes études avaient été approfondies, pas les siennes,
il n'avait qu'à se produire en public, et on l'applau-
dissait, oui, il y avait ce portrait de Charles dans la salle
de musique de velours rouge, c'était quelque part
en Nouvelle-Angleterre, l'une des maisons que nous
partagions, tous les deux, je me souviens aussi
des *Fleurs sur la table de Christine*, en Sicile, et d'un
Buste de Charles, nous jouions au bridge, que j'ai la
nostalgie aujourd'hui de ces soirs d'hiver en Grèce,
même si nous nous querellions beaucoup, en ce
temps-là, quels jeunes gens nous étions, trente, trente-
deux ans, peut-être, le candélabre avait six branches,
le plafond de la salle d'étude, ce plafond que j'ai peint,
dans une aquarelle, n'était-il pas rouge, lui aussi? Ce
Paganini du piano, un phénomène, un véritable
prodige, lorsque j'eus cette preuve inconfortable de la
froideur de Dieu, je renonçai à tout, bien que je me
souvienne par cœur de ces *Pièces lyriques* de Grieg, du

concerto de Mendelssohn, mais comment va Charles,
est-ce vrai qu'il a l'intention de devenir moine? Est-il
toujours maussade, m'aime-t-il encore un peu, bien
que j'aie perdu la mémoire le premier, se souvient-il
encore de moi? Tutti son pien di spirti, pensait Jean-
Mathieu, comme s'il eût soudain oublié les questions
qu'il avait posées, le visage de Charles s'estompant
dans l'esprit de Frédéric parmi ces brouillards où Dieu
dispersait Sa froideur sur les hommes, l'écran du
téléviseur dévorant de nouveau toute son attention,
Frédéric racontait comment les pilotes passaient sous
les ponts à Munich, j'étais parmi eux, dit-il, dans ces
avions, quelle terreur pour tous ces gens qui mouraient dans les décombres fumants, d'autres couraient,
des gens ordinaires comme tous les autres, quelle
terreur, pour eux, pour nous tous, lorsque nous
passions sous les ponts, jamais vous ne me reverrez
dans l'un de ces avions, jamais, je suis venu te rappeler
que nous dînerons chez Suzanne et Adrien, dimanche
soir, dit Jean-Mathieu, je viendrai te chercher à sept
heures, il faut l'écrire, Edouardo, sinon je ne me
souviendrai pas, dit Frédéric, dimanche soir, dîner
chez Suzanne et Adrien, avions-nous trente ou trente-
deux ans en Grèce, deux hommes si jeunes se
rencontrent dans un bar, ils attendent tous les deux
quelqu'un d'autre, et deux semaines plus tard, les voici
qui partagent leur vie, pour une éternité de temps, eux
qui se connaissaient à peine, est-ce de la folie ou
l'inspiration généreuse de la jeunesse? Tutti son pien
di spirti, pensait Jean-Mathieu, quel bruit, quel bruit,
ces avions qui passaient sous des ponts de fer, les
pauvres gens s'en allant sans bagages, Vincent gran-
dirait au paradis, pensait Mélanie, mais il y aurait
toujours l'ombre des prédateurs, l'Ombre au visage
cramoisi, sous la cagoule, dont avait parlé Julio, mais
Julio ne délirait-il pas de chagrin la nuit sur les plages?

Vincent ferait ses premiers pas sur une plage aérée, la
femme au visage cramoisi avec des enfants, ils étaient
obèses, comme leur mère, ils portaient les mêmes vêtements qui ressemblaient à des poches, leurs corps ne
se pliaient à aucun exercice sain, envieux de Samuel,
d'Augustino, de Vincent, sur les plages, jouant dans les
vagues de la mer, envieux, cruels, les fils de l'Ombre,
abondamment alimentés du carnage des bestiaux, ces
fils dont les corps semblaient avoir une consistance
gélatineuse, ces enfants massifs de l'Ombre, cette
peuplade si rudimentaire qu'elle n'était plus humaine,
eux tous s'attaqueraient grossièrement à la beauté, à
la grâce de Samuel, Augustino, Vincent, tuer les enfants de Mélanie serait leur revanche sur ce monde
défavorisé dans lequel ils étaient nés, eux qui n'avaient
jamais été aimés, ni désirés, qui étaient laids et gros,
d'une obésité qui leur répugnait à eux-mêmes, pendant que les graisses s'amassaient autour d'eux, eux,
ces fils de l'Ombre au visage cramoisi sous une
cagoule, néophytes de la haine, du racisme, combien
ils eussent aimé lancer des pierres sur les jambes
sveltes de Samuel, sur ses patins, ils s'emparaient d'un
chérubin, Augustino, de leurs mains avides de pierres,
de coups de bâton, violer, tuer ces enfants de Mélanie,
de leurs mains avides, ils les dépouillaient de leurs
vêtements du dimanche, il leur fallait brutaliser ces
êtres d'une autre classe, d'une autre religion, cette
cruauté grossière, ils la conserveraient même devant
les tribunaux, eux tous s'attaqueraient à la grâce de
Samuel, d'Augustino, à la fragilité de Vincent, ils
étaient les prédateurs, leurs Ombres rôdaient près du
bateau de Samuel, sur la mer, le long du portail, partout ils étaient libres, en grandissant on ne les reconnaissait plus sous leurs cagoules, peignant les murs de
leurs insignes couleur de sang, était-ce vrai ce que
disait Julio, ce que disaient Jenny et Sylvie, mais de cela

les enfants ne devaient rien savoir, qu'ils s'amusent,
qu'ils chantent près de Vénus sur l'estrade, oh, était-ce
vrai ce que Julio disait tout bas à l'oreille de Mélanie,
lorsqu'ils étaient seuls, était-ce vrai que les Blancs
Cavaliers étaient arrivés? Suzanne est une femme sereine, pensait Mélanie, j'étais moi aussi une femme
sereine, et il semblait que cette sérénité qu'éprouvait
Mélanie avant la naissance de Vincent s'était dissoute,
comme ces paquebots aux plates-formes ornées de
toutes leurs lumières, dans la nuit, à l'extrémité de la
ligne de l'océan, on ne les apercevait plus soudain, et
il y avait toujours le souvenir de cette creuse sensation
de soif que Renata avait ressentie, quand, sous le vol
des hirondelles, glissaient sur l'eau les bateliers rieurs,
au contact de la soif, lorsqu'elle était présente dans les
vies, tous les êtres vivants tremblaient, ils comprenaient combien ils étaient mortels, c'était la frayeur
pour les uns et les autres, les animaux en périssaient
qui pouvaient moins bien s'en défendre que nous,
pensait Renata, parmi ces prestigieux palais de Venise,
leurs façades de marbre, sous ses basiliques, près du
Grand Canal dans la densité de ses maisons colorées
sur l'eau, un détail humiliant ne rappelait-il pas à
Renata cette lamentable soif dont on pouvait mourir,
derrière une porte de fer où les hommes évacuaient
leurs urines, dans cette architecture gothique si précieuse, un chat assoiffé errait, ses flancs plaqués contre
ses os, il irait derrière la porte de fer, rampant vers
l'eau excrémentielle de la vie même, si seul dans la
vaste lumière de l'après-midi vénitien quand les
cloches n'annonçaient plus l'arrivée de ces riches
voyageurs qui autrefois l'avaient peut-être abreuvé et
nourri, seul dans ce grandiose paysage, il périrait peut-
être de cette lancinante soif, cette creuse sensation de
soif qui atteignait les sens, qui était pour chacun le
signe de la lente altération des forces vitales, du

sournois déclin vers la mortalité, et tenant dans sa main ouverte un iguane de quelques jours qui serait un présent pour Samuel, éraflant l'épineuse crête de l'iguane de ses doigts sensuels, Vénus chantait, dansait, sur l'estrade parmi les musiciens, plus haute que le son des trompettes, les saxophones alto, pensait Mélanie, cette voix de Vénus, sa hauteur, son étendue, le transportait, n'en avait-elle pas oublié, pensait Mélanie, qu'à la maison Deandra et Tiffany n'avaient pas encore été vaccinées, que Mama savait à peine lire et écrire, l'oncle Cornélius s'étiolant la nuit sur son piano, au Club mixte, lui qui était tuberculeux et qui jamais ne se reposait, oh, mais c'était la faute de toutes ces femmes, dans sa vie, disait Mama, ne prenaient-elles pas tout son argent, ravageant sa santé, quand l'oncle Cornélius avait tous ces enfants, où étaient-ils tous, rue Bahama, rue Esmeralda, Vénus était cette patineuse évoluant sur la glace à qui l'on remettait une médaille de bronze, récompensée pour son éblouissante technique, elle se moquait désormais de la compétence des Blancs, elle était Mary McLeod Bethune, née après l'abolition de l'esclavage, elle fondait la première école pour les filles noires en Floride, amie d'Eleanor Roosevelt, elle jouait un rôle important contre la discrimination raciale, dans le gouvernement de son pays, car si haute était l'étendue de cette voix de Vénus que transportait la joie, que s'effritaient contre sa fraîcheur le vieux monde et les ténèbres des ans écoulés, pensait Mélanie, aboli l'esclavage, se déployait la plage de neige d'un siècle qu'aucun pas n'avait encore foulée de son empreinte, aucun écho, aucune voix, que cette voix de Vénus, et Tanjou avait longé les plages toute la nuit, les quais et leurs pavillons de bois, il marchait vers le court de tennis, ses chaussures à empeigne de toile à la main, vers les jardins du Grand Hôtel, leur chatoyante verdure sous le trait rose des lueurs de l'aurore vers lesquelles il se dirigeait chaque matin, dans son short, sa chemise aux tons clairs, aujourd'hui, son jeu serait aérien, volant, pensait-il, il renverrait la balle avec une précision décisive de l'autre côté du filet, n'y verrait-il pas soudain la silhouette de Jacques contre la blancheur rose du ciel, quand ce joueur cesserait-il de voler, dirait de lui son partenaire, il se soutient dans l'air de l'aile de sa raquette, narquoise figure ailée, quand ces Orientaux cesseront-ils de nous dépasser, n'avaient-ils pas trop d'adresse, avec quelle précision Tanjou lui renverrait la balle dans ses légères chaussures de tennis, de la ville surgissaient encore à travers le bruit des vagues des modulations de voix, une clameur, le deuxième joueur ne tarderait pas à venir, ou Tanjou ne devait-il pas admettre déjà qu'il pouvait lui aussi perdre, souriant dans ses larmes à une cérémonie où il recevait des fleurs comme Martina Navratilova, on pouvait essuyer cette défaite en souriant, déjà le saisissait plus encore le désir de vaincre à mesure qu'il atteignait le court, avec quelle précision alerte il renverrait la balle de l'autre côté du filet, pensait Tanjou, mais où était le deuxième joueur, était-il encore là-bas, défilant dans les rues pendant la mascarade des nuits de fête, et Renata dit à Mélanie, ce sera bientôt l'aube, ne pourrions-nous pas tous porter un toast à Vincent, lui souhaiter tous nos vœux de bonheur, car on ne pouvait vivre sans la sérénité, pensait Mélanie, oui, avec le jour, ils lèveraient tous leur verre à la santé de Vincent, du premier étage de la maison, sur la véranda fleurie de roses, Daniel à ses côtés, Jenny, Sylvie, les entourant de leurs vigilantes présences, cette fin de la nuit ne serait-elle pas trop humide, l'air trop chaud, diraient-elles en respirant l'arôme des fleurs dans l'air, Mélanie prendrait son enfant dans ses bras, elle serait triomphante, heureuse, car, par cette aube d'un siècle nouveau, Vincent venait de naître, et elle leur dirait à tous, voici mon enfant, mon fils, ce qu'elle avait vu, ce paquebot *America*, dont les plates-formes étaient ornées de tant de lumières, ne se fondait plus dans l'épaisseur d'une longue nuit, à l'extrémité de la ligne de l'océan, c'était un paquebot aux vacillantes lueurs, mais qui longtemps projetait sur l'eau des rayons luminescents comme ceux de la lune, la vie de Vincent était cette plage qu'aucun pas, aucune empreinte n'avait encore foulée, non, qui pouvait vivre sans la sérénité, le bonheur, l'espoir, pensait Mélanie, si haute était l'étendue de la voix de Vénus transportée par la joie que s'effritait, contre sa fraîcheur, le vieux monde. Charles avait les nerfs à vif depuis quelque temps, était-ce la moiteur de l'air dans les chambres où chacun écrivait tout le jour, ou la suffocante chaleur derrière les stores, il faut que je rentre, pensait Charles, assez de ces mondanités, dit-il, en se levant, Adrien et Suzanne bavardaient de littérature avec Daniel, quand s'en iraient-ils vers leurs demeures, toutes ces sorties, tous ces voyages, Charles était attendu dans une de ces lointaines universités où il recevrait un prix, un doctorat honorifique, l'heure de la méditation, du silence, n'est-elle pas venue, pensait-il, nos existences si longtemps sont faites de tant de banalités, la mort survient, et nous n'avons pas même conservé un peu de temps pour elle, tant de banalités, pensait Charles, en regardant ces chaises de paille dans lesquelles ils avaient été assis tous les quatre pendant la nuit, l'aube colorait d'une vive lumière les dossiers, les sièges, de ces chaises inoccupées, blanc, quelques années encore et on ne verra plus que ce blanc de nos chaises vacantes autour d'une table, blanc comme le drapeau blanc de notre capitulation commune, car dans ce jardin rempli de voix d'enfants et de jeunes gens, nous qui n'aurons laissé, Jean-Mathieu, Adrien et moi, que

ce blanc de nos chaises, ce blanc de craie, dans les
rayons hésitants de l'aube, le temps n'était-il pas venu,
pensait Charles, de se cloîtrer, de se soumettre à la
règle du silence, à l'écart des folies du monde, ces
bavardages, ces discussions sans trêve, ne sortaient-ils
pas pour dîner tous les soirs, quand bientôt tout serait
blanc, comme ces quatre chaises que colorait d'une
lumière vive le soleil de l'aube, bien qu'il parût à
Charles que ce fût encore la nuit, et qu'un ciel étoilé
lui inspirât toujours quelque réconfort, une illusion de
bien-être, blanc, que du blanc, sur les murs d'un
cloître, d'un couvent retiré en Irlande, dans une
retraite bouddhiste au Michigan, qu'irait encore faire
Charles à Chicago, prononcer un pompeux discours
devant ces étudiants, et Adrien disait à Daniel, mon
ami, croyez-moi, c'est le critique en moi qui s'adresse
à vous, trop d'abondance dans la description du chaos,
mon ami, la sobriété de la phrase, plus de sobriété et
de retenue, mon ami, votre manuscrit *Les Étranges
Années* n'est-il pas un produit excité de notre temps,
assez, pensait Charles, je crois m'entendre moi-même
à travers la voix d'Adrien, ce ronronnement des professeurs à leurs élèves, n'avons-nous pas la prétention
de tout savoir quand, tout près de l'heure de notre
mort, nous sommes aussi ignorants qu'à l'heure de
notre naissance, Charles n'avait-il pas les nerfs à vif
depuis quelque temps, il ne supportait plus la mer, il
eût fallu la clôturer afin de ne plus la voir, ne plus
entendre ce clapotement ennuyeux des vagues sous la
fenêtre, pendant qu'il écrivait, ni ce grattement de la
plume sur le papier, car jamais il ne serait le propriétaire d'une machine à écrire, d'un ordinateur, et
qu'était-ce que cette crinière blanche, au sommet de
la tête, vieillir, disait-on, absurdité, c'était ce blanc de
la craie, ce blanc au sommet d'un front, d'une tête, ce
blanc des quatre chaises inoccupées autour d'une

table, quand retentiraient dans le jardin de joyeux tapages d'enfants, de jeunes gens, même retiré dans ce monastère en Irlande, Charles ne continuerait-il pas de tout entendre, le frottement de la plume sur un feuillet, comme ces *Pièces lyriques* de Grieg qu'écoutait Fred, allongé sur son lit, devant son téléviseur, c'était la faculté des vieillards d'entendre les moindres souffles dans la nuit, happés par tous les sons, ils s'agitaient dans leur sommeil, il entendrait l'oratorio de Beethoven qu'écoutait Jacques, sa tête émaciée entre ses écouteurs, retiré derrière ces murs d'un monastère, d'un couvent, d'une retraite bouddhiste, il entendrait le tumulte des prières dans une mosquée, ce vacarme de voix priant Dieu que venait interrompre la fusillade des armes automatiques, la prière, l'intifada qui s'était doucement exhalée des cœurs, des poitrines, était soudain le chant contrit et poignant de la guerre, que de corps abaissés, agenouillés devant la divinité sourde dans un tel vacarme, de ces genoux, de ces poitrines, de ces cœurs, tous engloutis dans la prière, que d'effusions de sang quand s'exhalait la douce plainte de l'intifada, et Jean-Mathieu dit à Edouardo et à Frédéric, en les quittant, qu'il reviendrait dimanche, nous verrons bientôt les colombes et les tourterelles, dit-il, je continuerai ma promenade sur la plage jusqu'à la maison, mais que Fred se souvienne qu'ils iraient tous dîner chez Adrien et Suzanne, dimanche, Edouardo avait toujours les cheveux très soignés, retombant en une lourde tresse sur son dos, pensait Frédéric, et Edouardo ne disait-il pas à Frédéric qui l'écoutait distraitement, toujours à cette période de l'année, je pense à ce parfum des galettes de maïs brûlé que je mangeais chez ma mère, et des jardins d'Oaxaca, de Puebla, de la sierra Madre, mais ma place est ici près de Frédéric, dit Edouardo, les tourterelles au collier de plumes noires, à l'œil perçant, je les vois sur ma terrasse pendant que j'écris, dit Jean-Mathieu, ce jet délicieux de l'eau froide de la douche, que de belles heures avant de voir Caroline à midi, pensait Jean-Mathieu, en descendant vers le calme rivage de la mer, se disant qu'il avait bien fait de rendre visite à Frédéric, autrefois, nous nous plaignions que nos poubelles se côtoyaient sur les trottoirs, quand nos branches chevauchaient les branches des arbres de nos voisins, et soudain nous regretterons amèrement le contraire, l'absence d'invasion sur ces trottoirs craquelés, les branches des figuiers croissant à l'abandon, sans personne à qui se plaindre, ni Charles, ni Fred, ni Johann, ah, un jour nous aurons bien des regrets, pensait Jean-Mathieu, en posant sa canne devant lui, il lui semblait que sa démarche fût encore assurée et digne, qu'eût-il fait des vertiges de Fred qui se réveillait parfois en bas de son lit, il n'était pas non plus irritable comme Charles, son état de santé était stable, serein, ah, quel baigneur venait si tôt rompre la paix de l'aube, Jean-Mathieu se rapprochait de cette forme sur l'eau, c'était un jeune homme blond équipé d'un masque de plongeur qu'il tenait de la main droite, il nageait presque sans bruit comme s'il eût flotté, dans cette mer bleue aux reflets gris, puis, il se redressa, on ne voyait que le contour droit de son profil pendant qu'il semblait secouer l'eau de ses épaules, l'un de ces dieux blonds fervents d'athlétisme, de natation, de plongée sous-marine, mais le jeune homme ne semblait-il pas inquiet que quelqu'un vînt ici le surprendre, pensait Jean-Mathieu, qui était-il, il émanait de lui une force si compacte et solitaire, et soudain Jean-Mathieu vit le côté gauche du jeune homme d'où manquait un bras, une partie du bras accidenté était encore attachée à l'épaule, parmi les cicatrices de l'amputation, tel le moignon d'une aile d'oiseau, il y avait de la grandeur dans ce corps amputé de son bras gauche, une farouche autonomie dans toute la personne du nageur exprimant une telle souplesse de sa main droite dans le maniement de son masque de plongeur, non, ce dieu broyé ne devait pas savoir qu'un vieil homme trottait sur une plage avec sa canne, car, même accidenté, n'était-il pas encore une créature parfaite, ce que Jean-Mathieu, avec toutes les faiblesses de l'âge, n'était plus, dommage, quel dommage, pensait Jean-Mathieu, ce dieu blond terrassé sur les rives du paradis, nageant seul parmi une espèce qui semblait tout à coup être la sienne, celle des pélicans cherchant leur nourriture, des tourterelles au collier de plumes noires, à l'œil perçant, des colombes au blanc plumage, dans cette eau bleue aux reflets gris, comme tous ces oiseaux, ne prenait-il pas son envol, et ainsi naissait un poème, pensait Jean-Mathieu, ne serait-ce pas un poème en prose sur la divinité brisée de Fred écoutant ce concerto de Mendelssohn qu'il jouait en concert à douze ans? Il émanait du garçon, debout dans l'eau, une force si compacte et solitaire, jusqu'à ce que cette vision disparût en un vigoureux frémissement, comme celui d'un énorme battement d'ailes sous l'eau. Et tout est bien ainsi, pensait Mère, contemplant le lever du soleil sur la haute jetée, près d'Augustino qu'elle tenait par un pli de sa cape, cet enfant n'était-il pas un peu frétillant, agité, il est vrai qu'il avait peu dormi cette nuit jusqu'à ce que chacun levât son verre à la santé de Vincent à l'aube, combien Mère était fière de sa fille apparaissant sous une arcade de roses à la véranda, tout était bien ainsi, pensait Mère, inclinée vers le roulement des vagues, c'est ici près de la jetée qu'elle avait vu le matin une femme dénuée de tous ces scrupules de Mère, et n'étaient-ils pas superflus, une femme plus vieille que Mère coiffée d'un ridicule chapeau nager avec entrain dans une joyeuse animalité, une gaieté qui avait semblé communicative à Mère, il était temps que Mère perdît ces scrupules, il n'était pas trop tard pour que Mélanie se présentât aux élections dans le comté, pensait Mère, éprouvant un sentiment d'incommensurable vitalité, soudain, et qui voyait-on là-bas, dit Mère à Augustino, on ne voyait plus les étoiles, toutes disparues, dit Augustino, non, on ne voyait déjà plus les étoiles ni la lune, dit Augustino, Augustino voyait-il les navires qui accosteraient bientôt et le héron blanc seul sur la haute chaussée entre le ciel et l'océan trop vastes, déjà, on ne voyait plus les étoiles, dit Augustino, c'était ce même héron blanc s'élevant de son envol oblique avec lenteur au-dessus d'une mer en tempête, n'était-ce pas ainsi que Mère quitterait le monde, en ce même envol silencieux, sans émoi, dans une dignité muette, pensait-elle, et que Luc et Maria s'aiment, qu'ils naviguent loin dans la paix des eaux, qu'ils entendent de loin les battements graves des tambours des nuits de fête, Paul se mouvait avec eux, dans le sillon vert, phosphorescent, de ses patins, le long des rues que bordait la mer, Paul avait reçu de Pedro Zamora, activiste mort à vingt-deux ans, l'illumination, la grâce, pensait-il, Pedro que pleuraient ses sept frères et sœurs, et des centaines de manifestants sur une plage, pendant un service religieux, que de chandelles se consumaient pour Pedro, héros aux yeux bruns si doux sous d'épais sourcils, n'était-il pas né que pour sauver des vies, ne leur avait-il pas dit jusqu'à la fin, partout dans les écoles, les universités, à chacune de ses conférences, cela peut vous arriver à vous aussi, ce malheur, cette contamination par le virus, Paul entendait la voix du tendre Pedro, vivons pour aujourd'hui, ne souffrons pas pour demain, Pedro qui avait été aimé, vénéré, Dieu aimait Pedro, disaient de lui ses amis et ses frères, Dieu te méprise, disaient ses opposants hargneux, pourquoi ne t'ont-ils pas emprisonné à Cuba, mis à l'écart dans ces camps de sidéens d'où personne ne revient, Pedro, Pedro Zamora, que de chandelles consumées, que de chants, de prières pour Pedro mort l'année de la fin de ses études à l'université, soudain, l'éducateur des foules, un héros fou d'amour, né, comme Paul, Luc et Maria, pour perdre sa vie, Dieu aimait Pedro Zamora et se consumaient des chandelles sur une plage pendant un service religieux, que de pleurs, que de rires en évoquant le tendre Pedro dont on revoyait les yeux bruns très doux sous d'épais sourcils sur une bande vidéo, car cela peut vous arriver à vous aussi, disait-il, et un révérend disait aux manifestants, que son esprit nous guide, que l'esprit de Pedro nous guide, il y a des jours où nous allons sur le sommet de la montagne et ne pouvons plus en redescendre, c'est l'histoire de Pedro, Pedro Zamora, et Augustino vit l'arche de Noé de Samuel, c'était un bateau amarré au quai qui tanguait sur l'eau verte, il dit à Mère qu'ils étaient tous dans ce bateau qu'avait vu Samuel, les cerfs des marais, et même les tortues qu'une tempête tropicale avait fait fuir, le chat aux côtés du canard, le lévrier près de la poule, tous, ils étaient sur le point de partir, mais sans lune, sans étoiles, il fera plus froid, dit Augustino, c'est comme si nous étions à une fenêtre ouverte sur toutes sortes de merveilles, dit Mère, et il lui semblait, avec la vision du héron blanc, que s'apaisait en Mère le tumulte ou ce douloureux sentiment qu'elle était à la merci de tous les périls, comme lorsqu'elle avait découvert dans son miroir l'offensant sourire de ses fils assis à l'arrière de la limousine ou appris de ses parents que sa gouvernante française avait été congédiée, vivons pour aujourd'hui, ne souffrons pas pour demain, disait Pedro Zamora, et son esprit guidait Paul, il irait lui aussi dans les écoles, les universités, Paul se mouvait avec l'âme de Pedro, sa grâce, sa

douceur, dans le sillon vert, phosphorescent, de ses
patins, et Luc, Maria, naviguaient au loin vers la paix
des eaux. Et Carlos courait à toutes jambes à travers
le défilé de la nuit de fête, cette nuit qui durerait trois
nuits, trois jours encore, et il lui semblait entendre la
voix tonitruante du pasteur Jérémy dans l'air chaud et
humide, cette voix que Carlos avait souvent imitée,
déambulant avec le Toqué rue Bahama, rue Esmeralda,
criant à tous sous leurs porches, sur leurs balcons, ô
brebis égarées qui n'avez pas été fidèles à votre pasteur, je vous le dis, vous irez toutes en enfer, car
lorsque l'huile baisse dans la lampe, s'arrête aussi la
vie de l'homme, toi, Carlos, disait la voix tonitruante
du pasteur Jérémy, n'as-tu pas oublié ton chien dans
la remise, n'as-tu pas menti à ta mère, ceux qui ou-
blient leur chien dans la remise vont en enfer, pour
leurs péchés de négligence, il allait mourir étouffé, sa
langue rose pendait sous les poils de son museau,
asphyxiée, Polly, si Mama ne l'eût libérée à temps de
la remise, la livrant aux coqs, aux poules, sur la pelouse
jaunie, et où était Polly dans la nuit de fête, sans son
collier coulissant, seule, apeurée dans la foule, Polly
dont Carlos ne tenait plus la laisse, pendant trois jours,
trois nuits, Carlos dévorerait de la viande sur tous les
grils dehors, rue Bahama, rue Esmeralda, du riz épicé,
il serait ivre de danses, de bière et de rhum avec les
Mauvais Nègres, le nez sanguinolent des derniers
coups de poings reçus, et malheur à lui, disait le
pasteur Jérémy, il avait oublié Polly dans la remise, un
chien, une bête volée qu'il abandonnait à la suffoca-
tion dans la remise de son père, dans ce jardin de
broussailles, parmi la glacière, la table à dés, de
vétustes arbres de Noël et leurs guirlandes, il eût fallu
nettoyer le jardin, remplacer la glacière, mais ce qui
n'est pas fait aujourd'hui, disait Mama, sera fait
demain, et Carlos avait vu le sphinx géant sous sa

couronne de perles, sa tête de lion passait sous les vérandas dans le défilé des chars que tiraient des pharaons ; partout des êtres hybrides avançaient sous le ciel, pendant que pâlissaient lentement la lune et les étoiles et que Carlos courait, courait, en appelant Polly, et d'autres qui titubaient et déliraient sous les palmiers, disaient, moi aussi, Carlos, j'ai perdu mon chien Rayon de soleil, où es-tu, demandaient-ils, réponds-moi, et le mien était tout petit, habillé avec un capuchon de Noël, Lexie, son nom est Lexie, et le mien était déguisé en roi Arthur, autour de mon cou, mais Polly, où était Polly, sa langue rose qui pendait, ses yeux divagateurs, Polly, où était Polly, tous les musiciens de l'oncle Cornélius étaient là, assis sur des chaises étroites, leurs instruments appuyés à leurs genoux, n'avaient-ils pas l'air lugubre pendant leur procession, secoués les uns les autres dans un camion cahotant, rue Bahama, rue Esmeralda, et Mama avait dit, ce qui n'est pas fait aujourd'hui sera fait demain, que puis-je attendre de ces fils qui sont des vauriens, le Toqué et ce boxeur, Carlos, ceux qui volent des bicyclettes neuves à l'étincelant guidon jaune vont en enfer, disait le pasteur Jérémy de sa voix tonitruante, ô brebis égarées, pourquoi ne m'écoutez-vous pas, c'était la nuit des princes et des reines, des nymphes et des baleines de corail sur les chars que tiraient des pharaons, la nuit des souverains poissons, la nuit régnant sur les mers, et Carlos n'était pas déguisé comme les autres, un peu de sang tachait son t-shirt jaune, le t-shirt étincelant hier du jaune voyant du guidon de la bicyclette, laquelle contenait Polly dans un panier, et cette façon qu'avait Polly de tout comprendre lorsque Carlos lui disait, assise, Polly, assise, Polly, sur le sable des plages, allons ensemble dans les vagues, Polly, zigzagante était la foule, Carlos appelait Polly, chargée de fièvre était la foule, d'intoxicante ferveur, tirant les voitures allégoriques de ses sphinx, de ses béliers, de ses éperviers, traînant sur son dos mouvant tous les monstres des mers, moulés dans le carton, le plastique, le plâtre, parmi les lions à tête de femme sous leurs plumes et leur couronne de perles, que de naïades quittant les eaux pour voguer dans les rues, des vérandas des hôtels, des vastes balcons, chacun se penchait, regardait, ébloui, toutes ces représentations de mythes, de légendes marines, le merveilleux attelage de bêtes et de forêts, se propulsant partout, boulevard de l'Atlantique, et que l'oncle Cornélius semblait triste, assis parmi ses musiciens dans le camion cahotant sous les palmes, les arbres bahamians, rue Esmeralda, n'était-il pas très malade, disait Mama, lui qui avait mené une vie de pécheur, mais un héros de guerre, un grand homme que sa nation n'avait pas récompensé, disait Mama, jouant du piano, dansant jadis dans les rues de La Nouvelle-Orléans, les doigts tordus, le dos courbé, si las, l'oncle Cornélius, eux tous vêtus de noir dans le camion cahotant, comme s'ils eussent encore les mains, les pieds enchaînés, le regard vide, à quoi pensait l'oncle Cornélius, Christo Salvo, criait une voix, Christo Salvo, des avions rouges planaient bruyamment dans le ciel bas, Christo Salvo, criait une voix, où était Polly, apeurée, seule dans cette foule, pensait Carlos, et Rayon de soleil, où était-il, selon la légende de la nuit de fête, toute une île et ses habitants avaient été perdus, engloutis, c'était cette Atlantide au fond de l'océan qui jaillissait des eaux d'un cataclysme, d'un désastre, avec ses colonnes de pierre, ses trésors que chacun regardait, des balcons, des vérandas, où était Polly dans cette foule zigzagante, avait-elle été engloutie avec les milliers d'habitants de l'Atlantide perdue, et c'est ici le sentier de la Mémoire, le sentier du Souvenir, pensait Charles, qui roulait calmement à bicyclette, que de bruits assourdissants, là-bas, si près, mais ici, vers ce sentier de la Mémoire, du Souvenir, on entendait le glas isolé dans les temples, les églises, le mouroir du pasteur Jérémy, sonnait le glas, son tintement répété dans les temples, les églises, au milieu des cris de joie, des clameurs de la fête annonçant la fin de Jacques, de Pedro, de tant de jeunes gens, disait le pasteur Jérémy, qu'on ne pouvait plus même les accueillir au cimetière des Roses, que de grands-parents éplorés à qui étaient confiés tous ces petits-enfants, et enfants de leurs filles, de leurs fils après leur départ subit, car engloutie serait l'Atlantide de ces forces vives de Pedro, de Jacques, au fond de l'Atlantique, et contre la blancheur rose du ciel, Tanjou ne reconnaissait plus la silhouette de Jacques, le deuxième joueur marchait vers lui, son partenaire pour le tournoi de tennis, pourquoi arrivait-il si tard, demandait Tanjou, et n'avait-il pas un peu bu, ils n'ont pas acquis notre discipline, pensait Tanjou, Raoul lui dirait sans doute encore que les Orientaux étaient trop forts, des sportifs spirituels, dirait-il, Raoul était chaussé de ses tennis mais ne s'était pas encore dévêtu de son déguisement de la nuit, que signifie ce costume, pensait Tanjou, lorsqu'il vit Raoul se précipiter vers lui sur le court, le corps entièrement dessiné, marqué de l'armature d'un squelette, semblable à ce dessin d'un maillot noir que Tanjou avait longtemps porté, en flânant sur les plages, je n'ai pas eu le temps de l'enlever, dit Raoul, ce n'est qu'un drap sur lequel j'ai dessiné un squelette, dit Raoul, beaucoup ont eu la même idée que moi, et soudain, à l'aube, la ville est pleine de nous, accoutrés de nos squelettes aux vertes réverbérations de la lumière sur la peau, et Tanjou cherchait d'un regard anxieux cette silhouette de Jacques contre la blancheur rose du ciel, se disant qu'il ne remporterait pas le tournoi, la victoire, ce frêle squelette bougeant dans

l'air sur le torse de Raoul l'inquiétait, des larmes de
colère montaient à ses yeux, nous allons perdre, dit-il,
et il lui semblait entendre rire Raoul de l'autre côté du
filet, ne lui soufflait-il pas quelque parole méprisante,
le visage très pâle, Raoul reprenait sa raquette, dans
l'herbe, tout va bien, dit-il, mais j'ai envie de vomir, et
la nuit de fête, les nuits seraient prolongées, deux
autres nuits, deux autres jours, Tanjou entendait-il les
tambours et les trompettes, et Polly, où était Polly,
pensait Carlos, tant de chiots perdus en quelques
heures sous leurs rubans, leurs collerettes pailletées,
que de perroquets s'envolant des épaules de leurs
maîtres, dans la foule qui les avait piétinés, et
qu'étaient-ce que tous ces gens ne venant qu'après les
autres, dans le cortège, ils avaient le pas pesant, sous
la vague de leurs draps blancs, on voyait leurs yeux par
les trous de leurs cagoules, ils tenaient entre leurs
mains des croix de feu, des croix en flammes, ils
allumeraient l'école, de ces brasiers de nouveau serait
incendié le village de Bois-des-Rosiers, et Polly, où
était Polly, était-ce donc vrai ce que disaient Mama, le
pasteur Jérémy, ou ces yeux, sous les cagoules, sous les
draps blancs, n'étaient-ils que les déguisements d'une
nuit de mascarade, pensait Carlos, courant à toutes
jambes, reniflant l'arôme des nourritures parfumées
sur les tables installées le long des trottoirs, grondait
en lui la faim, cette faim dans ses entrailles qu'il
pourrait rassasier deux autres jours, deux autres nuits,
le riz épicé, les fèves au miel, grondait sa faim qui
serait rassasiée, il en serait repu, de ces fèves au miel,
de ces bananes sucrées, tutti son pien di spirti
maladetti, disait Adrien à Suzanne, de sa voix puissante
et dramatique, ces cercles de l'enfer renferment les
esprits maudits, les calamités, dans ce livre de Daniel,
vraiment ce manuscrit de notre ami Daniel t'obsède
beaucoup, dit Suzanne, moi ce sont ses yeux qui me

fascinent, des yeux charbonneux, presque noirs, aux
reflets jaunes, je l'inviterai à déjeuner avec moi, cette
semaine; ils arpentaient le rivage de la mer, soudain
pressés de rentrer dans leur maison semblable à un
pavillon japonais avec ses lattes de bois brun, leurs
pieds élancés dans leurs sandales de cuir, mains unies,
ils avaient hâte d'enlever leurs vêtements froissés par
la chaleur, de faire la sieste l'un près de l'autre, des
amis les attendaient à huit heures sur le court de
tennis, la mer étincelait à leurs pieds, dans les premiers
rayons du soleil, ne suis-je pas aussi belle, demanda en
riant Suzanne à son mari, ou n'ai-je pas moi aussi la
même attitude défiante et royale que Renata, la tante
de Mélanie que nous avons vue toute la nuit entourée
de jeunes hommes? Mais le style est incohérent,
poursuivit Adrien, le style suit la pente folle d'une
pensée qui n'est jamais rationnelle, dit Adrien, et il lui
sembla entendre chantonner Suzanne, c'était un
chantonnement qui exprimait sa satisfaction, la joie de
son humeur, pensait Adrien, songeant que l'arrivée de
leur fils inévitablement modifierait la paresse de leurs
habitudes, le champagne, la musique, au lit, il déplai-
rait sans doute à Antoine d'apprendre que ses parents
étaient dans tous leurs plaisirs d'inséparables
complices, cela si près des abords de la rivière Éternité,
pensait Adrien, je pense que, comme le proposait
Charles ce soir, il faudrait structurer la partie de
l'Inferno tout autrement, dit Adrien, bien sûr, j'ai vu
moi aussi l'ombre saillante sur le bras de Joseph, mais
j'ai compris pourquoi il n'avait jamais rien dit à ses
enfants, laissons aux cercles de l'enfer du passé ce qui
appartient au passé, tutti son pien di spirti maladetti,
n'était-ce pas la réaction de Joseph même lorsqu'un
skinhead l'insultait récemment dans un car de Hambourg, tout en déplorant que rien ne changeât, la
réaction de Joseph était d'abord celle du pardon, tutti

son pien di spirti maladetti, dit Adrien, dommage que l'écriture de Daniel me semble parfois totalement incompréhensible, mais pourquoi Charles et Jean-Mathieu sont-ils partis si tôt? Ces chaises vides, soudain, à midi, la sieste, chantonnait Suzanne, un peu de champagne, de musique, le soleil qui apparaît à travers les stores, le paradis, dit Suzanne, et Adrien eut peur que Suzanne ne se déshabillât brusquement pour aller nager dans la mer, il entendait son chantonnement qui exprimait sa satisfaction de vivre, Suzanne avait raison, le manuscrit de Daniel ne l'obsédait-il pas trop? Et le sentier du Souvenir, le sentier de la Mémoire, pensait Charles, roulant à bicyclette sous les palmiers, on n'entendait ici que le tintement répété d'un glas dans une église, un temple, une cinquième chaise de paille était inoccupée, c'était celle de Justin, chaise à la dérive sur un fleuve de la Chine du Nord, pensait Charles, qui avait mieux décrit la noblesse de l'esprit humain que Justin, dans ses livres, devenu à son tour un peintre, un philosophe chinois comme ces personnages de son enfance en Chine du Nord, son âme était entre les hautes montagnes d'un village où son père avait jadis été pasteur, triste de songer que, dans les bruits et le vacarme du monde, le cœur compatissant de Justin fît si peu de bruit, qu'il fût si modeste quand son œuvre remettait les conflagrations les plus dévastatrices en question, les bombardements de Hiroshima, de Nagasaki, sous les villes détruites, il avait vu, poussière extirpée de la chair brûlée, des hommes, des femmes, des enfants sous le métal des armes, c'était cette chaise de Justin désormais vide dans un jardin où se réunissait chaque année sa nombreuse famille, ainsi, s'en était-il retourné vers les fleuves, les montagnes de la Chine du Nord, ce cœur humble, s'écriant qu'il n'avait pas assez battu, un battement, et son roman sur la Chine moderne serait

terminé, il fallait ainsi s'éclipser délicatement la plume
à la main, pensait Charles, tel un peintre chinois, un
vieux philosophe, chaise inoccupée à la dérive sur l'un
des fleuves de la Chine, et eux, ces musiciens de
l'orchestre dans leurs blancs habits, pensait Renata, ils
étaient cet hallucinant goût de l'eau et de la fumée,
pensait Renata, du feu au bord des lèvres qui fait
vaciller le regard, vers lequel tous les nerfs se tendent,
ils étaient agiles, dévalant les rues avec Renata qu'ils
accompagnaient chez elle, ébruitant sur ses pas la
musique de leurs guitares, de leurs violons, elle se
souviendrait de ces rires moqueurs, de ces chants à
l'aube, ils continueraient d'éveiller en elle le même
ravissement, la même extase douce exaltée par la
chaleur, la moiteur de l'air, ses bras débordaient de
l'offrande d'orchidées bleues et d'oiseaux de paradis,
tous n'étaient que d'ondulantes formes dans la lumière, pensait-elle, contre la mer étale, sa tranquillité,
son immensité, mais tels ces bateliers debout dans
leurs barques, la saluant en passant sous l'arc d'un
pont de pierre, ou inclinant la tête vers elle entre deux
murets de brique où s'agrippaient d'épineux rosiers
sauvages, lorsque s'éloigneraient leurs barques, elle ne
les reverrait plus, elle n'entendrait que les quelques
sons ténus qu'ils tireraient encore de leurs instruments, leurs rires moqueurs, et s'engourdirait peu à
peu la creuse sensation de soif, et dans ce sentier du
Souvenir, de la Mémoire, où Charles était seul, une
femme accourut des buissons en disant à Charles qu'il
n'avait pas le droit de rouler à bicyclette dans ce sentier, Charles reconnut la Folle qui persécutait les enfants du pasteur, elle ne cessait de démonter la charpente de sa clôture, d'empêcher les gens d'avoir accès
à leur maison, la Folle du sentier, pensait Charles,
n'était-elle pas toujours d'allure respectable, dans son
chandail marine rayé, son pantalon blanc et son seul

souci, la propreté de l'île, dit-elle, en démontant la
charpente des clôtures ou son balai à la main, sur les
trottoirs, dans le nettoyage des ordures, tous ces
voyous, disait-elle, tous ces voyous, et était-ce vrai,
comme le disait la Folle, pensait Charles, que cette ville
lui appartînt, chacune de ces maisons, chacun de ces
sentiers, de ces rues, voyez, monsieur, je peux les
acheter, et la ville sera nettoyée enfin de tous ces
jeunes, de ses Juifs et de ses Chinois, je peux tout
acheter, j'ai quatre voitures et deux chauffeurs dans
ma résidence aux vingt-deux pièces, dont les volets
sont clos, mais personne ne sort, je le défends, ou
Charles imaginait-il la Folle dans l'épuisement de cette
fin de nuit, et moi aussi j'ai plusieurs serviteurs noirs
comme votre maman centenaire, avez-vous visité
votre maman cette année, monsieur, comment un
écrivain célèbre comme vous, qui a remporté tous les
prix pour la gloire de notre pays, bien que vous défen-
diez trop les Noirs et les homosexuels, ces parasites de
notre société qui donnent à tous des maladies, sur les
vagues de l'océan, monsieur, on devrait les renvoyer
sur les vagues de l'océan comme le disait monsieur
Freud, comment un écrivain de votre classe sociale et
de votre fortune peut-il donner tout ce qu'il possède
à ces indécents jeunes chômeurs qui mendient dans
les rues, devant nos édifices les plus respectables, leur
chapeau à la main, et surtout comment un écrivain
comme vous peut-il rouler à bicyclette, que dirait
votre maman si elle vous voyait, cette île qui était notre
paradis autrefois, le paradis de votre maman centenaire et celui de ma famille, ma sœur, à quinze ans,
était déjà secrétaire d'un banquier, nous n'avions que
des banquiers et des gens distingués ici, avant l'arrivée
de cette horde de malfaiteurs, de voyous, regardez
combien ils salissent de leurs déchets nos trottoirs, nos
sentiers, comme vous, toujours à bicyclette dans nos

sentiers, j'ai failli tomber en vous voyant, vous renversez tout sur votre passage, cette île est un enfer, monsieur Charles, cette horde de voyous, Sodome vit entre nos murs, n'avez-vous pas lu ce qui est écrit dans la Bible, Sodome est entre nos murs, et c'est votre faute, monsieur, votre tolérance les a tous amenés ici, ces dépravés, ces travestis qui ne sortent qu'à la nuit tombée dans la peur d'être tués, mais ils le seront tous, ils le seront tous, le Ku Klux Klan brûlera leurs maisons de ses croix en flammes, vous verrez, monsieur, vous verrez, oh, ville infernale, île des bas-fonds de l'enfer, Inferno, Inferno, disait la Folle en brandissant le piquet rouge de sa clôture, mais ne l'imaginait-il pas, lui qui entendait tout de ces voix perfides, n'entendait-il pas encore cette voix persifleuse de la Folie normalement acceptée partout, dans l'ensemencement de ses doctrines réactionnaires, pensait Charles, ô la République de Lamberto, l'Athènes de Platon, n'avaient pu être répudiées que par cette Lady Macbeth qui représentait l'ensemble des citoyens, Lamberto n'était-il pas comme le roi d'Écosse qu'elle avait fait assassiner par son mari, la République de Lamberto, l'Athènes du bonheur ayant fui, aucun commissaire noir ne serait réélu avec la domination du nouveau maire, Lady Macbeth en avait peut-être décidé ainsi dans sa résidence aux vingt-deux pièces où elle avait enfermé ses serfs, ce feint commissaire noir, ce garçon ambitieux, pourquoi ne pas lui proposer un voyage en mer dont il ne reviendrait pas, les princes, les rois jeunes et beaux qui gouvernaient dans l'innocence et la bonté éveillaient l'aversion, la rage, ils ne pouvaient survivre à l'éphémère succès de leur règne, on les assassinait comme les frères Kennedy, pensait Charles, il regardait autour de lui, il n'y a personne, je délire, personne, qu'un bruissement de lézards et de chats sous les feuillages de l'allée, après

la République de Lamberto, l'Athènes de Platon, le
Fou ou la Folle du sentier d'allure si conforme ne
triompheront-ils pas de nous? Et la mère presque
centenaire de ces fils qui sont encore des jeunes gens
dans son esprit, dit, peu m'importe de mourir, je les
verrai ce soir, cette nuit, nous serons ensemble à la
même table céleste, enfin, je les retrouverai, tous les
deux, le sentier du Souvenir, le sentier de la Mémoire,
pensait Charles, roulant à bicyclette sous les palmiers,
on n'entendait ici que le tintement répété d'un glas,
dans une église, un temple, parfois un vieux sage, tel
Justin, parvenait à exprimer une sagesse obtenue dans
d'indicibles douleurs, c'était le maire de Nagasaki,
n'avait-il pas survécu à un coup de fusil dans la
poitrine lorsqu'il s'était opposé à l'empereur, attirant
sur lui la vengeance nationaliste, qui disait, longtemps
après, rien ne fut jamais aussi cruel que cette bombe
sur Hiroshima, aucun acte de destruction ne peut être
comparable, car tout, sous une couche de cendres et
de braises, entra dans le néant, les églises, et ceux qui
y priaient, les jardins d'enfants, les chats, les chiens, et
Justin avait écrit et dit, lui aussi, qu'aucun acte de
destruction ne pouvait être comparable à ce génocide,
le coup de fusil dans la poitrine avait été pour lui cette
pièce d'acier, les poumons, le cœur, cette pièce d'acier,
la culpabilité, dont il avait fini par mourir, le sentier
de la Mémoire, le sentier du Souvenir, pensait Charles,
roulant à bicyclette sous les palmiers, on n'entendait
ici que le tintement répété de tous ces glas, dans des
églises, des temples, des jardins, sous un beau ciel
d'août, d'une lumière automnale, où, sous une couche
de braises, toute vie, sans un souffle, était entrée dans
le néant. Et c'est comme si nous étions à une fenêtre
ouverte sur toutes sortes de merveilles, dit Mère à
Augustino, qu'elle avait emmené sur cette plage de
sable blanc où, dans quelques mois, Vincent ferait ses

premiers pas, tu peux aller gambader dans les vagues, dit Mère, mais tout près, tout près, je te surveillerai assise sur le rocher, les vêtements d'Augustino, sur les genoux de Mère, n'étaient-ils pas d'aussi petite taille qu'un mouchoir, pensait-elle, qu'il joue, qu'il s'ébatte, quelle joliesse, les traits de cet enfant, le nez n'est-il pas arqué sous les boucles de ses cheveux, déjà si têtu, volontaire, comme Mélanie, nu sous la cape de sur-homme, il jouait, s'ébattait, quelle joliesse, quand ses vêtements n'étaient pas plus grands qu'un mouchoir sur les genoux de Mère, mais que de perçants cris de joie pour les oreilles de Mère, les enfants d'aujourd'hui font beaucoup de bruit, pensait-elle, avec la vision du héron blanc sur la jetée, s'étaient apaisés en Mère le tumulte et ce douloureux sentiment qu'elle était à la merci de tous les périls, et soudain, dans le silence de l'aube que brisaient les pépiements d'Augustino et la molle succession des vagues, Mère crut entendre pro-noncer son nom, Esther, disait une voix, maman, nous te cherchons, Esther, on eût dit que Mère allait se re-tourner pour se blottir contre le cœur de la gouver-nante française, toute rigide dans sa robe noire, et entendre comme autrefois prononcer avec amour son nom, contre sa joue, dans cette longue chevelure que brossait chaque matin la gouvernante, Esther, dit Mélanie, maman, je te cherchais partout, car Mélanie était là debout près de sa mère, sur cette plage de sable blanc, elle me retrouve enfin, pensa Mère, c'est sans doute la présence de Renata qui a adouci Mélanie, et émue par le souvenir du héron, sur la haute jetée, Mère pensa, elle m'aime, Mélanie est ma fille après tout, et Sylvie voyait l'ombre de son frère sur le portail du jardin, n'était-il pas, soudain, à l'image de son pays, ensanglanté, pliant sous les dictatures, que de mas-sacres sur la terre de lait et de miel, que ce frère ne vînt plus près d'elle, ouvrant de son bâton la cage des oiseaux, effleurant de sa lame l'aile des perruches, des poussins, qu'elle préservât de lui le petit Augustin qui avait été sauvé du naufrage par un prêtre; cabré sous son large chapeau mexicain, dans la paix d'un cimetière, il broyait entre ses incisives, dans des rires sots, non que jamais cela n'arrivât, les fibres, la tendre chair d'Augustin, et elle entendait dans le silence des rues, la nuit, ce bâton du frère dément, martelant le fer des grilles, des grillages; car lourde de sang était l'Ombre de celui qui était hier le veilleur des morts sur les rives de la cité du Soleil. Et tout en caressant le dos rêche de son iguane, Samuel dit à Vénus qu'il irait se déguiser pour les nuits de fête qui dureraient encore deux autres jours, deux autres nuits, toutes ces nuits à chanter, à ne pas obéir à ses parents, quelques musiciens venaient de partir vers les rues, les jardins, deux autres nuits, deux autres jours, mais une incessante musique bourdonnait au fond du jardin, la voix de Vénus qu'accompagnaient les sons isolés et graves de la guitare, de la contrebasse, que de nuits de fête encore si longues, pensait Samuel qui dansait en gravissant l'escalier vers sa chambre; Samuel, à qui Vénus avait donné en cette nuit de fête un iguane dont le dos était rêche, rude au toucher comme le chardon et la raide épine du cactus, un iguane pour l'arche de Noé de Samuel, d'Augustino, parmi les renards, les tortues, les colombes, les tourterelles, et Daniel vit que l'Ombre était toujours là, l'Ombre qui frôlait la clôture, tout près de l'oranger aux oranges amères où chantait Vénus, la femme au visage cramoisi était-elle déguisée, non, ce n'était pas une itinérante, c'était elle, l'épouse, la femme de l'un de ces Blancs Cavaliers, elle n'était plus seule, n'était-il pas là près d'elle, lui aussi, un enfant était entre eux, son apparence était trompeuse, dans cette robe qui semblait cousue à son corps, sous le drap blanc de la cagoule, c'était un enfant

costumé pour les fêtes comme on en voyait défiler
beaucoup, chantant dans d'anciens tramways, sous la
cagoule, n'était-il pas coiffé comme ces enfants des
trains et des tramways, dans les rues, d'une couronne
de coquillages lumineux, mais pourquoi, malgré cet
aspect féerique, sous le drap blanc de la cagoule,
Daniel craignait-il tant ces trois personnages, ou
n'étaient-ils que les personnages fictifs de son œuvre,
ils allaient et venaient tous les trois, l'homme, la
femme, l'enfant au pas pesant, tout près de Vénus qui
chantait, des deux musiciens noirs, près d'elle,
pourquoi Daniel les craignait-il tant, il y a trois
ombres de l'autre côté de la clôture, dit Jenny, leurs
têtes sournoises sont dissimulées sous des cagoules,
n'entendez-vous pas ces chuintements, ces mots sifflés
dans les crachats, dit Jenny, d'une femme, d'un
homme, d'un enfant, Nègres, nous allons tous vous
lyncher, disent-ils, ou bien, n'étaient-ils tous, eux qui
croissaient en nombre, que les personnages fictifs dans
le roman qu'écrivait Daniel, ils étaient là, car Jenny
voyait leurs trois ombres distinctes sous la cagoule, la
mère, le père, l'enfant au pas pesant, et Carlos vit le
sphinx géant, sa tête de lion passait sous les vérandas,
dans le défilé aux mille splendeurs, et tiré sur des chars
par une multitude d'écoliers noirs, apparut à Carlos le
vaisseau *Henrietta Marie,* ses trois mâts, ses montagnes d'or et d'argent qui avaient coulé dans les mers,
dans un naufrage au XVIIIe siècle, le grand navire aux
trois mâts et ses trésors enfouis dans le corail des
Marquesas, où étaient donc ses chasseurs de joyaux
naviguant vers le Nouveau Monde, on avait pu
identifier le *Henrietta Marie* dont le nom avait été écrit
sur une cloche de fer, cloche dormante dans les eaux
parmi d'autres objets, la barre retenant dans ses pièges
les pieds de ses prisonniers, d'où venaient-ils tous, du
Nigeria, de la Guinée, quelle tortueuse route ne

suivraient-ils pas sur les océans jusqu'au golfe du Mexique, jusqu'au Nouveau Monde où serait déchirée, vendue, l'africaine cargaison, parmi les amas d'or et les pierres précieuses, que de pieds encore pris dans leurs pièges de fer, une cloche s'était longtemps plainte dans une nuit de brouillard, tant de deuils sur cette route tortueuse, de ces océans jusqu'au Nouveau Monde, Carlos vit le *Henrietta Marie* qui avait été retrouvé, où étaient donc ses chasseurs de trésors, où se cachait le trésor Atocha de ses capitaines, parmi les barres de fer des pièges sur des pieds meurtris, quelle nuit de deuil pour le *Henrietta Marie* coulant avec ses capitaines dans les mers, passait sous les vérandas le navire *Henrietta Marie* que tiraient une multitude d'écoliers, Christo Salvo, criait une voix, et Carlos courait à toutes jambes, où était Polly, apeurée, dans cette foule, et que l'oncle Cornélius semblait triste, assis parmi ses musiciens, dans le camion cahotant, rue Esmeralda, rue Bahama, le camion traînant des écoliers et le *Henrietta Marie* retrouvé au fond des mers, ses amas d'or et d'argent dans la cale à charbon, le vaisseau *Henrietta Marie*, ses trois mâts, par quelle tortueuse route sur les océans il avait navigué, eux avaient été dévorés, ces hommes, ces femmes aux pieds encore encerclés de fer, par les barracudas, les requins, et dans les lueurs de l'aube, sur cette plage où venait tous les jours Julio, ne voyait-il pas au-dessus des vagues cette bannière multicolore, d'une telle ampleur qu'elle eût traversé la moitié de la ville, dont l'étoffe avait été brodée de tous leurs noms, José, tué le 11 mars, Pinar del Rio, Candido, victime de la violence policière, le 4 novembre, Ovidio, tué en combat clandestin, Andrès, abattu en essayant de fuir son pays, tous noyés ou tués, José, Candido, Ovidio, Ramon, Oreste, Edna, la mère de Julio, leurs noms étaient brodés, cousus dans la transparente étoffe d'une bannière se mouvant au-dessus des eaux, pensait Julio, et soudain Julio arrachait le bandeau à son œil blessé et il courait dans les vagues vers la bannière de ses martyrs, les appelant un à un, Oreste, Ramon, Candido, José, Nina, Edna, sa mère, à La Havane, Miami, cette bannière, pensait-il, eût couvert de son ampleur de noms brodés dans le sang quinze rues, quinze bâtiments, cette immense bannière témoignant de tant de disparitions, de noyades, de crimes, je crois en Dieu et en la bonté humaine, avait été le dernier message de l'un d'eux, et Julio nageait vers cette bannière multicolore, sur les eaux, nageait dans sa fièvre, pendant que s'éloignait le rivage, Christo Salvo, criait une voix, reviens, Julio, et Julio revint en nageant vers le rivage où un garçon s'agitait dans des mouvements frénétiques pour lever l'ancre de son bateau, où allais-tu, demanda-t-il, il y a une tempête en Jamaïque, c'est imprudent de s'aventurer si loin, toujours à cette heure, Mélanie, Daniel, couraient longtemps sur ces rives, cette bande de terre, était-ce cette pensée qui avait promptement ramené Julio vers le rivage, soudain, il avait nagé vers eux, comme s'ils eussent été là, courant sous les pins, vêtus de leurs shorts beiges, dans les rayons déjà chauds de l'aube, de cette bannière multicolore, d'une telle ampleur qu'elle eût parcouru toute l'île, les noms de José, Candido, Ovidio, Ramon, Oreste, Edna, leur mère, le couvraient avec les vagues de leurs suaires, les empreintes de leurs luttes, pour eux tous, Julio n'avait-il pas le devoir de vivre, Ramon, Oreste, Nina, presque rien, pourtant, si le garçon qui levait l'ancre de son embarcation ne l'eût appelé, ne l'eût poussé vers le linceul de toutes ces vies, presque rien, pensait Julio, presque rien l'eût fait glisser dans les profondeurs d'une mer, d'un océan, vers cette bannière multicolore sur les eaux, et Tanjou ne reconnaissait plus cette silhouette de Jacques contre

la blancheur rose du ciel, il tenait la tête de Raoul qui
vomissait dans cette chatoyante verdure près du court
de tennis, des larmes de colère montaient à ses yeux,
quelles drogues abjectes as-tu encore consommées,
disait-il à Raoul, en le secouant, et encore deux autres
nuits, deux autres jours de fête, murmurait Raoul, je
ne me souviens plus, encore deux autres jours, deux
autres nuits, c'est un mélange que j'ai essayé, regarde,
je frissonne de froid, et sous le funèbre déguisement
de Raoul, Tanjou vit poindre sur l'épaule brune,
musclée de Raoul, le tatouage rituel, celui d'un tête de
squelette que transperçait un poignard, et ces vomissements répétés alarmaient Tanjou, tu vois où cela te
conduit, dit Tanjou à Raoul, ne le vois-tu pas enfin,
sans discipline, dans le désordre, nous n'allons pas
remporter le tournoi, Tanjou comprenait aussi que le
tatouage de Raoul, sur son épaule, révélait peut-être
son appartenance à un gang dangereux, ils étaient
beaux, ils étaient jeunes, que le malheur qui s'acharnait sur les uns et les autres cessât ses vilénies; Tanjou
ne reconnaissait plus cette silhouette de Jacques sur la
blancheur rose du ciel, mais soudain, il crut entendre,
bien que Raoul ne fût pas capable de retenir les bruits
convulsifs de son corps courbé vers l'herbe, cet oratorio de Beethoven, *Christus am Oelberge,* le Christ au
mont des Oliviers, que Jacques avait pieusement
écouté, il entendait l'aria des anges, le récitatif de Jésus
au mont des Oliviers, comment Son Père qui était aux
cieux éloignerait-Il de Jésus la mort, quand se tendaient vers ses flancs les lances des soldats, ça va
mieux, dit Raoul, donne-moi ma raquette, sept-cinq,
dit-il en se relevant, retournons vers le court; et dis-
pos, rafraîchis dans leurs vêtements de sport, même
s'ils avaient peu dormi, pensait Adrien, Suzanne ne
disait-elle pas que trois ou quatre heures de sommeil
par nuit leur suffisaient sainement, trop de sommeil

n'eût-il pas été une indécence, Adrien et Suzanne
marchaient, main dans la main, vers le court de tennis,
les jardins odorants de fleurs ouvertes sous des gouttes
de rosée, aujourd'hui, j'en suis sûre, dit Suzanne, le jeu
de Tanjou sera aérien, ne nous surprend-il pas toujours de son envol courtois au-dessus du filet, je
préfère venir jouer entre midi et trois heures, lorsque
personne ne me voit, dit Adrien, je me sens ce matin
comme un chevalier fourbu et ces jeunes gens sont si
agressifs dans leur jeu, allons, allons, dit Suzanne, qui
songeait que son mari s'inquiétait surtout de cette
analyse qu'il avait l'intention d'écrire lorsque le manuscrit des *Étranges Années* serait publié, car ce manuscrit serait publié, semblait soudain décider Adrien,
il fallait que ce manuscrit devînt bientôt un livre, une
œuvre concrète, tangible, afin qu'Adrien fût l'un de
ceux qui en feraient un compte rendu critique brillant,
un exposé auquel il commençait déjà à s'appliquer,
son idée, confia-t-il à Suzanne, heureux de cette dé-
couverte, c'est que Daniel peignait le monde comme
Jérôme Bosch et Max Ernst, tout à fait, dit-il, Daniel
n'a pas la fluide maîtrise de ces grands maîtres, mais
son livre est foisonnant de leurs visions, on plonge
avec lui dans la Nef des Fous, comme dans le Jardin
des Délices, Adrien s'était trompé lorsqu'il avait cru
que le jeune auteur était, comme ces écrivains du Sud,
hanté par l'écrasement de la faute dans une société
puritaine, Daniel était avant tout un peintre débridé,
parfois sa pitié était caricaturale, son écriture riche-
ment symbolique, ce que l'on remarquait à peine à la
première lecture du manuscrit, tout doucement il
nous dirigeait vers les régions vertigineuses de l'enfer,
traitait-il de la folie des hommes, ce thème si cher à
Bosch, de la mort, il juxtaposait dans ses compositions
délirantes le monde moderne et l'ancien, partout un
grouillement théâtral, une étrange procession de la

faune humaine, de sa flore, la Nef des Fous, le Jardin
des Délices, et parfois, le Jugement dernier, un ésoté-
risme insistant, comme Max Ernst il assemble des
objets, des collages en trompe-l'œil, il a étudié la
psychologie, lui aussi, c'est un écrivain de l'occulte, je
t'assure, Suzanne, que tout cela est très dérangeant,
surtout à la première lecture, mais comme je le disais
à Daniel, trop de troublants assemblages. Il y avait
aussi une pénible omission dans ces *Étranges Années*
de Daniel, que soulignerait Adrien, si l'enfer et ses
bordures étaient partout présents, Daniel ne semblait-
il pas ignorer, et c'était le péché de la jeunesse, elle ne
savait pas tout de ce séjour des âmes dans les mélancoliques limbes de la vie, de l'uniformité des gestes,
que ce fussent les limbes des plaisirs les plus jouissifs,
le paroxysme du plaisir sexuel ou l'anéantissement
dans les plaisirs matériels, un homme comme Adrien
ne savait-il pas dans l'ivresse de ses possessions les
plus délectables et les plus satisfaisantes que s'arrêtaient, avec une éjaculation ou un insolent appétit
dépassant la mesure permise, la courte immortalité
qui était la sienne comme celle des oiseaux et des
fleurs des champs, ces intolérables séjours dans des
limbes sans avenir ne se répétaient-ils pas pendant la
quotidienne promenade de Suzanne et d'Adrien vers
le court de tennis, les jardins à la chatoyante verdure
sous le soleil, Daniel ne semblait-il pas ignorer que
cette enthousiaste promenade un jour ne se reproduirait plus, si agréable qu'eût été au cours d'une vie
l'habitude qu'on en avait prise, Dieu vous lâcherait
soudain dans vos frais vêtements du matin, tel le
papillon à la flamme ou la fleur à la turbulence des
vents, quelle grave omission que signalerait Adrien
dans sa critique, le mol paradis en apparence distribué
à tous n'était donné à personne, de cela il ne fallait
surtout pas discuter avec Suzanne, les femmes ne souf-

fraient pas autant que les hommes de cette lassitude
sécrétant le repliement sur soi, l'égoïsme, tout à leurs
enfants, ces violentes possessions de la vie ne leur
étaient-elles pas inconnues, ô funestes mélancolies de
l'homme, du mâle avide d'investir sa puissance en
toute chose, pensait Adrien, et Suzanne l'étonna par la
déclaration de sa différence, en exprimant comme elle
le faisait si souvent sa foi en la vie après la mort, elle
ne doutait pas, disait-elle soudain à Adrien, le visage
éclairé par cette certitude surnaturelle, que Charles et
Frédéric eussent communiqué avec les esprits des
défunts autrefois, pendant ces nuits en Grèce, autour
d'une table sous les candélabres, ils avaient vu et
entendu les signes de ces esprits, lu leurs inscriptions
sur les registres de la table que semblaient remuer de
souterraines mains, cette communication existerait
toujours entre les vivants et les morts, disait Suzanne,
ces adeptes du spiritisme l'avaient compris en Grèce,
à minuit, sous les candélabres, quand une voix disait,
marin, dix-sept ans, toujours perdu en mer, venez à
moi, ô tourments des tavernes et des ports dans la
brume, des navires qui s'engouffrent, venez à moi, dix-
sept ans, nom, Thomas, né en Angleterre, orphelin,
comme le poète Keats, mon ami, j'ai moi aussi écrit
des sonnets, ô tourments des tavernes et des ports,
1818, orphelin, déjà perdu en mer, des lettres, des mots
s'imprimaient seuls, perdu en mer, un brouillard, tel
ce brouillard de Londres accueillant la naissance de
Thomas ou du poète romantique John Keats, en un
temps où viendrait si tôt la mort après la naissance, ce
même brouillard, cette brume dans laquelle oscillaient
soudain tous les cris et tous les signes, supprimaient
toute trace du défunt effronté que reprenait l'Ombre,
Tho-mas, Tho-mas, Keats, Charles, Frédéric retenaient,
exaltés, le suprême indice, autour de la table, sous les
candélabres, et Adrien, conscient d'être un homme

raisonnable, pondéré, décevait cet espoir de Suzanne
d'une phrase sèche en disant, nous avons affaire ici,
avec Charles et Frédéric, à des êtres très imaginatifs
non seulement qui affirment la survivance de l'esprit
après la mort, mais qui dialoguent aussi couramment
avec John Keats et tant d'autres dont ils confondent
les vers sur la beauté, la vérité avec les leurs, ô tourments, ô tavernes, écrivait Fred, en ce temps-là, en
Grèce, dans ses déboires conjugaux, ce sont des esprits
de poètes, des conteurs, des fabulateurs, que n'ont-ils
pas vu, entendu, autour de la table tournante, sous les
candélabres à minuit, que n'ont-ils pas vu, entendu, le
poète Keats, Shelley, quelle âme noble empreinte de
lyrisme ne vint pas se confier à eux, dans le bruit d'un
souffle autour d'une table, et Adrien regrettait qu'avec
sa voix dramatique s'accentuât sa jalousie, enfin, dit
Adrien, je suis poète moi aussi, mais je garde les pieds
sur terre, ou n'était-ce pas quelque sentiment jaloux
d'un autre ordre, pensait Adrien, autour de ces liens
invisibles, mystérieux, qui unissaient Suzanne, Charles
et Frédéric, il est vrai qu'ils étaient tous si souvent
ensemble, soudain se développaient chez les uns et les
autres les mêmes passions, les mêmes défauts aussi,
être trop imaginatif ne consistait-il pas en un défaut,
c'est que je crois moi aussi en cette doctrine, dit doucement Suzanne, et Adrien pensa qu'une flèche em-
poisonnée lui avait traversé le cœur, trois, ils étaient
trois à pénétrer les mêmes mystères, trois élus des
mystères de Dieu, et qu'avez-vous encore entendu ou
lu autour de cette table, il y a quelques jours, n'aviez-
vous pas une rencontre chez Charles, après beaucoup
d'efforts, d'illusions, d'interprétations, qu'avez-vous
pu entendre ou lire, exigeait Adrien d'une voix
pressante à Suzanne, le mot Daleth, nous le vîmes qui
se composait sous nos yeux, Daleth, un mot hébreu
qui signifie porte, tu vois, on ne sait pas si cette porte

est ouverte ou fermée, dit Adrien, agacé, Daleth, dit
Suzanne, avec lenteur, ou était-ce de la langueur têtue,
pensait Adrien, Daleth, il s'agit de marcher vers cette
porte d'où l'on aperçoit, même de très loin, un mur
qui réfléchit la lumière, Daleth, dit Suzanne, pendant
que se tournait vers Adrien ce visage éclairé d'une
impénétrable certitude, voilà, c'est tout, semblait-elle
dire, répétant le mot en détachant les syllabes, Da-leth,
une porte. Et serait-ce demain que Suzanne écrirait
enfin à ses filles, demain ou plus tard, ils étaient encore
si heureux, au sujet de leur pacte pour obtenir ce droit
à la porte, Daleth, sans que leurs enfants en eussent
du chagrin, n'était-ce pas simple, bien naturel, quand
on avait sereinement vécu au paradis toute une vie,
d'aller, encore en bonne santé, vers cette porte, Daleth,
dont l'ouverture était lumineuse, d'y marcher, sans déchéance, avec honnêteté, franchise, comme vers le
court de tennis le matin, sous l'ardente lumière du soleil, il eût fallu en parler aussi à Jean-Mathieu, mais ne
les jugerait-il pas sévèrement, mes chères filles, écrirait
Suzanne, serait-ce ce soir, demain, dans dix ans, cinq
ans peut-être, mes chères filles, je vous écris derrière
ce paravent chinois qui sépare ma pièce de travail de
celle de votre père, ce dessin d'un lotus blanc, du paravent, vous vous souvenez, représente la philosophie
bouddhiste chinoise, qui m'a toujours fascinée, dans
sa calme élévation, mes chères filles, je songe à vous
faire part depuis longtemps de notre décision, vous le
savez, même selon la loi, il en sera bientôt ainsi, la
mort assistée n'est pas un suicide, Daleth, porte, ouverture sur la baie, le soleil, la verdure, était-ce prudent de leur écrire, pensait Suzanne, n'avaient-ils pas
toujours préservé leurs secrets de leurs enfants, ce
jour-là, nous serons dans un bateau de croisière, écrirait Suzanne, posant parfois son regard sur le dessin
chinois du lotus blanc, non, elle ne leur dirait rien, ni

à Jean-Mathieu, à quoi bon les ébranler tous du même effroi, Jean-Mathieu ne sentait-il pas encore dans ses membres glacés le froid suintant des murs de cette fabrique où il avait travaillé, enfant, à Halifax, non, il faudrait raturer et écrire, la mort assistée bien qu'on débatte beaucoup la question, ces temps-ci, n'est pas un crime, j'avoue pourtant ma crainte, mes chères enfants, que le Dr Kevorkian ne soit condamné par les tribunaux pour ces vingt et une morts dont on l'accuse, quel être digne ne peut compatir à la souffrance de ceux qui ne peuvent obtenir le droit à une mort sereine, combien j'ai pitié d'eux tous, mes filles, d'eux tous qui réclament ce droit dans de mortifiantes douleurs, Ruth, quatre-vingt-douze ans, atteinte du cancer des os, tant de tortures, d'absorption de médicaments destructeurs, qui sont ces intrus qui défigurent ainsi à la fin la beauté des vies, leur harmonie, nous avons eu près de vous une vie merveilleuse, eux tous qui réclament, attendent, déformés, ne sommes-nous pas nés tous responsables de nous-mêmes, non, cette pensée était trop orgueilleuse, pensait Suzanne, elle n'écrirait pas la lettre demain, du moins, pas ce soir, mes chères filles, les médecins les plus experts ne connaissent pas nos corps comme nous les connaissons nous-mêmes, n'écoutez pas, vous qui êtes resplendissantes et si jeunes, tout ce que l'on vous dit, non, ses filles n'eussent jamais toléré ces conseils, mes chères filles, écrirait Suzanne, je pense que lorsque nous vieillissons, si nous ne prenons pas soin de nous-mêmes, les autres nous maltraiteront, songez à ces survivants d'un bateau de croisière, tous des vieillards que son jeune équipage cynique, cruel, faillit laisser périr, pendant une traversée au Kenya, ou ces cinq cents passagers aux cheveux blancs attendant le secours de leur rieur capitaine, dans leurs barques, sur l'océan Indien, aucun moteur dans ces barques, aucune eau potable, aucune couverture, le capitaine riant et bavardant sur le pont pendant que le feu rampait vers les cabines et ses passagers, non, mes chères filles, ce sort ne sera pas le nôtre, ce ne serait pas demain, car Suzanne et Adrien étaient encore si heureux, un simple pacte qu'ils n'avaient pas signé, mais que ce jour était parfumé, odorant, pensait Suzanne, et qu'il était rassurant de voir ce couple de joueurs dans la lumière dorée, Raoul, Tanjou, Tanjou dont le jeu était aérien. Et eux, ces musiciens de l'orchestre, dans leurs blancs habits, pensait Renata, ils étaient ce goût hallucinant de l'eau et de la fumée, du feu au bord des lèvres qui fait vaciller le regard, mais soudain elle n'entendait plus que les sons ténus qu'ils tiraient encore de leurs instruments, leurs rires moqueurs pendant qu'ils s'enfuyaient vers les amusements de la fête dans les rues, ses bras débordant encore de l'offrande de leurs fleurs, elle les regardait s'éloigner, et elle le vit qui était toujours là, elle eût dû s'écarter de la masse crasseuse sur un trottoir, était-ce l'Antillais déchu, intoxiqué, ouvrant vers elle des paupières aveugles, ou tant d'autres qui eussent pu lui ressembler, itinérant assommé par la voiture d'un homme ivre dans la clarté crue des premières heures du Nouvel An, errant des prisons de la Californie, du Nevada et du Michigan, délaissé sur un trottoir, une autoroute, cueilleur d'oranges sans parents ni amis, comment serait-il demain incinéré, enterré, ou était-ce lui, sous la matière noirâtre qui recouvrait son visage, était-ce ce corps avili sous la suie de ses loques, cet homme entouré de paquets et de ficelles, encombrant les rues, les trottoirs dont elle eût dû s'écarter, les bras chargés de fleurs, elle ne savait quelle pitié viscérale l'eût inclinée vers lui, car ces résidus humains n'adhéraient-ils pas à elle comme à tous, là où elle retournerait, elle serait aimée, estimée, quand il ne serait que davantage diminué, méprisable tache noire contre la blancheur d'un mur, sous un soleil radieux, ou assis, le torse raidi par le froid, ce froid qui ne surgirait que pour lui dans l'humidité de ses hardes, mais ce n'était qu'une inquiète pulsion, elle contournerait de ses pas rapides la masse sur le trottoir, le reflet glauque du regard sous les paupières de l'homme qui la poursuivait encore jusqu'à son antre de végétation, vers la maison louée, masse douteuse qui l'opprimerait toujours de ce regard de mendicité, ce lien de la honte, qu'elle ne le vît plus, dans l'attroupement des animaux faméliques qui le suivaient, animaux, femmes ou enfants, leurs attroupements houleux se dispersaient sur les plages de sable fin, dans les herbes des jardins devant les églises et les écoles, parfois de jeunes gens en noir, sous des chapeaux de feutre, chaussés de bottes cloutées, bardés de cuir, se joignaient à eux, un furet ou un rat sur l'épaule, lorsqu'ils enlevaient leurs chapeaux, on voyait cette cicatrice parmi quelques cheveux où logeait le rat, la nuit, sous le chapeau, grignotés, grignoteurs, rongés, rongeurs, tous, ils étaient enchevêtrés dans cette masse noirâtre, contre la blancheur de ce mur qu'elle dépassait, ne voulait plus voir, comme si sa vitalité, déjà, eût baissé, quand résonnaient encore en elle les échos de la fête, et ces sons ténus, allègres, que les musiciens tiraient de leurs instruments, au loin, et Adrien pensait à son exposé critique sur ces *Étranges Années* de Daniel, il n'était pas si perméable, pensait-il, pour accepter que vînt déteindre sur lui comme du chlore l'écriture de ce garçon, enfin, un peu de retenue, il serait plutôt invincible sous ce bouclier du critique, ou sous ces boucliers du critique et du poète, invincible, que ce jeune auteur ne le tourmentât plus en s'étirant les coudes devant son ordinateur, si inspiré qu'il ne parvenait pas à taire sa voix, qu'on ne l'entendît plus, que le manus-

crit fût publié, à ce détour périlleux, l'attendait Adrien
et les outils clairvoyants de son analyse, une étrange
procession de la faune humaine, de sa flore, la Nef des
Fous, le Jardin des Délices, Daniel assemble comme
Max Ernst des objets, des collages en trompe-l'œil, les
abords de la rivière Éternité, le titre serait plus pertinent, oui, mais si embarrassant de les revoir tous, le
chien de Hitler, les involontaires enfants suicidés dans
un bunker, ces enfants de Goebbels qu'il innocente,
on croisait aujourd'hui parmi nous ces âmes vengeresses, écrivait-il, portées malgré elles, dans les vagues
noires, non, tout cela avait été écrit, dicté, sous une
dangereuse, maléfique influence, l'air, entre ces lignes,
était d'une irrespirable substance, sans doute était-il
l'un de ces écrivains déprimés, détestable, pensait
Adrien, que cela se mît à déteindre sur vous quand
vous alliez jouer au tennis avec votre femme et qu'il
faisait si beau, pourtant, la vie, comme l'avaient vue
les peintres visionnaires, était cet énigmatique collage
ou ce troublant assemblage, Fred avait peint des fleurs
à Munich, les fleurs qui portaient ce titre de *Fleurs
d'Ève,* fraîches comme si elles eussent été peintes dans
l'éden, fleurs jaunes qui avaient eu l'éclat du soleil, en
même temps que Frédéric pilotait ses avions destructeurs sous des ponts, que des villes étaient bom-
bardées, les *Fleurs d'Ève,* à Munich, comme si la vie
eût sans cesse recommencé, Frédéric ne partageait-il
pas avec Daniel, et n'était-ce pas leur naïveté, ce sentiment d'une vaste innocence répandue sur l'humanité, que ce fût parfois une humanité sainte et hé-
roïque plongée en enfer, ne perdant rien, comme
l'avait fait Max Ernst de la juste fureur de ses prophéties, dans ce terrifiant roman-collage, on y voyait
défiler l'histoire du siècle dernier, l'Académie des
sciences et ses têtes de squelettes sous un parapluie, à
un bal étaient invitées les dames du Calvaire, les fées

de la Destruction, des bateaux glissaient sur des planchers sanglants, avec des têtes coupées, le peintre était provocateur, sacrilège, la mer, les forêts étaient des lieux anthropophages sous les corbeaux et les serpents qui vous rendaient chauves, les corps se couvraient de fissures et de brûlures comme sous les cendres de la bombe atomique, les environs des villes étaient envahis d'araignées géantes, de sauterelles qui dévoraient le bleu, ceux qui priaient dans une nuit sans étoiles, des moines, dont les missels, entre leurs mains jointes, étaient de longs fusils, et que prédisaient encore ces images, le fléau, la peste, d'abord, une toux douloureuse, le fléau des maladies de poitrine, et du haut d'un mât, qu'apercevait-on, des naufragés, partout des naufragés, des chœurs de naufragés sous un ciel morne, tous, Charles, Daniel, Frédéric, Suzanne, ne se laissaient-ils pas leurrer par cette démoniaque puissance du rêve, un rêve les engloutissant bientôt comme sous l'aile d'un cauchemar, mais le plus sérieux, c'était cette omission de Daniel, pensait Adrien, avec le bonheur, il avait mis ce séjour des âmes dans l'uniformité des gestes, oublié de dire qu'un jour cette quotidienne promenade de Suzanne et Adrien, vers le court de tennis, les jardins à la chatoyante verdure sous le soleil, un jour cette promenade ne se reproduirait plus, si agréable qu'eût été au cours d'une vie l'habitude qu'on en avait prise. Une incessante musique bourdonnait au fond du jardin, la voix de Vénus qu'accompagnaient les sons isolés et graves de la guitare, de la contrebasse, que de nuits de fête encore si longues, dit Samuel qui descendait l'escalier de la haute véranda, sous les applaudissements d'Augustino, Samuel est un oiseau, criait Augustino de sa voix aiguë, Samuel apparut à Vénus, masqué d'un plumage vert et bleu autour des yeux, on eût dit le magnifique plumage d'un paon, il se pavanait dans l'escalier,

Samuel avait confectionné la tête de l'oiseau, munie d'un bec, les ailes, le poitrail, de divers matériaux, de parcelles de verre émietté, pâtes de papier, de broderies sur toile, on eût dit aussi le dessin soudé de collages et de gouache refroidie, car n'y travaillait-il pas depuis longtemps, d'un peintre cubiste, et ne serait-ce pas ainsi que l'on verrait Samuel à bord de son bateau, l'arche de Noé d'Augustino, tout couvert de plumes comme le plus fier des oiseaux, jadis, ses membres antérieurs s'étaient transformés en ailes, et il était prêt au vol, à la migration, avec sa famille, ses muscles étaient forts, pensait-il, de véritables moteurs qui le rendraient apte au vol comme à l'atterrissage, et des chants, des gazouillis, enflaient sa gorge, il emporterait entre ses serres l'iguane vert, le renard des marais, la tortue, le cerf abattu par les automobilistes dans l'envolée le soir des colombes et des tourterelles, ou Samuel et Veronica seraient largués d'un ballon dans l'air chaud, tels ces navigateurs, parachutes à leurs dos, Guy et Pamela, mariés de l'air dans le ciel du Colorado, planant, main dans la main, ils accompliraient onze mille sauts, survoleraient les nuages à une vitesse de deux cents milles à l'heure, Samuel descendait l'escalier de la haute véranda, sous les applaudissements d'Augustino, Samuel est un oiseau, criait Augustino de sa voix aiguë, et Jenny s'étonna qu'il fût déjà réveillé de sa sieste, mais deux nuits, deux autres nuits si longues, dit Samuel, ne jamais dormir, ne jamais obéir à ses parents, et tutti son pien di spirti, pensait Frédéric, en se demandant pourquoi il était tombé de son lit, où était donc Edouardo, dans la cour où il jardinait, ou n'attendait-il pas Ari et sa sculpture, dans le jardin, ce flot de murmures, de voix, découlait-il du jardin, du téléviseur ou des rues, par ces nuits, ces jours de fête, était-ce ce soir le dîner avec Adrien et Suzanne sur le toit du Grand Café qu'avait érigé l'architecte Isaac, n'avaient-ils pas tous rendez-vous sur les sommets de la ville, le Grand Hôtel, le Grand Café, tout à l'édification de ses rêves de génie, Isaac n'en oubliait-il pas les pauvres gens en dessous, ceux qui s'en allaient sans bagages, quel bruit, ces avions qui passaient, ravageurs, sous des ponts de fer, pensait Frédéric, je le dirai à Isaac, ce soir, il connaît ma franchise, ne m'en portera pas ombrage, Isaac, souviens-toi de ton enfance en Pologne, mais non, lui dirait Isaac, tu parles de mon frère cadet Joseph, de l'oncle Samuel, j'ai eu l'intelligence de m'enfuir avant tous les autres, Isaac, tous ces gens dans les décombres fumants, je les ai vus, tu sais, dirait Frédéric, que faisait Frédéric, ravalé dans sa couverture, sur le tapis de sa chambre, où étaient-ils tous, Ari, Edouardo, ah, le bout de papier, je dois relire ce que m'a écrit Edouardo, afin de me souvenir, pensait Frédéric, mais où sont-ils tous, pourquoi suis-je si seul soudain, et Frédéric vit le message d'Edouardo, sur une chaise, près du lit, il relut son écriture appliquée, dimanche, dîner chez Suzanne et Adrien, alors, je n'ai plus qu'à m'habiller pour sortir, pensait Frédéric, car il faut que je puisse convaincre Isaac, ce soir, ces enfants de Munich, leurs mères, j'y pense tous les jours, lui dirais-je quelle terreur pour eux tous, le costume à rayures, Edouardo m'a procuré cet élégant costume, et la ceinture, autrement le pantalon tombe, dit-il, où est la ceinture, tutti son pien di spirti, encore ces incontrôlables vertiges, c'est cela, ils doivent être dans le jardin pour l'installation de la sculpture d'Ari près de la fontaine, un arc, un fil d'acier tendu vers le ciel, symbole de l'espace, de la liberté, avoir une mémoire libre de se souvenir, comment était-ce, un corps libéré de tous ces soucis, la ceinture, où est la ceinture, Edouardo me l'a souvent dit, ne la perds pas, et Jean-Mathieu n'avait-il pas dit qu'il viendrait me chercher, j'ai le temps, avant l'arrivée de Jean-Mathieu, de répéter les *Pièces lyriques* de Grieg pour le concert, sinon, le professeur me tapera sur les doigts, il promènera une allumette au-dessus de mes ongles, en disant, si vous ne jouez pas bien, je vous brûlerai les doigts, étrange que j'eusse toujours pensé qu'il le ferait, Frédéric est déjà au piano, dit Edouardo à Ari, près de la fontaine, dans le jardin où ils entouraient la sculpture, tous les deux, cherchant un lieu où la poser, non, pas ici, c'est trop à l'ombre, disait Edouardo, le soleil, toujours du côté du soleil, dit Edouardo, ici, en se déroulant, l'ample fil d'acier, ce mouvement perpétuel qu'avait créé Ari, dans un alliage de fer et de résine auquel il avait transmis de ses doigts la souplesse, la magnitude, le mouvement, envoûterait la lumière, la capterait, dit Edouardo, et de très sonores, les notes que jouait Frédéric au piano s'estompaient dans le bruit de la rue, et Edouardo dit encore d'une voix nostalgique, combien, à cette période de l'année, il pensait à sa mère, à la sierra Madre, à Oaxaca, mais sa mère ne lui eût-elle pas dit que son devoir était d'être ici auprès de Frédéric, comme il l'avait été, il y a quelques années, au Mexique, auprès de son père malade, et tu sais, Ari, ma mère me trouvait si laid, quand je suis né, plissé comme un singe, elle ne voulait pas de moi, c'était cette odeur de galettes de maïs dans notre cuisine, dit Edouardo, il en avait les narines encore frémissantes, quand je pense, Ari, que tu es déjà un vétéran de guerre, avant ta cinquantième année, tu n'en as pas l'air dans tes vêtements négligés et tes cheveux en crinière de cheval, une mauvaise aventure, dit Ari, une bien mauvaise aventure, dit Ari, repoussant ses souvenirs avec répugnance, d'autres vétérans, de vrais hommes de guerre, se tiennent entre eux, sous des pavillons, des tentes, sur ces plages réservées où ils semblent vivre dans un exil amer et hostile à tous,

qu'échangent-ils entre eux, la noirceur de nos crimes
là-bas, l'amertume devant la destruction d'une race,
d'un pays, quand je passe près de ce campement à
bicyclette, j'en ai encore des tressaillements de peur,
mais que n'ai-je fait pour la passion de l'aventure, dit
Ari, quelle folie, l'art, la sculpture ne peuvent toujours
réhabiliter qu'une partie de nous-mêmes, l'autre est
dans un fossé boueux du Viêtnam, toujours il y aura
des généraux pour envoyer des adolescents en enfer,
afin que jamais ils n'en reviennent vraiment, et ton
aventure en Amérique du Sud, dit Edouardo, et ton
aventure au Liban, bien qu'il ne vous fût jamais permis
de descendre de votre voilier, quelles aventures, dit
Ari, quatre garçons, quatre filles qui partent à la recherche du paradis, sur un voilier, avec leur cargaison,
sous les planches, de haschisch, et nous revenons
intacts, des milliers de dollars dans nos poches, intacts
mais effrayés, une aventure encore liée à l'expérience
de la guerre, à ma sauvage inconscience devant le
danger, à une passion, un goût de la mort, ces restes
de la guerre, dit Ari, désabusé, soudain, son regard ne
s'éclairant que pour regarder sa sculpture, avec amour,
n'est-ce pas merveilleux, dit-il, à la moindre brise, la
ligne d'acier sera en mouvement, la sculpture, c'est
comme une femme qu'on aime, le mouvement, la vie,
Fred sera content, mais nous n'entendons plus son
piano, pourquoi est-il si silencieux, il a dû se remettre
au lit pour dormir, dit Edouardo, raconte tout,
comment était-ce sur le voilier avec les filles? Inconscience ou innocence, dit Ari, c'était le paradis, mais à
mesure que nous nous rapprochions des côtes et de
ces quais où nous attendaient les acheteurs sournois
et vifs, n'esquissant que quelques signes vers notre
équipage, l'effroi nous gagnait, mais sur l'eau, au
milieu de l'océan, nous étions tous des barbares
démesurément heureux, vivant nus et caressés par

le vent, que d'étreintes et de baisers sous l'unique douche du voilier, nous vivions dans une complète détente du corps et de l'esprit sur notre splendide voilier que nous avons vendu au retour, marchands de haschisch, rêvant d'acheter des îles, beaux, hâlés par le soleil et le vent, qui n'eût pas envié le sort de ces malfaiteurs? Ainsi s'en va la jeunesse, dit Ari, on ne revoit que dans ses rêves ensuite le voilier et ces filles avec qui l'on buvait du rhum du matin au soir, en faisant l'amour sans autre abri que le ciel, le rhum, l'amour éloignaient de nous la peur, nous savions qu'un autre voilier de nos amis avait été défoncé par les patrouilleurs, une jeune fille imprudente avait été tuée, ainsi s'en va la jeunesse, dit Ari, le blanc voilier ne revient qu'en rêve désormais, tutti son pien di spirti maladetti, pensait Frédéric, en marchant dans la foule d'un pas incertain, n'avait-il pas oublié de dire à Edouardo qu'il sortirait seul, pendant quelques heures, comment allait-on à ce Grand Café et à ses terrasses qu'Isaac avait construites sur les toits de la ville, que de rumeurs de voix et de tambours, boulevard de l'Atlantique, n'était-ce pas ici que l'on bifurquait à droite, vers un groupe de Noirs qui dansaient et chantaient dans les rues, un camion défectueux transportait vers ces rues près de la mer Cornélius et ses musiciens assis les uns près des autres, sur des chaises droites, un homme, parmi eux, était-ce le maigre Cornélius qui toussait dans son mouchoir à carreaux, semblait verser des larmes en courbant vers la rue son corps chétif, l'ancienne mémoire exposait à sa vue tous ceux qu'on avait lynchés, sur une falaise, dans un vallon, tous les arbres de la rue Bahama, de la rue Esmeralda, détenaient à leurs branches, dans l'abondance des fleurs, ces cous pris dans des cordes, oui, c'est ici à droite qu'il fallait bifurquer, tutti son pien di spirti maladetti, pensait Frédéric, qu'était-ce que ce vertige, sa démarche n'était-elle pas un peu valsante depuis quelque temps, ils étaient dans le jardin, posant la sculpture d'Ari près de la fontaine, Frédéric n'avait pas voulu les déranger, le costume à rayures conviendrait, la ceinture de cuir resserrerait fermement le pantalon autour de la taille, mais ces vertiges, singulier malaise, pourquoi cela vous arrivait-il, et soudain Frédéric se souvint de la petite tête de bronze, un buste de lui-même, enfant, que ses doigts étaient encore habiles lorsqu'ils vivaient à Athènes, musicien, peintre, sculpteur, des doigts déliés, des doigts d'ange, pensait-il, c'était la tête de Frédéric, l'enfant prodige, la tête raffinée du petit Mendelssohn, et soudain, voici la tête du vieil artiste qui la remplace, tête creusée, vieillie, blanchie, autre signe de la froideur de Dieu à l'égard des hommes, et lorsque nous serons sur les sommets de la ville, je dirai à Isaac, le diable est venu ici te tenter sous l'aspect d'un prospecteur, il a dit, si tu veux, cette île, cette ville, seront à tes pieds, et tu as succombé à la tentation, tu as chassé les pauvres gens de leurs maisons de bois, de leurs plages, le style de tes bâtiments, leur structure exprimaient ton désir de lustre, de magnificence, ici, un jardin du Maroc, là, une forêt merveilleuse où chantent dans des cages de bambou des oiseaux importés d'Asie, sublime, tu es sublime, Isaac, tu as même érigé un théâtre en forme de coquillage où les poètes, en déclamant leurs vers, entendent les vagues de la mer, mais tous ces rêves de génie ont chassé de leurs maisons les pauvres gens, et toi, Isaac, tu me diras, j'ai sauvé cette ville en ruine, j'ai été le serviteur d'une idée, et moi je te dirai, Isaac, lorsque sont venus vers toi les prospecteurs sur les sommets d'où l'on voit briller la nuit les lampes du Grand Café sur les toits, d'où jaillissent de fabuleux animaux de pierre, et la sculpture d'un garçon grec qui s'élance en courant de ses buissons, tu n'as pas reconnu en eux le diable, et vois combien tu es malheureux, solitaire, mon ami, sans descendants, sans amis, ou quelques amis de cœur, tel ton vieux Fred, car tu crains la cupidité des hommes dont tu fus si souvent victime, ne me porte pas ombrage, mon ami, car je les vois encore courir dans toutes les directions, hagards, sans bagages, dans les décombres fumants, tutti son pien di spirti maladetti, pensait Frédéric, comment ai-je pu oublier de prévenir Edouardo que je sortais seul, où suis-je maintenant, quelle est ma destination, voici Cornélius mené dans une charrette par un cheval vers l'arbre maudit, le nœud coulant tronçonnant la nuque, le voici qui pleure dans son mouchoir, j'entends leur musique, je danse avec eux, easy, easy living, qu'ils fussent de l'artillerie, de l'infanterie de l'ennemi, leurs jambes, leurs bras étaient déchiquetés comme l'étaient nos cadavres, au pieu d'une clôture, sur les murs d'une enceinte, Noël de sang, des épouvantails brûlés sur ce pieu, c'était à Bastogne, par un Noël de sang, décembre 1944, les doigts coupés, lacérés, décembre 1944, Bastogne, mais où est donc Edouardo, je l'ai appelé de ma chambre, Isaac me dira que je fume trop, détruis ma santé, sans descendants, peu d'amis, à part notre bande, Charles, Adrien, Suzanne, son vieil ami Fred, et toutes ces œuvres d'art autour de lui, un masque indonésien dont la bouche palpite de cris, qu'aura-t-il à me reprocher dans mon costume à rayures, les bras ballants, la cigarette aux lèvres, n'astu pas un peu de mal à monter les escaliers, mon cher Fred, on entend le grondement de ton souffle, tu sembles toujours aussi juvénile car Edouardo prend bien soin de toi, mais je ne veux rien entendre de l'innocence des uns et des autres, je fuis la compagnie des hommes, tous coupables, je te le répète, quel charme, on voit que tu ne te lèves qu'à trois heures de l'après-midi, que tu ne vis que pour la musique, quand, moi, je suis le serviteur d'une machine, notre maire Lamberto aurait compris l'ampleur de mes plans, la direction de mes travaux, la décence, la dignité de vivre, grâce à moi, habitent l'âme des pauvres gens, tes bronches, mon ami, il faut t'occuper de tes bronches, rue Esmeralda, ils étaient dans un camion, assis sur des chaises rigides, leurs instruments contre leurs genoux, Edouardo connaît ce chemin vers la maison d'Isaac, ses terrasses, Edouardo, je le sais, me retrouvera, décembre 1944, dans le feu des orages, et, sentier de la Mémoire, Charles pensait à Frédéric, que deviendrait-il, ce cher garçon, lorsque Charles s'enfermerait dans un monastère pour écrire, Fred qui était si émouvant, mais ce téléviseur, cette musique de Grieg, l'embrasement de toute une vie et le silence qui suit ; dans ce monastère, pensait Charles, cette retraite, pensait Charles, on entendait tout, les *Pièces lyriques* de Grieg, les célébrations des fêtes de l'Hanukkah, dans les cris de joie des enfants recevant leurs cadeaux en Amérique du Nord, ou ces cris imprégnés de soufre et de fumée des enfants palestiniens dans la ville de Gaza, tout, Charles entendrait tout, de ces forteresses de la foi, où chacun prierait, implorerait Dieu, dans les mosquées et les temples, de la mosquée Ibrahimi ou de la cave de Machpela, que de vibrants chants sacrés, de psaumes scandés soudain de gémissements de haine ou de vengeance, pendant que les patriarches sont à genoux, les mains levées vers le ciel, Charles entendrait aussi l'odyssée clandestine, fuyante, de ces cargos d'uranium voyageant sans bruit de la répu-blique du Kazakhstan au-dessus des continents, jusqu'à Oak Ridge, mais l'odyssée serait fuyante, clandestine, et aujourd'hui, pensait Charles, roulant à bicyclette sous les palmiers, on n'entendait que le tintement répété d'un glas dans une église, c'était pour Justin à qui l'on rendait hommage, après toutes ces années, sa maison, sa famille, seraient honorées, Justin, le pacifique, qui, comme le maire de Nagasaki, s'était opposé à une nation, à son empereur, une pièce d'acier dans les poumons, le cœur, Hiroshima, une pièce d'acier, cette culpabilité dont il avait fini par mourir. Et Christo Salvo, criait une voix, était-ce donc vrai ce que disaient Mama, le pasteur Jérémy, ou ces yeux, à travers des cagoules, sous des draps blancs, n'étaient-ils que les déguisements d'une nuit de mascarade, pensait Carlos, courant à toutes jambes, nous ferons de tous une grandiose boucherie, entendait Carlos, était-ce vrai ce que disaient Mama, le pasteur Jérémy, nègres, homosexuels, car notre brutalité est inassouvie, était-ce ce que l'on entendait à travers leurs chuintements, leurs hurlements, sous leurs croix de feu, mais où était donc Polly apeurée dans cette foule, pensait Carlos, courant à toutes jambes vers les tables, sur les trottoirs, ne s'immobilisant que pour se gorger de riz épicé, de fèves au miel et de viandes sur les grils, dans une graisseuse fumée âcre, et n'était-ce pas ainsi qu'il avait soudain aperçu Polly, Polly qui, comme lui, reniflait l'arôme des nourritures parfumées, Polly qui avait faim, qui avait soif, Polly vivante et remuant la queue, et lorsque Carlos lui dirait, suis-moi, elle obéirait à son ordre, empressée de lui emboîter le pas, elle le tirerait d'une morsure de sa gueule vers la plage, le soleil, les vagues, était-ce vrai ce que disaient Mama, le pasteur Jérémy, que les Blancs Cavaliers étaient arrivés, et ils seraient inséparables, pensait Carlos, Polly serait toujours à ses côtés, si bien dressée par son maître que la tête de Polly serait au niveau de la jambe gauche de Carlos, ainsi il lui apprendrait la position, suis-moi, la position, assise, pendant leurs promenades, quand la laisse serait molle, élastique, autour du cou de Polly, et Carlos lui dirait, bravo, Polly, tu es un bon chien,

Carlos savait aussi que Polly était entêtée, mais elle
avait une façon si touchante de baisser la tête et ses
yeux humides de reconnaissance s'étaient illuminés
lorsqu'elle avait revu Carlos, ces yeux de Polly
toujours un peu anxieux sous la touffe de ses sourcils
retroussés, et Frédéric pensait encore à ce que lui avait
dit le vieil Isaac, il n'avait pas de descendants, mais à
sa mort, ses employés découvriraient, pour une durée
de vingt ans, les études de leurs enfants payées, car,
comme il l'avait toujours dit à Frédéric, le vieil Isaac,
bien qu'il eût lui aussi, soudain, peu de mémoire, se
souvenait de son enfance en Pologne, Isaac n'était pas
l'infâme produit d'un capitalisme fondé sur la sueur
des pauvres, et n'était-ce pas Edouardo que Frédéric
apercevait soudain, cette tresse indienne claquant
contre son dos, car Edouardo marchait vite, il semblait
très préoccupé, Frédéric l'appela d'une voix joyeuse,
Edouardo, Edouardo, n'est-ce pas ce soir, criait Frédéric, que nous dînerons avec Suzanne et Adrien, ce soir,
dimanche, ou est-ce un autre jour, Edouardo, dis-moi,
te souviens-tu, toi, dont la mémoire est encore libre,
si libre sans doute qu'elle se souvient de trop de choses
inutiles, et Frédéric songea qu'il était sauvé de cette
foule qui l'eût piétiné si Edouardo n'eût pas été là, avec
sa tresse indienne claquant contre son dos, mon ami,
répéta-t-il, mon ami, pendant que le retenait le bras
puissant d'Edouardo, mon ami, n'était-ce pas ce soir,
ou demain, ce rendez-vous avec Suzanne et Adrien,
Frédéric continuait ainsi de parler à Edouardo dans la
camionnette qui le ramenait à la maison, regardant ces
images pieuses de saints et de saintes qui tremblaient
devant le rétroviseur, tel ce mince crucifix de bois que
portait Edouardo sur sa poitrine, il y a des anges,
parfois, cela arrive, sur la terre, dit Frédéric à Edouardo, partout, je le sais, dit Frédéric, il y a des garçons
et des filles comme toi, Edouardo, l'univers est plein

de cette sainteté méconnue des hommes, une sainteté profane, et divine, comme je le disais à Isaac, partout des garçons comme toi, Edouardo, de pitoyables mère Teresa s'usant à la tâche, dans leurs foyers, et qui jamais ne connaissent le respect, la vénération qu'ils méritent, car la vie est ainsi faite de tant de cruautés et d'injustices, et toi, Edouardo, qui peut apprécier en ce monde ton âme, ta grandeur, le sais-tu, et ces pauvres gens de Munich disparus sous les décombres fumants, des saints eux aussi, mais qui ne se moquait pas des idées de Frédéric, et lorsqu'ils furent tout près de la maison, dans l'allée des palmiers géants, Ari accourut vers eux, en disant, deux garçons sont entrés dans la chambre de Frédéric, pendant que je travaillais dehors, et qu'ont-ils fait, les malins, ils sont partis avec le téléviseur, tout, tout, même les disques précieux de Frédéric, ils ont tout jeté dans un sac et ils sont partis, et nous les connaissons, ce sont les fils du pasteur Jérémy, celui qu'on appelle le Toqué, et son frère Grégoire, surtout ne les persécutez pas, dit Frédéric, c'est moi qui leur dois beaucoup, non, ne les persécutez pas, mais ce sont des enfants malhonnêtes, dit Ari, il faut qu'ils soient punis, et pendant qu'il prononçait ces paroles, Ari vit le voilier vers le Liban, le défi et même la malhonnêteté n'étant qu'un rêve désormais, des filles, sur le pont, un parfum d'eau et de sel, Frédéric pensa à ces espaces vides dans sa chambre, des pleurs mouillèrent ses yeux lorsqu'il constata soudain l'absence du buste de bronze, sur la table, près de son lit, ils iront en prison, dit Ari, tout cela pour quelques cubes de crack, surtout ne les persécutez pas, ce sont des enfants, dit Frédéric, qui cherchait encore sa musique, la tête de bronze, où était donc la tête de bronze, et, épuisé, Frédéric s'allongea sur son lit, en disant qu'il était pris de vertige, n'était-ce pas ce soir, demanda-t-il à Ari, ce rendez-vous avec

Suzanne et Adrien, non, dit Edouardo, doucement, car ce n'est pas encore dimanche, alors, j'ai eu bien tort de sortir seul sans toi, dit Frédéric, c'est ainsi, n'est-ce pas, que l'on attire la froideur de Dieu, mais n'exagère-t-Il pas quand même dans ses manifestations et ses signes? C'est ce que je disais à Isaac sur le toit de sa maison, la froideur, la méchanceté de Dieu, quand les hommes, eux, sont si innocents, stupides, dans leur innocence, mais est-ce leur faute? Le piano est toujours là, tiens, ils n'ont pas volé le piano, et Frédéric annonça soudain que même s'il était un homme affaibli par l'usure de la vieillesse, il jouait toujours ces *Pièces lyriques* de Grieg comme à ses concerts, à Los Angeles, quand il était ce petit garçon que lui avait inspiré la sculpture de bronze, je recommencerai ma sculpture, s'écria-t-il, le visage épanoui d'une joie radieuse, oui, mes amis, croyez-moi, Edouardo, nous devons commander ces matériaux, les mains, les doigts sont toujours harmonieux, équilibrés, c'est un don du ciel, je recommencerai, et la sculpture n'en sera que plus parfaite, car je dois toujours tout recommencer, jusqu'à ma mort, était-ce cette grâce qu'attendaient les mystiques, demanda Frédéric, il avait l'espoir d'une imminente résurrection en recommençant, le modelage de la petite tête de bronze, avec ses traits exquis, l'eût soulevé de terre, dit-il à Edouardo, car c'est cela, revivre, oui, mais il faut se reposer, dit Edouardo, ces vertiges, ces étourdissements, il faut se reposer, bien sûr, semblait se résigner Frédéric, ce ne sont pourtant que des signes de la froideur de Dieu à mon égard, rien de plus, il ne faut pas y faire attention, dit Frédéric, je triompherai, vous verrez, mes amis, de cette froideur de Dieu, de ces manifestations de Sa froideur à mon égard, car soudain rayonnait la sculpture de bronze, elle renaissait du monde des ténèbres et de la souffrance de la mémoire qui s'égare, la petite tête de bronze n'était-elle pas vivante et, plus encore, sur le point de revivre sous les doigts habiles de Frédéric, et tout en atténuant les vertiges de Frédéric, Edouardo posait sur son front une compresse parfumée de lavande, je pense quand même qu'il faudrait dénoncer ces voyous, dit Ari, sévèrement, tant d'années ne le séparaient-ils pas soudain du voilier de l'aventure, vers l'Amérique du Sud, le Liban, jeune vétéran d'une guerre déjà oubliée, pourquoi se sentait-il si intolérant envers les fils du pasteur, deviendrait-il comme tous les autres, le plus jeune des deux boitait, dit Ari, ah, je les aurais fessés, ces petits diables, surtout ne les persécutez jamais, dit Frédéric, car j'ai connu, grâce à eux, le soulagement de mes maux, la délivrance, je possédais trop de biens et me voici apaisé, j'ai franchi la porte avant l'heure, Daleth, cette porte dont me parlait le marin perdu en mer, Daleth, la porte, il faut longuement se préparer à la franchir, dit Frédéric, j'ai le sentiment d'un imminente résurrection, et Edouardo dit à Ari, sortons de la chambre, laissons dormir Frédéric, que signifie donc ce mot que Frédéric ne cesse de prononcer, Daleth, dit-il, Daleth, et Polly courait avec Carlos dans les vagues, n'était-ce pas que pour plaire à son maître, car elle n'était pas sûre d'aimer ces vagues mouillant son museau, ses oreilles, elle s'esquivait parfois vers la plage et ses herbages, trouant le sable de coups de pattes désobéissants, mais lorsque Carlos lui disait, suis-moi, elle l'écoutait, les oreilles levées, ses yeux agiles comme ceux d'un écureuil rivés sur la plante des pieds de Carlos, ces pieds qui étaient d'un rose pâle, en dessous, et que le monde était soudain beau et neuf, pour Polly, toujours ils seraient ensemble, elle et Carlos, elle le défendrait avec les jappements de sa voix enrouée, dommage que ces gros labradors la rabrouassent sans respect dans les vagues, qu'elle ne fût encore qu'un

chiot attelé au porte-bagages d'une bicyclette, mais
son maître était un solide garçon, un boxeur, c'était
lui, son maître, Carlos, un futur boxeur, disait de lui
son père, elle n'eût jamais voulu d'un autre maître
même si Carlos l'avait négligée toute une journée,
presque sans air, dans une remise, ce jour-là, le pasteur
Jérémy avait déplacé la glacière, ce qui n'est pas fait
demain doit être fait aujourd'hui, avait-il dit à Mama,
en se dirigeant vers la remise, il y a bien huit ans que
cette glacière est dans la cour, et l'arbre de Noël jauni
de l'année dernière, qu'allons-nous en faire, Mama, attendons jusqu'à demain, avait répliqué Mama, debout
parmi les coqs et les poules de la pelouse, qu'avez-vous
tous à vous agiter, ce n'est pas le jour du Jugement
dernier, ce qui n'est pas fait aujourd'hui, Papa, sera
fait demain, et à l'ombre de la végétation touffue dans
la maison louée, Renata songeait à cette femme de
passage ici qui avait écrit des vers admirables, son
existence ne s'était-elle pas effacée, avait-elle fui
Berlin, s'exilant avec une mère, un père, peintres, dans
une île de Suède, elle n'avait laissé peut-être que
quelques mots lisibles, à l'aide, à l'aide, avant d'être
menée vers un train, dans cette chambre où règnent
la tension, le désordre, derrière la porte, se retire mon
esprit illuminé, à l'aide, car nous fuyons tous Berlin,
ce train les avait tous menés à Treblinka, dans quelle
détresse mentale avait-elle écrit, vécu, l'existence de la
femme inconnue n'avait été qu'un fantôme sur lequel
avait soufflé un vent de démence, et Renata lisait ces
mots d'une lettre de Claude, c'était la fin de sa convalescence, la fin aussi de ces objets d'une irrécupérable
satiété, ô fumée légère dans l'air que parfumait le
jasmin, objets dont elle devait s'apaiser, qu'elle ne
devait plus saisir fébrilement entre ses doigts, lui disait
son mari, guérie, qu'elle revienne poser sa candidature
de juge, il la soutiendrait, que devenait dans la végé-

tation touffue de cette maison louée une femme seule
qui était aimée, quand un cadran lui indiquait que ce
serait bientôt le soir, la nuit, et qu'elle n'en serait pas
moins seule, privée de forces, de voluptés, ces pernicieuses cigarettes, cet étui d'or, qu'elle renonce à ces
objets, il viendrait jusqu'ici la recueillir, marcher avec
Claude vers la plage, s'imprégnant tous les deux d'air
moite, de chaleur, dans l'ivresse de leurs désirs, il disait
avoir beaucoup réfléchi depuis l'accident de la voiture
piégée par de jeunes délinquants, il ne regrettait pas
d'avoir mis à l'écart ces criminels qui étaient encore
des enfants, il redoutait davantage les menaces de
vengeance de leurs aînés et de leurs réseaux, mais ces
visages derrière le grillage des voitures des policiers,
comment les oublier, alors qu'ils étaient encore jeunes,
innocents, dans le repentir qu'éveillait en eux la peur,
ces larmes, sur leurs joues rondes, Claude avait souvent pensé, pendant ces jours de leur séparation, à
leurs fréquents sujets de dispute, ce qui était juste pour
Renata ne l'était pas pour lui, sur le plan des idées, ils
étaient souvent irréconciliables, mais il l'aimait, qu'elle
revienne, elle serait soutenue par tous ses collègues,
elle ne pouvait nier désormais que l'appui des hommes lui fût indispensable, s'ils ne pouvaient se comprendre, elle et lui, n'étaient-ils pas des alliés sensibles
aux besoins de l'un comme de l'autre, il évoquait la
chambre ouverte sur la mer des Caraïbes, cette mer
bleue, tranquille, leur amour, pendant ces jours de
séparation, il avait su que Renata était avant tout une
mère, une femme, son histoire, dans l'histoire de
l'humanité, n'était-elle pas inscrite depuis toujours,
pour une clémence, une tendresse, inconnues de
l'homme ; l'homme est incapable d'éprouver cette
tendresse, surtout lorsqu'il est dans la position de
juger les actes de dangereux criminels, écrivait-il,
quand Renata, elle, même au milieu d'une étreinte

amoureuse, pouvait ressentir, comme si ce fût le sien,
le drame d'un condamné dans une prison du Texas, sa
mort par injection létale, le juge se souvenait du visage
bouleversé de sa femme lorsqu'elle avait décrit la mort
liquide, intraveineuse, d'une efficacité exemplaire, le
prisonnier se l'infligeant à lui-même, dans les premiers rayons de l'aube, c'était pendant ces jours,
quand Renata était encore hospitalisée à New York,
que Claude avait dû maintenir un verdict de culpabilité pour une bande de pourvoyeurs de drogue, il
regrettait qu'ils fussent tous si jeunes, tels ces jeunes
internés noirs, pas même dix-huit ans, continuant
leurs classes dans les prisons de Jacksonville, car augmentaient chaque jour pour eux les policiers et les
prisons, au même rythme que l'implacable résurgence
de ces crimes urbains commis par ces juvéniles es-
cortes s'attaquant aux personnes âgées, dans la nuit,
longtemps, écrivait Claude à Renata, ce condamné du
Texas l'avait hanté, car cette fois, comme l'avait dit
Renata dans sa colère, et il ne l'avait pas crue, cette fois,
on avait peut-être tué un innocent, pendant près d'une
demi-heure, et c'était un dimanche, le condamné du
Texas avait protesté de son innocence devant les officiers, et ceux qui, longtemps, comme lui, avaient attendu leur sentence dans leur cellule, tous ses amis, disait-
il ; serait-il assassiné un dimanche, demandait-il à ses
parents, lui qui n'avait jamais tué personne, bien que
son dossier fût lourd de félonies, son implorante
demande ne serait interrompue que par sa mort sous
les ligatures de cuir qu'il avait essayé en vain de
relâcher de ses bras, de ses épaules ; l'écrou ne serait
jamais desserré, fût-il innocent des actions dont on
l'accusait, un crime, dans un bar de Chicago, qui
entendrait sa plainte, sa prière et ses larmes, toujours
Renata avait douté de la culpabilité de cet homme, il
se souvenait de son visage bouleversé, à l'évocation de

cet événement, pourtant, ce même soir, n'oubliaient-
ils pas tout tous les deux pour aller au casino, sortir,
et lui, Claude, avait-il envoyé un télégramme à ce juge,
non, ils avaient tout oublié soudain, ainsi était la vie,
toujours accaparante, distrayante, nous étourdissant
de ses plaisirs, Claude avait beaucoup réfléchi, pendant ces jours de leur séparation, ne fallait-il pas
craindre que, s'il était illégal de consommer de l'alcool,
avant sa majorité, dans plusieurs villes du Canada, des
États-Unis, il serait bientôt légal d'être conduit vers la
chaise électrique, la pendaison ou la mort par injection létale, bien avant d'être majeur, ainsi n'allions-
nous pas vers une massive extermination de la jeunesse, et n'y aurait-il pas, pour quelques délits sans
gravité, de plus en plus de condamnés, comme cet innocent condamné du Texas, ils seraient noirs, hispani-
ques, chinois, peu seraient issus de la classe moyenne
blanche, aucun ne serait riche, en vain, on entendrait
ces déplorables cris d'enfants sous les ligatures de cuir,
n'était-ce pas là une prophétie de Renata sur la
répression dont ils avaient jadis parlé, tous les deux,
mais que semblait légère pour un homme la parole
d'une femme souvent trop tendre, sentimentale, à
l'égard de la fragilité de la jeunesse, et Renata ne vivait-
elle pas souvent dans un état de désarroi solitaire,
même aux côtés de son mari, redoutant d'appartenir
à quelqu'un, c'est ainsi qu'il la chérissait, qu'elle
revienne, mais il est vrai, comme elle l'avait toujours
su, qu'un doute, un soupçon mortel pesait sur ce
destin du condamné du Texas, l'homme, l'accusé, était
peut-être innocent. Et courant de son pas ailé d'un
bout à l'autre du filet, sa raquette à la main, Tanjou
entendait cet oratorio de Beethoven *Christus am
Oelberge,* le Christ au mont des Oliviers, que Jacques
avait pieusement écouté, il entendait l'aria des anges,
le récitatif de Jésus au mont des Oliviers, comment

Son Père, qui était aux cieux, éloignerait-Il d'eux tous
cette agonie, Raoul, Kevin, ami des animaux, bronzé
par le soleil, souriant auprès de son chien, mais
l'ultime photographie ne célébrerait plus son talent,
ses échanges avec Tanjou de l'autre côté du filet, Kevin,
sa photographie n'était plus qu'un souvenir, déjà, et
Daisy, l'acteur, une marguerite, une pâquerette, Daisy,
plante ornant la vie des autres de sa fraîcheur, fleur à
pétales blancs, effeuillée, disparue sous le couvercle
d'une tombe, comment Son Père qui était aux cieux
éloignerait-Il d'eux tous la mort, ils étaient jeunes, ils
étaient beaux, que le malheur qui s'acharnait cessât ses
vilénies, Tanjou reconnaissait cette silhouette de
Jacques sur la blancheur rose du ciel, c'était pendant
que Suzanne et Adrien marchaient, main dans la main,
vers le court de tennis, les jardins odorants de fleurs
ouvertes sous des gouttes de rosée, d'hibiscus rouges
éclatants, et Adrien disait à Suzanne, n'était-elle pas
encore trop sereine et paisible, pensait Adrien, ce
manuscrit de Daniel a tellement déteint sur moi que
j'en ai eu de mauvais rêves, j'ai cru entendre les roues
de la méchante Charrette et le hennissement de ses
chevaux, à quelques pas de moi, une forme endeuillée
se présenta devant moi, était-ce un homme ou une
femme, voilée de noir, et me dit, suivez-moi, suivez-
nous, j'avais un bon prétexte pour refuser la sinistre
invitation, ma traduction des œuvres de Racine n'était
pas encore terminée, *Bérénice, Britannicus*, leur ai-je
dit, je parvins à m'enfuir, mais j'entends encore les
grincements de ces roues sur la route de gravier, je le
dirai donc à mes lecteurs dans mon exposé critique,
ajouta Adrien, irrité par l'imperturbable sérénité de
Suzanne, je leur dirai, méfiez-vous de ce jeune écrivain, la lecture de ce livre déteint sur vous comme du
chlore ou ces leçons de terreur de la Bible, pleurs et
grincements de dents, pleurs et grincements de roue

sur un chemin de gravier, la nuit, quand le voyageur est seul et sans guide, allons, allons, dit Suzanne, ne t'emporte pas, nous aussi nous avons écrit des livres à trente ans, nous aussi, lorsque nous étions très jeunes et très beaux, tels des dieux, nous avons connu le succès et la gloire, cela s'appelle le passé, dit Adrien, exprimant soudain tout l'accablement de sa tristesse, dans des soupirs, cela s'appelle le passé, eh bien, mon ami, voici maintenant l'éternité dont la porte s'ouvrira bientôt sur d'autres splendeurs, dit Suzanne, les abords de la rivière Éternité, et tu sais, Tanjou, criait Raoul à son partenaire, gai et énergique, il semblait avoir déjà oublié qu'il avait été si malade quelques instants plus tôt, tu sais, Tanjou, que nous jouerons en semi-finale contre les Australiens? Ils étaient beaux, ils étaient jeunes, pensait Tanjou, que le malheur qui s'acharnait sur eux cessât ses vilénies, Raoul, Kevin, au teint brun, aux yeux pétillants sous de blonds cheveux, soyeux comme le poil de son chien, photographié avec lui, Raoul, Daisy, Marguerite, fleur de la scène, danseur travesti, dansant en tutu dans le rôle d'un prisonnier qui rêve de se transformer en danseuse, fleur à pétales blancs, effeuillée, Tanjou entendait l'aria des anges, le récitatif de Jésus au mont des Oliviers, comment Son Père qui était aux cieux éloignerait-Il d'eux tous cette agonie, ce récitatif du *Christus am Oelberge* que Jacques avait pieusement écouté, et le déjeuner avec Jean-Mathieu n'étant pas avant midi, Caroline enregistrait minutieusement de l'œil fin, rapide, de son appareil les visages de ceux qui étaient encore dans le jardin si tard après la première nuit de fête, encore deux autres jours, deux autres nuits, disaient des fillettes, elles avaient dormi quelques heures et apparaissaient de nouveau aux embrasures des portes, des fenêtres, Caroline les photographia pendant qu'elles n'étaient que d'insouciantes enfants, dans quelques

années ne seraient-elles pas comme ces jeunes
femmes, dans cette zone du jardin parlant à voix basse
de leurs vies, l'une avait été abandonnée par son mari,
l'autre s'inquiétait pour ses enfants des conséquences
d'un divorce, jusqu'à quand remises les études à
l'université, demandait l'une d'elles, en sciences et
technologie marines, ou le retour au ballet classique,
chose dénaturée que la vie de la femme, pensait
Caroline, lorsqu'elle la confie à un mari, un amant,
quand il y a tant de bonheur à être seule, Caroline
n'avait-elle pas été lieutenant dans l'armée, pilote
d'avion, n'avait-elle pas étudié l'architecture, sans
volonté on ne réussissait rien dans la vie, la femme
avait trop besoin de l'homme, les jeunes femmes lui
semblaient languissantes, dans cette zone du jardin,
qu'était-ce qu'une femme si elle ne songeait pas à
établir avec l'homme une relation de pouvoir, comme
les hommes l'avaient fait de tout temps avec les
femmes, une relation de pouvoir sans dépendance ni
servitude, Caroline touchait rarement à ces viles
tâches ménagères, en ce temps-là, pensait-elle, il y
avait des serviteurs dans les familles du Sud, Jean-
Mathieu eût énoncé que les pensées de Caroline
étaient inavouables, mais comment ne pas être nostalgique d'une époque où, dans les familles d'une cer-
taine classe, bien des corvées avaient été allégées pour
vous par des serviteurs noirs, une nourrice, un jardinier, n'étaient-ils pas comme les membres de votre
famille depuis longtemps enracinés dans les mêmes
mœurs, entre tous, maîtres et serviteurs, la liberté,
l'égalité, mais Jean-Mathieu lui eût dit qu'elle se
mentait à elle-même, c'était comme lorsque Caroline
disait à Jean-Mathieu qu'elle ne jouissait que d'une
fortune modeste, avait-elle les moyens d'être prodigue
comme l'était Joseph envers Mélanie et Daniel, non, il
n'y a pas de fortune modeste, lui eût répondu Jean-

Mathieu, elle éviterait désormais ces sujets pendant leurs rencontres, et se dessinaient déjà sur ces visages de femmes jeunes, remarquait Caroline, les premières rides d'une vie où l'on naît pour devenir une femme, et de son appareil elle photographia aussi Vénus et Samuel qui chantaient sur l'estrade, Jermaine qui regardait ses parents de ses yeux bridés, mélancoliques, bel enfant d'un activiste noir et d'une femme japonaise de souche aristocratique, pensait Caroline, mais Daniel et Mélanie ne favorisaient-ils pas un peu trop l'essor de ces croisements culturels autour de leurs enfants, peut-être que oui, il faut se souvenir que nous étions nous aussi des immigrés au siècle dernier, arrivant au port de New York, dans le dénuement, la persécution, mais enfin n'avons-nous pas désormais le pays, la Constitution les plus remarquables du monde, charmant tableau, ces trois êtres, Jermaine et ses parents, ravis ensemble par le même enchantement des voix qu'ils écoutent, est-ce cette cantate que chante Samuel dans le chœur de l'école, je n'en discuterai pas avec Jean-Mathieu au déjeuner, mais Daniel et Mélanie ne traitent-ils pas Julio, Jenny et Marie-Sylvie comme s'ils fussent leurs supérieurs, les incitant dans leur libéralisme excessif à trop de liberté, quand ils ne sont que des employés, des réfugiés sans autre toit que leur maison, et Caroline photographiait le visage noble de Jenny tenant Augustino dans ses bras, et la tête un peu ravagée de Marie-Sylvie, était-ce cette désastreuse traversée sur un radeau ou la déraison de son frère dont elle portait les stigmates, et les petites filles revenaient se jucher aux embrasures des portes, des fenêtres, en disant, photographiez-moi, Caroline, insouciantes enfants, qui sait où les transporterait l'aube du siècle, dans quelles conditions de vie, inimaginables dans le confort des foyers, vers quelle survie dans les gangs, les bandes des rues, Caroline, Dieu

merci, en ces années-là, ne serait plus de ce monde
étrange, à moins qu'elle ne fût centenaire comme son
père, et à mesure que Caroline enregistrait ces images
de l'œil fin, rapide, de son appareil, les visages des
enfants innocents lui semblaient soudain se durcir,
comme ce visage de Samuel qui avait enlevé son
masque d'oiseau, sous le masque ne s'était-il pas
déguisé en ce chanteur, Prince, pensait Caroline, les
filles qui avaient grandi n'étaient plus reconnaissables,
toutes ressemblaient à Samuel, coiffées de plumes, des
anneaux à l'oreille, aux narines, les yeux cernés de
mauve et de noir, les joues bariolées de couleurs entre
le feu et la cendre, qu'eût fait Caroline si on eût exigé,
comme pour ces journalistes, ces reporters, qu'elle
photographiât ces enfants à Bogotá, dormant la nuit
dans les rues sur des couches de plastique ou de
carton, fumant leurs pipes de basuco, le jour, avant
que les balles ne percent leurs gorges, le soir, mourant
le soir là où ils avaient dormi dans l'angoisse d'être
tués, le matin, ou cette femme levant le poing dans un
cimetière de la Californie, Evergreen, le cimetière à
jamais vert, à Oakland, qui était le lieu de repos des
victimes du massacre de Jonestown, une femme levait
le poing en disant, souvenez-vous, ici reposent un
frère, une sœur, un fils, souvenez-vous, et un appareil,
comme l'appareil de Caroline, témoignerait de l'immensité de cette catastrophe dans le cimetière
d'Oakland toujours vert, qu'eût fait Caroline si on lui
eût confié ces sales besognes, témoigner de son appareil de l'existence de tant de sinistres, d'incendies,
deux pompiers à genoux près d'un misérable brûlé qui
vivait ses derniers instants dans une piscine après
avoir sauvé des flammes un chat qui lui survivrait
comme une âme, dans ces limbes de la terre où son
maître aurait péri de ses brûlures, ses mains encore
au bord de la piscine, que serraient les mains des

pompiers agenouillés, jusqu'à quel point agissait-on
par empathie face au malheur des hommes, si Dieu eût
existé, eût-il pu agir avec plus de sympathie, d'empathie, que ces deux hommes impuissants devant la
douleur d'autrui, à eux, ces reporters, ces journalistes,
on imposait l'insoutenable pèlerinage dans ces tragédies ; le défilé des sans-abri à Moscou vers l'asile où on
leur servait de la soupe, comme le spectacle des boules
de neige striées de sang qu'échangeaient de jeunes
garçons dans les rues de Sarajevo, jusqu'à quel point
éprouvait-on de l'empathie pour le malheur des
hommes, quand on était Caroline, une femme jouis-
sant d'une modeste fortune, ils éviteraient ces sujets
au déjeuner sur la terrasse, Jean-Mathieu ne lui disait-
il pas aussi, Caroline, vous êtes charmante, délicate,
comme la romancière anglaise Jane Austen, à qui vous
ressemblez, ma chère amie, mais Jean-Mathieu ne
résistait jamais à flatter une femme, Caroline reprenait
confiance en se disant que, lorsque les femmes se
taisaient, et était-ce un mensonge de se taire, non, une
parole simplement rangée dans le silence, rien de plus,
lorsque les femmes ne disaient rien d'elles-mêmes, les
hommes ignoraient tout de leurs vies, que connais-
saient-ils des liens mystérieux qui unissent les femmes
entre elles ou des amours adultères d'une femme avec
un homme, ce qui était tu n'était pas un mensonge,
pensait Caroline, sur la terrasse, à midi, Caroline et
Jean-Mathieu éviteraient ces sujets qui pourraient
heurter leur lien, l'avenir, par exemple, il valait mieux
ne pas en parler, les prémonitions de Caroline étaient-
elles justes, elle n'en savait rien, mais un cœur de
femme sent toutes les nuances, pensait-elle, de l'œil
fin, rapide, de son appareil Caroline croyait enregis-
trer déjà ces images de l'avenir, les visages de ces filles,
aux embrasures des portes, des fenêtres, se durcis-
saient de même que le visage de Samuel empruntant

au chanteur Prince la voix gutturale et les cris, tous, coiffés de plumes, des anneaux à l'oreille, aux narines, les yeux cernés de mauve et de noir, les joues bariolées de couleurs entre le feu et la cendre, ils avançaient par bandes, hordes de barbares et de sauvages avec leur musique rap, leurs tambours africains, ils envahissaient cette terrasse près de la mer, sous les cocotiers, les palmiers de Noël où Jean-Mathieu et Caroline monologuaient en somnolant sur la littérature anglaise ; ils auraient des cheveux ténus sous leurs chapeaux de paille, car l'âge aurait tout défait en eux, les artères seraient trop visibles sous la transparence bleuie de la peau, leurs dents, non, il ne fallait pas songer dans quel état seraient leurs dents, alors, l'âge aurait tout défait, les cheveux, les dents, d'un ton las, ils échangeraient des propos sur Jane Austen, pensait Caroline, et tout au bord de l'éternité, prêts à rentrer dans le royaume des cieux pourvu que ce soit aussi attrayant qu'un salon crépusculaire où l'on va prendre son cocktail le soir, avec ses amis, ils verraient surgir de la voûte des palmiers ces hordes de barbares, de sauvages, filles et garçons, se ruant avec leurs clameurs, leurs tambours, coiffés de plumes comme l'était Samuel, les yeux cernés de noir, les joues bariolées de couleurs entre le feu et la cendre, que feraient-ils, ces jeunes gens, de ces deux vieillards, Caroline et Jean-Mathieu, assoupis l'un près de l'autre, sur une terrasse, leurs mains bleuies de veines, sur leurs genoux, ils seraient maigres comme du bois sec, du bois à brûler, non, à midi, sur la terrasse, Jean-Mathieu et Caroline éviteraient ces sujets ténébreux, la vieillesse, la mort, les vagues prémonitions de Caroline eussent ennuyé son ami charmant et cultivé, alors, vous voici absorbée dans l'œuvre de Jane Austen, dirait Jean-Mathieu, au déjeuner, la conversation se déroulerait dans le même calme enchanteur, leurs visages baignés de lumière seraient

conciliants, aimables, et soudain Jean-Mathieu dirait
tristement, encore un, ma chère amie, que nous avons
perdu, encore un, après Justin et Jacques, je croyais
que nous avions eu notre part de chagrins, eh bien
non, ma chère amie, ma chère Caroline, encore un
parmi nous qui a rejoint le pays des ombres, qu'y
pouvons-nous, ma chère, qu'y pouvons-nous, le
nombre de nos amis ira de plus en plus en rétrécissant,
qu'y pouvons-nous, la douceur de l'air, dirait Caroline, pensez à la douceur de l'air, mon ami, quelle
journée magnifique, mon ami, ce ciel bleu, la mer par
un jour sans vent, pensez à la douceur de l'air, mon
ami, oubliez ce pays des ombres, ces sujets tourmentés, il faudrait les éviter, et ces pensées coupables,
honteuses, lorsque Caroline avait photographié la
noble tête de Jenny, la société n'évoluait-elle pas, Jenny
serait médecin quand, hier, on refusait les infirmières
noires dans les hôpitaux, mais dans la riche famille de
Caroline, il y avait toujours eu une infirmière noire
reçue à la maison pour les soins privés, de même en
était-il de plusieurs grandes familles de Boston où ces
infirmières étaient parfois de garde, des soins privés,
Mary Eliza Mahoney n'était-il pas le nom de cette
infirmière pionnière ouvrant la voie de la libération,
de l'affranchissement, mais ils éviteraient ces sujets car
soudain Jean-Mathieu reprendrait son air accusateur,
ma chère, dirait-il, il y a encore tant de racisme en
Amérique du Nord que les conditions de vie dans nos
ghettos ne sont comparables qu'à celles du Tiers-
Monde, vous vous mentez à vous-même, ma chère
amie, notre société régresse lamentablement, cons-
ciente, soudain, qu'une femme ne pouvait jamais avoir
raison, Caroline ajouterait d'une voix intimidée, mon
cher ami, jusqu'à quel point vont l'empathie, la
sympathie, jusqu'à quel point sommes-nous capables
d'éprouver ces sentiments pour nos semblables?

Pendant le déjeuner, Jean-Mathieu tapoterait son verre de limonade ou d'eau gazeuse, vraiment ne pas boire de margarita glacée, de martini, dans un pays tropical, est une absurdité, mais à votre santé, ma chère amie, vous ne vous en portez que mieux, dirait Caroline, vous vous trompez, ma chère, dirait Jean-Mathieu, j'étais un homme plus tolérant, compatissant, quand je consommais beaucoup, le souvenir d'une dévorante soif vous laisse un peu grincheux, hargneux, dirait-il, mais surtout, pensait Caroline, ils seraient conciliants, aimables, baignés d'une lumière bleue comme celle de l'océan, sous leurs chapeaux de paille, et n'est-ce pas maintenant l'heure de lire en espagnol, demanda Edouardo, en posant une compresse aromatisée de lavande sur le front de Frédéric, car nous n'avons plus de téléviseur, ils ont aussi volé notre musique, recommence ta lecture, dit Frédéric, n'as-tu pas dit ha resucitado, tu verras, je réussirai parfaitement le buste de bronze, cette fois, Ari est donc déjà parti, encore une femme, une maîtresse, la sculpture ou la chair, ou les deux à la fois, n'étais-je pas comme lui à son âge, c'est un trésor de la vie vite dilapidé de tant pouvoir aimer, ha resucitado, dit Frédéric, tu te souviens de ce gouverneur qui avait censuré mon article, tout ce qui concernait ces familles vivant sur les rails des chemins de fer, le gouverneur me dit, non, cet article ne doit pas être publié, l'histoire de ces enfants si dépouillés de force et de défenses qu'ils sont mangés par les chiens qui ont faim, comme eux, les uns et les autres sont tués par les voitures et les trains, je me souviens de l'indifférence de ce gouverneur lors de la publication de mon article, dit Frédéric qui commençait à s'agiter, n'est-ce pas l'heure de se reposer un peu, dit Edouardo, en poursuivant sa lecture, No està aqui, pues ha resucitado, como dijo. Venid, ved el lugar donde fue puesto el Señor, dit Edouardo, c'est à

cause de ces rails de chemins de fer que j'ai fait la
révolution, dit Edouardo, Mas en angel respondiendo,
un poème espagnol dit qu'il faut donner le chant de
son âme, dit Edouardo, le chant de la révolution armée
pour ces gens entassés comme des rebuts avec leurs
bêtes sur les rails des chemins de fer, le chant de mon
âme, un jour, j'ai franchi la frontière à pied comme je
l'avais fait tant de fois, enfant, les fusils tombaient
désormais de mes mains, je préférais vivre en exil plutôt que d'être emprisonné, torturé, tué, dit Edouardo,
et toujours à cette période de l'année, je pense à la
sierra Madre, No temais vosotras, dit l'Évangile selon
saint Matthieu, No temais vosotras ; porque yo sé que
buscáis a Jesùs el que fue crucificado, lisait Edouardo
à Frédéric sur qui descendait le sommeil, c'était cela,
pensait Frédéric, le sentiment d'une imminente résurrection, avec le modelage de la petite tête de bronze,
on y verrait les traits exquis de Mozart ou de Mendelssohn enfant, adolescent, celui qui écrirait l'ouverture du *Songe d'une nuit d'été*, quand sa précocité bou-
leverserait le monde, ha resucitado, lisait Edouardo, ha
resucitado, avant que ne reviennent les vertiges, il faut
dormir, Bastogne, 1944, répéta Frédéric, nos avions
sous les ponts de fer, ces pauvres gens dans les décombres fumants, Bastogne, 1944, les doigts lacérés,
un Noël de sang, je triompherai, avec ce buste de bronze, de ces signes détestables de la froideur de Dieu, dit
Frédéric, d'une voix presque éteinte dans le sommeil,
et on entendait, dans le silence de la chambre dont la
fenêtre était ouverte sur les orangers, les citronniers,
on entendait encore le chant des cigales et ces mots
d'Edouardo s'éteignant lentement, ha resucitado, Frédéric, ha resucitado. Et Claude serait bientôt près
d'elle, pensait Renata, marcher à son bras vers la plage,
s'imprégnant tous les deux d'air moite, de chaleur,
irréconciliables, s'imprégnant tous les deux d'air

moite, de chaleur, dans l'ivresse de leurs désirs, elle
poserait au retour sa candidature de juge, avec l'appui
de son mari, y aurait-il un retour, déjà était-ce l'heure
de renoncer à ces objets d'une irrécupérable satiété,
les pernicieuses cigarettes, l'étui d'or étincelant dans
la nuit d'un casino, d'un bar, auprès de jeunes
hommes encore inconnus, ô fumée légère dans l'air
que parfumait le jasmin, quelle sensation de bonheur
de les avoir retrouvés, Daniel, Mélanie, Samuel qui
avait tellement grandi pendant l'hiver, Mélanie, un
peu sa fille, son enfant, elles étaient de la même taille,
avaient de secrètes similitudes, quelle sensation de
bonheur de les retrouver tous, était-ce quelques jours
après l'effroi du naufrage en route vers Brest, vers
l'église où serait joué son oratorio, que Franz partait
avec ses fils vers une autre femme, le voilier, ses figures
de Goya, sur le pont, les fils de Franz qu'elle ne
reverrait plus, mais quelle sensation de bonheur
d'avoir retrouvé Daniel, Mélanie, Mélanie, un peu sa
fille, son enfant, tant de similitudes secrètes, ô fumée
légère dans l'air que parfumait le jasmin, sur une jetée,
penchée vers l'océan, elle fumerait pour la dernière
fois, se délectant de l'immortalité de cet instant au-
dessus de l'eau, elle retirerait de sa veste de satin,
aucun bijou, non, elle n'en porterait aucun, pensait-
elle, ce serait un soir de pluie, elle fumerait près de
l'eau, pieds nus dans ses sandales, un imperméable
vite jeté sur les épaules, l'odeur de cette flamme dans
l'air mouillé, pour la dernière fois, comment eût-elle
jugé Laura, toute autre femme tuant ses enfants, que
savaient les hommes de ce flux du sang menstruel
bouillant ses fièvres dans les cerveaux comme dans les
cavités des ventres où s'affolait la vie, entre l'amour,
la fureur, de plus en plus de femmes subiraient la
peine capitale, que savait son mari de ces tourbillons
de sang, avait-il déjà mis un enfant au monde, nous

quitterons cette maison, ces serviteurs qui furent ceux
de mon père, écrivait le juge, ce sont des repris de
justice longtemps au service de la famille, ils étaient
ainsi condamnés à purger leur peine, tout en étant
surveillés, mais un jour n'ai-je pas compris qu'ils nous
surveillaient tous, eux aussi, d'une serre, d'un jardin,
ils nous épiaient, et nous ne savions plus comment
nous dérober à leur étroite vigilance, le juge n'avait-il
pas cru, lui aussi, comme son père avant lui, en la
réhabilitation de ces prisonniers, mais une jeune
femme qu'il avait réhabilitée de la prostitution et
accueillie chez lui y entraînait déjà sa fille, encore
petite, parents et enfants ne se retrouvaient-ils pas
soudain dans le même abandon physique, moral, dans
le trafic des stupéfiants, soudain ils n'avaient tous de
foyers que ces seuls lieux de déchéance, les piqueries,
où ils accomplissaient leurs rites, n'étions-nous pas
tous victimes de cette anarchie des gènes, en nous, de
défauts héréditaires pour lesquels nous étions nous-
mêmes sans surveillance, tant de condamnés, de
récidivistes étaient chaque jour des sujets d'expériences
dans les prisons, on les irradiait dans les testicules,
causes de tumeurs, de cancers, mais que faire de ces
hommes, de ces femmes sans avenir, des cobayes, des
sujets d'expériences, tels des animaux de laboratoire,
une femme comme Renata avait dénoncé cette irradia-
tion des prisonniers dans les prisons de l'Oregon, de
Washington, mais l'avait-on écoutée, tous ces repris de
justice que nous gardions à notre service, écrivait le
juge, ne continuaient-ils pas de nous surveiller, d'une
serre, d'un jardin, soudain le juge découvrait qu'ils
étaient parmi ces hommes qui avaient piégé sa voiture,
le juge avait beaucoup réfléchi, qui sait si Renata, qui
était une femme, n'avait pas eu raison à propos du
condamné du Texas, cette pensée le réveillait, la nuit,
mais près de cette mer bleue des Caraïbes, pendant sa

convalescence, ne sortaient-ils pas le soir, pour aller
au casino, peu de temps après une dispute passionnée,
ils oubliaient le condamné du Texas, n'en parlaient
plus, loin de tout, ils étaient ici, Renata et Claude, pour
se reposer, se détendre l'un près de l'autre, le juge
ayant maintenu son verdict de culpabilité avant son
départ, et lorsque Renata serait seule sur la plage, elle
entendrait encore ces musiciens de l'orchestre, dévalant les rues dans leurs blancs habits, tirant de leurs
instruments des sons joyeux, sous une pluie fine, elle
les reverrait tous, l'Antillais contre la blancheur d'un
mur, serait-ce encore un homme sous la suie de ses
loques, encombrant les rues, les trottoirs, elle marcherait vers cet attroupement houleux se dispersant
sur les plages, ces jeunes gens en noir sous des
chapeaux de feutre, chaussés de bottes cloutées de fer,
bardés de cuir, leurs furets, leurs rats, sur l'épaule,
soudain, celui-ci, l'un des fils de Franz qu'elle avait
élevé, un parent, un ami, tous, ils étaient enchevêtrés
dans cette masse noirâtre contre la blancheur d'un
mur, vêtue de son imperméable, pieds nus dans ses
sandales, ses pensées seraient toutes pour ce fils, cet
ami ou ce parent égaré, à chacun elle demanderait,
quel est ton nom, viens avec moi, nous serons à la
même table ce soir, quand résonneraient encore en
elle ces sons allègres que les musiciens tiraient de leurs
instruments, au loin, aucun lien de honte, soudain, ne
seraient-ils pas tous, les uns, les autres, des hommes,
des femmes, des enfants, qu'elle avait bien connus ? Et
de l'œil fin de son appareil, Caroline retenait encore
un visage, celui de Joseph, dans un angle du jardin,
l'un des jeunes musiciens de l'orchestre ayant oublié
son violon, solitaire, Joseph jouait de l'instrument
dont s'exhalait une lente plainte, et Caroline pensait
aux yeux d'un homme, à l'appareil d'un soldat russe
qui avait photographié ces visages qu'une armée

délivrait des camps d'Auschwitz, les plus jeunes, parmi eux, exprimaient dans un sourire harassé l'espoir, l'espérance de bientôt revivre, ce sourire n'était-il pas fixé sur les lèvres de Joseph, ce sourire dans la blessure et le deuil, quand des cendres renaissait la vie, mais que Dieu épargnât Caroline de ce défilé d'images de l'enfer, qu'elle fût à l'abri, jusqu'à quel point l'empathie, la sympathie pour le malheur d'autrui, que Caroline fût préservée de ces images féroces, elle déjeunerait à midi avec Jean-Mathieu sur la terrasse ensoleillée, l'air serait doux, et Mère entrait dans la chambre sous les lauriers-roses, ce serait ici la chambre de son repos près de sa fille et de ses petits-enfants, elle s'étendait sur son lit, que ces jeunes gens s'amusent, pensait Mère, deux autres jours, deux autres nuits, que continuent les fêtes, deux autres jours, deux autres nuits, ce soir, Mère verrait du pavillon d'un quai le héron blanc et sa royale démarche dans les vagues, pendant que, tout en étirant le cou, il poserait avec une lenteur avertie une patte devant l'autre, dans ces reflets de la lune sur l'eau assombrie, et Mère entendrait aussi les voix de Samuel et Vénus déchirant la nuit, lorsqu'ils chanteraient de leurs voix unies, ô que ma joie demeure, ô que ma joie demeure.